Couverture : Joyce MACKINNON

ANNE HÉBERT, SON ŒUVRE, LEURS EXILS

Si vous souhaitez être informé de nos publications, il vous suffit d'envoyer
vos nom et adresse aux :
Presses Universitaires de Bordeaux
Domaine Universitaire - Université Michel de Montaigne-Bordeaux 3
33405 TALENCE CEDEX - FRANCE

NEIL B. BISHOP

ANNE HÉBERT, SON ŒUVRE, LEURS EXILS

Essai

PRESSES UNIVERSITAIRES DE BORDEAUX

Pour Annick Perrot-Bishop,
pour Gwendoline Bishop, ma mère,
et à la mémoire de mon père, Ernest Linton Bishop

"Laisse-moi la fenêtre, tu me déranges tout mon pays".
(Anne Hébert, "Enfants à la fenêtre")

"Syntaxe de l'éclair ! ô pur langage de l'exil ! Lointaine
est l'autre rive où le message s'illumine"
(Saint-John Perse, Exil)

Sigles

Nos renvois aux œuvres littéraires d'Anne Hébert se feront dans notre texte, à l'aide des sigles suivants placés avec la pagination entre parenthèses :

AM   *L'Arche de Midi*
BMG   *La Boutique de Monsieur Grinsec*
C   *La Cage*
CB   *Les Chambres de bois*
CP   *La Canne à pêche*
DC   "Un Dimanche à la campagne"
ECS   *L'Enfant chargé de songes*
ES   *Les Enfants du Sabbat*
FB   *Les Fous de Bassan*
H   *Héloïse*
ID   *L'Ile de la Demoiselle*
K   *Kamouraska*
P   *Poèmes* (volume comprenant *Le Tombeau des Rois*, "Poésie, solitude rompue", et *Mystère de la Parole*)
PJ   *Le premier Jardin*
PNRL   "Poèmes nouveaux" parus dans l'ouvrage *Anne Hébert* de René Lacôte
SH   "Shannon"
SE   *Les Songes en équilibre*
T   *Le Torrent* (édition HMH de 1963, la plus complète de ce recueil de nouvelles ; réimprimée plus d'une fois avec toutefois des différences dans la datation de certaines nouvelles. Nous avons donné foi aux dates figurant dans la réimpression de 1971, d'autant plus qu'elles se retrouvent dans l'édition "Bibliothèque québécoise" de 1989.)
TS   *Le Temps sauvage* (sigle qui renverra au volume comprenant *Le Temps sauvage*, *La Mercière assassinée* et *Les Invités au procès*)

Remerciements

Le présent ouvrage est presque entièrement indépendant de la thèse de doctorat que son auteur a consacrée naguère à la thématique de l'enfance dans l'œuvre d'Anne Hébert. Les deux travaux portent sur des problématiques différentes - tout en témoignant d'une constante admiration de l'œuvre d'Anne Hébert.

Le présent ouvrage résulte de la conviction, acquise au cours d'une longue fréquentation de l'œuvre d'Anne Hébert et de la critique hébertienne, que l'exil - au sens le plus pluriel du terme - constitue à la fois un élément-clef de cette œuvre et un précieux instrument de sa lecture. Si bien d'autres critiques ont su privilégier à juste titre tel ou tel autre aspect de l'œuvre d'Anne Hébert, le moment semble opportun de se pencher sur la problématique de l'exil dans le vaste parcours textuel hébertien. Des parties de certains chapitres du présent travail sont une version révisée d'articles parus dans diverses revues savantes, qui figurent dans la bibliographie; le Chapitre VII en particulier, consacré au Premier Jardin, développe l'article consacré à ce roman dans Etudes Canadiennes / Canadian Studies, numéro 28.

Je remercie de nombreuses personnes pour leurs encouragements et leur soutien, tout au long de la préparation du présent ouvrage. Annick Perrot-Bishop, m'a d'autant plus appris sur l'exil, qu'elle a su surmonter les défis que lui ont valu ses errances entre l'Asie, l'Europe et l'Amérique du Nord pour en faire la source même de son imaginaire littéraire. Je remercie aussi mes collègues du Département de français et d'espagnol à la Memorial University of Newfoundland, tout comme Madame le Professeur Marie-Lyne Piccione de l'Université Michel de Montaigne-Bordeaux III qui a lu et fort utilement commenté mon manuscrit, et les Presses Universitaires de Bordeaux dont Madame Monique Verdier pour son efficacité et sa patience lors de la mise en page et de la correction des épreuves.

Je remercie enfin du fond du cœur Anne Hébert qui m'a honoré d'un entretien, m'a toujours traité avec une exquise courtoisie - et qui, surtout, a enrichi la littérature mondiale d'une œuvre dont la beauté et la force ne cesseront de constituer des raisons de vivre, des sources de joie.

Prologue

L'ENFANT CHARGÉ DE SONGES
(1992)

"Une œuvre dont la beauté et la force ne cesseront de constituer des raisons de vivre, des sources de joie", écrivais-je il y a
quelques jours à la fin du paragraphe précédent, au moment de finir
ce manuscrit ; et en effet, quelques jours plus tard paraissait aux
Editions du Seuil *L'Enfant chargé de songes*, roman d'Anne Hébert
dont, sans tarder, la critique journalistique loua à juste titre la beauté -
et dont la *charge exiliaire* est fort riche. Le présent manuscrit étant alors
terminé, il n'a pas été possible d'y incorporer l'analyse approfondie
que mérite assurément *L'Enfant chargé de songes*. Mais ce titre révèle
déjà l'essentiel : ce plus récent roman d'Anne Hébert thématise puissamment l'une des grandes formes de l'exil dans son œuvre, cet exil
dans le songe qu'évoquent d'émouvante façon tant "Eveil au bord de
la fontaine" dans *Le Tombeau des rois* que le poème-titre (dont l'héroïne erre parmi les ténèbres d'un songe dédaléen avant d'entrevoir la
lueur du réel) ; en témoigne encore les néfastes univers oniriques
dont sont prisonniers tant de personnages dans les textes drama-

tiques *Les Invités au procès* et *L'Arche de Midi*. Univers dans lesquels tendent à s'enfermer encore Michel et Lia dans les chambres parisiennes des *Chambres de bois,* comme Bernard dans *Héloïse* : deux romans que l'on a qualifié de jumeaux et qui, par ce thème du songe exiliaire plus encore que par leur cadre parisien, forment avec *L'Enfant chargé de songes* un triptyque de l'exil onirique.

Anne Hébert, dans "Le Québec, cette aventure démesurée", a affirmé que, suite à la Conquête-Cession qui fit de la Nouvelle-France une possession britannique, les Canadiens francophones étaient devenus prisonniers d'un état de songe mêlé d'idéalisme religieux dont elle les exhortait à sortir pour s'approprier le réel. Nous évoquons d'autant plus volontiers ici cet exil dans le songe, en rapport avec le plus récent roman hébertien, que son traitement assez fréquent, tant par Anne Hébert dans ses commentaires et textes para-littéraires que par la critique, nous ont amené à mettre l'accent plutôt sur d'autres types d'exil dans le présent ouvrage. Le Chapitre II montrera même que la notion selon laquelle les francophones canadiens, dont surtout leurs écrivains, auraient souffert d'une difficulté à s'incarner/s'enraciner dans le réel et seraient par conséquent restés prisonniers du songe, de l'idéalisation et de la nostalgie d'un passé idéalisé, constitue un leit-motiv de la critique littéraire québécoise - y compris celle qui s'est penchée sur l'œuvre d'Anne Hébert, en témoignent parmi d'autres des travaux de Gilles Marcotte et d'Albert Le Grand.

Exil onirique ; exil-impasse, car si Anne Hébert a exhorté les Québécois à sortir du songe pour embrasser tout le réel, rose et épines, la fin de *L'Enfant chargé de songes,* qui plonge l'"enfant" en plein âge d'"homme mûr" (ECS 154) en lui apprenant qu'il va devenir père de famille, semble vouer le personnage à retomber dans une vie petite bourgeoise bien ennuyeuse ; embourgeoisement dans lequel Hébert a toujours refusé de se laisser sombrer elle-même. Bien plus intéressante qu'Aline (que Julien épousera sans doute), semble Lydie Bruneau, Lydie la contestataire, la marginale, l'exilée (à Staten Island, New York ; mais dans la campagne québécoise aussi, puisque ses parents l'y ont en quelque sorte "abandonnée", faisant ainsi d'elle une orpheline provisoire, ce qui la rapproche de bien d'autres exilés hébertiens). Lydie la transgressive, sœur de Lia (*Les Chambres de bois*) et d'Héloïse, et dont Julien rejette un avatar - Camille Jouve (dont la parenté avec Héloïse se signale par ses vêtements noirs, tout comme sa sororité avec Lia se marque par sa sensualité *intransitive,* inutile, n'aboutissant à rien de positif) :

> *Julien s'allonge par-dessus les draps défaits. Il regarde*
> *entre ses cils la femme qui se rhabille. [...] Qu'elle s'encapu-*
> *chonne de noir au plus vite, la robe sur la figure, et disparaisse*
> *à jamais. [...] Tout juste bonne pour le songe, que vient faire*
> *cette femme dans le lit de Julien ? (ECS 157)*

Certains trouvent la fin des *Chambres de bois* trop conventionnelle : Catherine (comme Julien dans le passage de *L'Enfant chargé de
songes* que l'on vient de lire) y rejette explicitement le songe pour retourner vers le "réel", sous forme du mariage bien traditionnel avec
ce Bruno aux allures de "cerf stupéfié" (CB 155) qui voudrait qu'elle
ne travaille point à l'extérieur. Mais faudrait-il chercher quelque espoir dans le fait qu'éternel rêveur, Julien tend à transformer Aline, naguère "ronde et sans mystère, fraîche comme de la crème fraîche"
(ECS 150), en objet onirique ?

> *Aline est cette terre obscure à l'horizon qui tremble avec son*
> *fruit. Aline est cette source et ce commencement. Julien a ren-*
> *dez-vous avec elle. Le songe est à nouveau devant lui. (ECS*
> *159)*

Il y a impasse, disions-nous : car, si cette Aline onirisée promet peu
les aubes ensoleillées que chante *Mystère de la Parole*, le personnage le
plus intéressant du roman - cette première version de Camille Jouve
qui s'appelle Lydie Bruneau - apporte certes la passion ainsi que la
passionnante transgression, mais amène aussi la souffrance et la mort,
celle d'une angélique Hélène qui méritait tout de même mieux. Julien,
à la fin du roman, ressemble un peu à Elisabeth Rolland qui, à la fin
de *Kamouraska*, abandonne le songe et le souvenir, la mémoire onirique, pour se cantonner désormais dans l'aire étroite de la respectabilité bourgeoise. Julien s'en va vers semblable embourgeoisement.
Hébert a déclaré que la situation finale d'Elisabeth est "sans issue"[1] ;
la fin de *L'Enfant chargé de songes* suggère peut-être une note d'espoir
en introduisant dans l'avenir qui attend Julien l'enfant à naître - mais
il est permis de douter que cet enfant lui permettra une vie plus épanouissante. Sa situation n'est peut-être pas moins une "impasse" que
celle d'Elisabeth Rolland.

Quant aux autres sortes d'exil dans *L'Enfant chargé de songes*, retenons qu'au début du roman, Julien se trouve à Paris ; son univers
québécois lui revient grâce au *rêve-souvenir* (procédé cher à Anne

Hébert romancière, en témoigne *Kamouraska*). Toute la partie du roman ayant le Québec comme cadre (pages 28-149) peut se lire ainsi comme texte onirique. C'est pourtant à Paris que Julien éprouve une impression d'irréalité, face à ce fleuve trop petit pour être un vrai fleuve, face à ces billets de banque trop grands pour être autre chose que de l'argent de théâtre (Julien partage ainsi les réactions initiales qu'eut sa créatrice lors de son premier voyage en France, vers l'époque d'ailleurs où Julien a fait son voyage fictif). Julien souffre d'exil, sous une forme ou l'autre, tant au Québec (exils identitaire et affectif) qu'à Paris. Et c'est dans cette dernière ville que

> *Pour la première fois il a l'impression d'avancer dans une ville bien à lui, visible et palpable de tous bords et de tous côtés autour de lui. Il est cet homme mûr qui mesure sa puissance des deux bords de l'océan Atlantique à la fois. (ECS 154)*

Cela, grâce au fait d'avoir appris qu'à Québec l'attend une femme enceinte de lui et d'une vie neuve, et qui offre donc à Julien une nouvelle vie… Cette notion selon laquelle l'*homo quebecensis* ne peut sortir de son exil qu'en sachant concilier les "deux bords de l'océan Atlantique à la fois" les versants québécois et français de son être, reviendra d'importante façon dans d'autres textes hébertiens. Paris, la France (re)vécus par un/e Québécois/e, se rêve dans plusieurs textes hébertiens comme lieu de synthèse de deux "côtés du monde" et donc comme lieu de bannissement de l'exil, lieu de l'intégration désexilante. Plus précisément, la formulation que nous offre ici *L'Enfant chargé de songes* réunit deux facteurs : *espace* ("les deux bords de l'océan Atlantique") et *temps* ("à la fois"). Or, l'espace-temps de la (ré)conciliation temporo-spatiale, ce sera souvent cet espace-temps franco-québécois que fut la Nouvelle-France, "fruit" de cette union transatlantique.

Terminus provisoire d'une œuvre parue des "deux bords de l'océan Atlantique", *L'Enfant chargé de songes* est un roman dont la lecture se mue en prologue à la (re)lecture de tout l'univers textuel hébertien, à la remontée de ses temps, la retraversée de ses espaces[2].

INTRODUCTION

Transatlantiques sont les origines et la problématique de cette étude. Des lecteurs tant européens que canadiens, surpris qu'un des plus prestigieux auteurs québécois - Anne Hébert - vive et publie presque exclusivement en France depuis des décennies, s'interrogent souvent : "Pourquoi cet exil personnel et littéraire chez Anne Hébert ?" Interrogation dont la fréquence même - ainsi que la richesse signifiante du rapport entre l'exil et la littérature au vingtième siècle - confirment l'intérêt d'en étudier le bien-fondé et d'y apporter des éléments de réponse à l'aide d'une documentation comprenant les grandes œuvres d'Anne Hébert et aussi d'autres textes moins connus ou moins faciles d'accès, surtout hors-Canada. La question de l'exil hébertien intéresse autant les lecteurs français que canadiens, car elle pose ce que Pierre Pagé appelait, à propos de *Maria Chapdelaine* de Louis Hémon, "un problème franco-québécois d'histoire littéraire"[1] en raison de l'itinéraire transatlantique et d'Anne Hébert et de son œuvre. L'exil hébertien peut également intéresser les autres littératures francophones, car il amène à s'interroger sur les rapports entre métropole et périphérie littéraires, entre ancienne colonie et ancienne mère-patrie, et même sur le lieu et la nature réels de l'exil pour l'excolon comme pour l'ex-colonisé. Problématique particulièrement complexe dans le cas du Québec et des Québécois francophones, puisque ceux-ci, colons sous l'Ancien Régime jusqu'en 1763, subirent une brutale inversion de statut lors du passage, *manu militari,* sous la couronne britannique : conquête/cession qui les transforma en colonisés et leur infligea un état d'infériorité socio-politico-économique qui a duré deux siècles et dont le poids se fait encore sentir.

S'interroger sur l'exil hébertien, c'est chercher à lire le parcours personnel et littéraire d'Anne Hébert : tâche considérable, car la notion et la réalité de l'exil, d'une part, et d'autre part, l'œuvre d'Anne Hébert sont d'une remarquable complexité, comme l'est *a fortiori* leur interaction. Complexité que cherchera à compenser, dans le présent ouvrage, une certaine simplicité méthodologique, afin d'éclairer cette problématique pour tous ceux, dans quelque pays que ce soit, qu'intéressent l'œuvre d'Anne Hébert, la littérature québécoise, ou encore la problématique de l'exil et ses rapports avec la littérature. D'où, ici, la part modeste d'un vocabulaire technique, comme des modèles et schémas dont usent les articles et thèses destinés principalement aux spécialistes.

Mais ce sont surtout des raisons textuelles internes qui incitent à l'étude de l'exil hébertien, raisons qui sont l'interrogation et la réflexion constantes que ne cessent de formuler, à propos de l'exil, les parcours littéraire et biographique d'Anne Hébert. Autrement dit : la présence massive d'une problématique de l'exil dans ses textes littéraires et autres (entrevues, contributions à certains journaux et revues, textes radiophoniques, télévisuels, cinématographiques, etc.), et dont l'interrogation constituera le but principal de notre travail.

Certains ont employé le terme "exil" à propos d'Anne Hébert comme s'il allait de soi. Il est sage, en bonne méthode, de soumettre toute vérité reçue à un examen critique. Ensuite, si l'emploi du terme paraît encore justifié, il se fera en connaissance de cause, et de façon plus précise et nuancée. Il s'agira ici de savoir s'il y a effectivement eu "exil" dans l'œuvre et/ou la vie d'Anne Hébert ; et, dans l'affirmative, de comprendre pourquoi, et de savoir où et comment il s'est manifesté ; tout en dégageant les éventuels rapports entre l'exil dans l'œuvre et l'exil biographique.

Cette étude permettra ainsi de lire l'œuvre hébertienne selon une perspective assez peu habituelle qui, tout en tenant compte de

différentes formes d'exil, mettra l'accent sur l'exil *spatial*, tant littéraire que biographique, dans ses manifestations diverses. Certes, A. Le
Grand nous a laissé un article précieux - "Anne Hébert de l'exil au
royaume" - mais dont la date (1967) l'empêchait de tenir compte des
nombreuses et importantes œuvres hébertiennes parues depuis.
D'ailleurs, Le Grand n'emploie guère le terme "exil" qu'au sens, psy-
cho-métaphorique, d'absence au réel, aliénation qu'il attribue à l'emprise de l'idéologie dominante traditionnelle au Canada français,
idéologie prônée par l'Eglise, principale institution de la société québécoise d'environ 1840 (suite à l'échec de la rébellion libérale de 1837-
38) jusqu'aux années 1960 (début de la "Révolution tranquille"). De
nombreux autres critiques se sont penchés sur d'autres formes psy-
chiques (vg., cet exil dans le songe dont notre "Prologue" a évoqué
l'importance) ou sociales de l'aliénation (qu'ils qualifient souvent
d'exil) dans l'œuvre hébertienne. Ces dimensions sont importantes et
trouveront largement ici leur place ; mais aborder d'emblée ces exils
métaphoriques, connotatifs ou figurés, ce serait brûler les étapes, sa-
crifier indûment le niveau dénotatif d'"exil" que les dictionnaires dé-
finissent d'abord en termes d'*espace*, d'*ex*-pulsion hors d'une patrie.
Toute étude de l'exil hébertien se doit d'aborder le sens premier, dénotatif, spatial du terme, d'autant plus que certains ont utilisé le terme "exil" en pensant d'abord au déplacement spatial d'Anne Hébert,
Québécoise installée à Paris.

Les commentateurs ont peu étudié la possiblité qu'existent des
liens entre l'exil qu'ils croient voir dans la vie de l'auteure et
celui/ceux qu'ils voient dans l'œuvre :

> *A part le fait qu'elle vécut une adolescence maladive, qu'elle*
> *subit l'influence profonde de son cousin Saint-Denys Garneau,*
> *et qu'elle se soit exilée à Paris depuis longtemps, sa biographie*
> *n'est d'aucun recours à qui veut lire ses textes et les analyser*
> *[...]*[2].

Robert Giroux indique ici trois clefs de lecture - dont l'"exil" parisien
- à l'œuvre d'Anne Hébert, sans pourtant utiliser aucune d'elles dans
la suite de son article ; mais il a raison de poser l'existence d'un lien
significatif - c'est-à dire, qui travaille le sens et en produit - entre
l'"exil" biographique et l'œuvre littéraire hébertiens. On imagine mal
qu'il pût en aller autrement lorsque le déplacement spatial biographique est d'une telle ampleur : cesser d'habiter au Québec pour
s'installer en France.

Ce qui ne veut nullement dire que l'on tentera ici "d'expliquer l'œuvre par la vie", au sens où l'on croirait pouvoir tout dire sur l'une en recourant à l'autre ; mais simplement que nous étudierons une problématique - celle de l'exil - qui habite et la vie et l'œuvre et y produit du sens - ce qui ne veut point dire : tout le sens. Vu la présence de cette problématique dans les itinéraires biographique et littéraire d'Anne Hébert, il semble raisonnable de penser que ceux-ci peuvent dans quelque mesure s'éclairer l'un l'autre, jeter quelque lumière sur le fonctionnement signifiant d'une problématique qu'ils partagent.

Si - tout en fondant l'essentiel de cet ouvrage sur des analyses de *textes* hébertiens - nous tenons compte aussi de la vie de l'auteure, c'est que toute écriture est le fait d'un sujet, et l'on ne saurait traiter les textes comme s'ils existaient hors de toute causalité extérieure, tant collective qu'individuelle, tant idéologique que psychologique et socio-culturelle. "Extérieure" ici ne signifiant point "transcendante" mais bien plutôt immanente à cette dimension intégrale de toute problématique textuelle que sont les instances de sa production (auteur/e, mais aussi éditeur et autres composantes de l'institution littéraire). D'ailleurs, c'est pour une large part la prise en compte de l'écriture des femmes, de cette écriture au féminin que l'œuvre hébertienne illustre d'admirable façon, qui a imposé à l'époque post-structuraliste la prise en compte de la trace du sujet de l'écriture dans le texte, et donc des résonances du hors-texte dans l'univers signifiant du texte.

Le sujet comme individu et comme membre d'une collectivité. A. Le Grand a insisté dans ses travaux sur la portée et la signification collectives des textes hébertiens qu'il perçoit comme expression du drame de tout un peuple. Gilles Marcotte a renchéri en écrivant, à propos du "Torrent", que "Cette fable terrible et belle est l'expression la plus juste qui nous ait été donnée du drame spirituel du Canada français. Sa portée sociale est explosive"[3]. C'est Denis Bouchard, dans *Une lecture d'Anne Hébert. La recherche d'une mythologie*, qui a le plus nettement défini l'œuvre d'Anne Hébert comme l'expression d'un sujet collectif : tout en précisant à juste titre qu'Hébert "n'a pas décidé un jour d'incarner la concupiscence refoulée de notre peuple,"[4] Bouchard affirme que dans l'œuvre hébertienne, "C'est du Québec plutôt que d'une Québécoise qu'il s'agit"[5] ; et ce critique vise à dresser la biographie intérieure tant d'un peuple que d'une personne en dégageant les grands mythes de l'œuvre hébertienne :

> *[...] il lui [à l'écrivain québécois] faut commencer par com-*
> *prendre et réussir à cerner les mythes. [...] Le succès dépend de*
> *la lucidité du regard en soi. Il faut se faire miroir fidèle où*
> *pourront se voir ses concitoyens [...] La rencontre véritable-*
> *ment attendue est alors justement celle du poète et de sa cultu-*
> *re. [...]*[6].

D'autres critiques expriment cette même vision de l'œuvre d'Anne Hébert.

Perspective juste, pour difficile que puisse être l'élucidation des rapports exacts entre l'esprit d'un individu et celui d'un peuple, entre mythes personnels et mythologie collective, ceux-ci étant difficiles à cerner et d'ailleurs en évolution constante, puisque comme l'a fort bien dit Patrick Imbert, "L'identité n'est pas un état, c'est un processus."[7] Et cette résonance collective ne fait qu'accroître l'intérêt des textes littéraire et autres d'Anne Hébert.

Précisons encore que cet itinéraire collectif, tout comme la biographie individuelle et la personne réelle d'Anne Hébert, nous sont connus grâce uniquement à l'univers textuel hébertien, continuum comprenant des textes poétiques, dramatiques, nouvellistiques, roma-nesques, radiophoniques, télévisuels, cinématographiques, des textes mi-journalistiques, mi-littéraires, aux confins de l'essai et de la poésie, et de nombreuses entrevues. Bref, la biographie hébertienne - comme toute biographie - est *texte* ; l'essentiel de notre travail, ce sera de nous pencher sur des textes, de rapprocher ceux-ci, les laisser interagir, ré-sonner les uns sur et *dans* les autres, laissant émerger de ces interac-tions tout un univers de sens, et de cueillir ainsi les conclusions que nous pourrons, en vue d'atteindre à une compréhension et une appré-ciation approfondies d'une œuvre littéraire d'une extraordinaire ri-chesse signifiante. Cela en fonction d'une problématique - celle de l'exil - qui revêt, dans la biographie comme dans l'oeuvre, une place essentielle à laquelle il reste à donner sa juste place dans la lecture et le discours critiques.

Cette problématique des rapports entre la vie et l'œuvre se prê-te à une formulation à l'aide des symboles suivants :
$\subset$ (est inclus dans, constituant de ...)
$\supset$ (inclut, a pour constituant).

Parlons pour l'instant de "déplacement spatial" (D.S.), afin de ne pas préjuger de l'emploi d'"exil" : dès lors, on peut écrire, à propos d'Anne Hébert, que

1.— Vie $\supset$ Œuvre

2.— Vie $\supset$ D.S.

3.— Œuvre $\supset \subset$ D.S.

Donc, 4.— Vie $\supset$ D.S. + Œuvre $\supset \subset$ D.S.

La troisième formulation appelle des précisions. L'œuvre d'Anne Hébert comprend du déplacement spatial sous deux formes :

1. des personnages changent de lieu de résidence, de pays ;
2. son œuvre change de lieu, à plus d'un égard :
   a) elle fut d'abord publiée au Québec, ensuite en France, avec un retour occasionnel au Québec ;
   b) le cadre géographique de son œuvre, le pays ou l'espace qui encadre l'action, évolue aussi, car il s'agit : tantôt d'un cadre géographique indéfini (ne renvoyant pas à un Etat-nation ou à une région du hors-texte, du monde "réel") ; tantôt d'un cadre référentiel renvoyant au Québec, tantôt d'un cadre référentiel renvoyant à la France[8].

Dès lors, nous pouvons synthétiser les quatre formulations ci-dessus :

Vie $\supset$ D.S. $\subset$ Œuvre

Et la vie et l'œuvre d'Anne Hébert comprennent du déplacement spatial, clef privilégiée donc pour mieux saisir leurs rapports, et surtout pour mieux comprendre les significations de l'exil dans les textes d'Anne Hébert, textes auxquels s'applique fort bien une observation de Janet Paterson portant sur "la primauté de l'isotopie de l'espace dans la construction du sens" dans *Les Chambres de bois*[9]. Observation qu'il convient de nuancer en ajoutant que certaines isotopies autres que la spatiale y rivalisent en importance avec celle de l'espace, et que l'ensemble de celles-ci constituent avec elle la thématique et la problématique de l'exil.

L'écoute accordée à l'exil spatial n'empêchera pas un va-et-vient constant entre les sens dénotatifs et connotatifs de l'exil, car des

liens étroits unissent ces deux ordres de signification, ces deux niveaux de l'exil, dans l'œuvre d'Anne Hébert comme ailleurs dans la
littérature canadienne-française. L'exil au sens psycho-spirituel
qu'étudiait déjà Le Grand est effectivement d'une grande importance
dans bon nombre de textes hébertiens, et particulièrement dans plusieurs de ses premiers textes : *Le Torrent, Le Tombeau des Rois*,... Plus
tard, le texte hébertien se montrera davantage tourné vers l'exil spatial et spatio-politique, voire spatio-historico-politique (*Kamouraska,
L'Ile de la Demoiselle, Le premier Jardin*, et d'autres). L'exil spatio-social
aura également son importance tout au long du parcours littéraire hébertien. Sans vouloir dresser ici la liste des diverses formes d'exil
dans les textes hébertiens, soulignons l'importance considérable et
croissante de l'exil *féminin*, type d'exil devenu dans plusieurs textes,
dont surtout la pièce de théâtre *La Cage*, l'objet d'une puissante
contestation, l'exil féminin s'y trouvant bouleversé par une solidarité
féminine qui vise à améliorer radicalement la condition féminine.

A la recherche d'une définition opératoire de l'exil, objet du
Chapitre I, nous tiendrons compte des réflexions qu'ont données sur
l'exil des penseurs de divers pays, pour nous mettre ensuite, au
Chapitre II, à l'écoute du discours de quelques critiques québécois sur
l'exil dans leur propre littérature - car l'exil, ou plutôt les discours *de*
l'exil et aussi un discours *sur* l'exil, voire un *mythe* de l'exil font partie
intégrante de l'institution littéraire québécoise et ont pu informer la
vision de l'exil chez Anne Hébert. Le Chapitre III étudiera l'exil biographico-éditorial et littéraire hébertien. Ces analyses seront suivies,
au Chapitre IV, de celle, plus spécifiquement littéraire, des cadres
géographiques évoqués par les textes littéraires hébertiens, et au
Chapitre V, de l'étude de quelques types et cas d'exil et de personnages d'exilés (dans divers sens). Ces deux chapitres étudieront, outre
les textes hébertiens qui ont reçu l'essentiel de l'attention critique jusqu'ici, des textes auxquels la critique s'est peu intéressée : contes ou
textes dramatiques pour enfants ou qui ont des enfants comme personnages principaux ; poèmes et nouvelles (dont "Un Dimanche à la
campagne" et "Shannon", textes aussi riches que négligés) parus en
revue mais non en recueil. La critique hébertienne s'étant surtout penchée sur la problématique exiliaire dans *Poèmes*, nous interrogeons le
plus souvent les textes en prose.

Si l'importance de l'exil féminin ne cesse de croître dans
l'œuvre d'Anne Hébert, le Chapitre V aura laissé entrevoir que
d'étroits rapports relient marginalité, transgression, fantastique et fé-

minisme dans une problématique de l'exil. Pour cette raison, le chapitre VI sera consacré à ce faisceau signifiant dont la présence et le
fonctionnement se manifestent d'exemplaire façon dans *Les Enfants du
Sabbat* et *La Cage*, parmi d'autres.

Le caractère essentiel de l'exil dans l'économie signifiante de
cette œuvre s'est confirmé avec éclat dans *Le premier Jardin* (1988). La
problématique de l'exil y prend une telle importance, y est présentée
de façon tellement opulente, que la lecture de ce roman fera l'objet
d'un chapitre à part, le chapitre VII, qui servira à la fois de lieu de vérification et de synthèse, non seulement des observations et conclusions effectuées à propos du reste de l'œuvre, mais aussi de cet ensemble de textes que constitue - et qui constituent - la biographie
d'Anne Hébert.

Quant au plus récent texte d'Anne Hébert, *L'Enfant chargé de
songes* (roman), paru alors que le présent ouvrage était terminé, il est
brièvement évoqué dans divers chapitres et surtout dans notre
Prologue (p. 11-14).

Phénomène complexe, l'exil enrichit encore sa propre problématique en ce qu'il ne cesse d'en croiser d'autres dont surtout celle,
universelle et à la fois bien québécoise, de l'identité. Problématique
particulièrement bien étudiée récemment par la critique dont deux
des meilleures contributions en ce domaine sont *Le Voleur de parcours.
Identité et cosmopolitisme dans la littérature québécoise contemporaine* de
Simon Harel, et *Fictions de l'identitaire au Québec* de Sherry Simon,
Pierre L'Hérault, Robert Schartzwald et Alexis Nouss. Les lecteurs
québécois ne manqueront pas d'apercevoir les échos et contrastes
entre la problématique de l'exil et celle de l'identité dont l'interaction
leur est familière. D'autres lecteurs francophones - surtout hors de
France, dans des pays où souvent la question de l'identité nationale
est encore plus complexe qu'au Québec, trouveront dans leur propre
vécu bien des éléments à juxtaposer à ceux de la problématique hébertienne de l'exil. Ainsi, l'expérience personnelle de l'exil et du non-
exil chez divers lecteurs ne cessera d'enrichir leur lecture du présent
texte, d'y/en produire du sens, des sens. Plus particulièrement, l'intérêt des divers chapitres pourra varier en fonction des francophones
qui les liront. Le contenu des chapitres II (L'exil dans la tradition littéraire et critique au Québec") et III ("L'exil biographique d'Anne
Hébert") sera largement familier à nombre de lecteurs québécois et

canadiens-français, alors que les lecteurs haïtiens, africains, libanais, et vietnamiens, par exemple, pourront avoir une connaissance vécue de l'exil infiniment plus forte et juste que ce qu'ils liront au chapitre I ("L'exil : vers une définition opératoire").

Puisque cet ouvrage ne s'adresse pas aux seuls spécialistes universitaires, nous avons traduit en français les citations de textes rédigés dans d'autres langues.

Question de langue, encore : celle-ci évolue ; et au Québec comme ailleurs au Canada, l'on constate depuis quelques années une évolution marquée vers la création d'une variante au féminin de certains mots traditionnellement employés exclusivement au masculin. Cet ouvrage observera ce qui semble être l'usage dominant et la norme contemporaine canadiens en employant des mots tels que : une écrivaine, une auteure, et quelques autres. Par contre, il nous arrive aussi, conformément à la tradition française, d'employer des mots comme "lecteur/s", "écrivain/s", "exilé/s" ainsi que plusieurs autres, au masculin "générique" : quand cela nous arrivera, ce sera sans aucune intention de marginaliser les personnes du sexe féminin. En arriver à un langage non-sexiste n'est pas aisé ; mais tenter d'y parvenir peut susciter une utile prise de conscience de l'importance du problème, comme de la valeur de l'évolution en ce sens du français nord-américain.

CHAPITRE I

L'EXIL :
VERS UNE DÉFINITION
OPÉRATOIRE

L'exil ? Que de définitions en ont offertes bien des plumes de bien des pays ! Les perspectives sur l'exil étudiées dans ce chapitre le seront en fonction de leur pertinence à l'exil hébertien, car notre travail relève moins d'une visée théorique, que d'une lecture des textes à la lumière de la problématique de l'exil. Dans une thèse fort utile, *The positive philosophy of exile in contemporary literature : Stefan Themerson and his fiction*, Ewa Maria Stachniak se penche sur cette "philosophie positive de l'exil" et passe en revue tant l'histoire que la théorie des rapports entre l'exil et la littérature. Sans partager l'argument fondamental de Stachniak pour qui l'essentiel, ce ne sont ni les causes ni le caractère voulu ou subi de l'exil, mais plutôt *l'attitude* de l'écrivain envers son expatriation, nous renvoyons à *The positive philosophy of exile* tout lecteur désireux de poursuivre l'exploration historico-théorique de l'immense et sans gesse croissante réflexion collective sur l'exil et sur ses rapports avec la littérature. Réflexion qui occupera de nombreux esprits pendant encore longtemps car, comme l'observe Bell et Spalek, "La littérature de l'exil constitue un phénomène ancien qui a acquis une importance nouvelle en raison des développements politiques de ces soixante dernières années"[1].

La plupart des commentaires sur l'exil que l'on lira ci-dessous évoqueront l'exil de l'écrivain. Rappelons toutefois - Anne Hébert en sait quelque chose - que l'exil peut aussi frapper l'oeuvre, comme l'a signalé H. Levin en observant que si le régime soviétique d'alors avait permis à Boris Pasternak de rester dans son pays, *Le docteur Zhivago* n'en était pas moins exilé puisqu'il y était interdit de lecture[2]. Levin note en outre l'étroitesse des rapports entre l'exil et la littérature, celui-là étant un des "risques du métier" des praticiens de celle-ci depuis que Platon excluait les poètes de sa république idéale[3].

Vasquez, Richard et Delsueil, dans "Psychologie de l'exil", précisent que "D'après le dictionnaire Robert, l'exil peut se définir comme «l'expulsion de quelqu'un hors de sa patrie avec défense d'y rentrer»" et ajoutent qu'à leur avis, "cette définition souligne justement les deux pôles - expulsion/interdiction - autour desquels se structure la situation d'exil"[4]. Lecture par trop incomplète de cette définition : à l'expulsion et à l'interdiction il faudrait ajouter un sème d'ordre *spatio-politique* (*cf.* "patrie"). Michael Beausang, dans "L'Exil de Samuel Beckett : La Terre et le Texte", suggère que dans une perspective beckettienne sur l'exil, l'"emprisonnement" est l'équivalent fonctionnel de l'expulsion - l'"individu se trouve, soit éjecté hors d'un espace privilégié, soit emprisonné dans un espace persécuteur"[5] - Cet emprisonnement exiliaire dans un espace dysphorique peut prendre la forme d'une marginalisation ou d'une exclusion volontaire ou subie, le plus souvent par rapport à un milieu social donné, mais parfois par rapport au pays géographique. Or, la définition de l'exil prend, dans cette perspective, un virage majeur : loin de consister dans le fait de quitter (de gré ou de force) sa patrie, l'exil consiste dans le fait d'y être - ou de s'y sentir - emprisonné, état que nous qualifierons d'*exil interne* (*cf. interner*)[6] ; et le départ de sa patrie, ou de son "espace persécuteur" (Beausang) constitue une réponse méliorative à cet exil interne. Cet emprisonnement peut prendre la forme d'une marginalisation ou d'une exclusion volontaire ou subie par rapport à un milieu social ou au pays géographique. L'exil peut encore comporter, dans une vision critique ou littéraire, le changement spatial sans pour autant qu'intervienne le déplacement spatial : ce peut être l'espace lui-même qui change de caractère, comme le remarque Weinberg à propos de *La Peste* d'Albert Camus, roman dans lequel l'irruption de la peste transforme toute la ville en lieu d'exil[7].

Dans ces formulations, l'exil est tantôt un *événement* subi (expulsion) ; et tantôt un *état* subi (séjour à l'extérieur de sa patrie avec interdiction [imposée par les autorités du pays d'origine] ou auto-in-terdiction [imposée à l'exilé/e par ses propres valeurs] de tout retour dans la patrie). Tantôt encore, l'exil consiste en un état d'immobilité forcée en raison de l'internement (au propre ou au figuré) dans l'espace malheureux du pays d'origine.

En outre, la notion d'emprisonnement dans son propre pays, de marginalisation ou d'exclusion, bref, la notion d'exil interne "au propre ou au figuré" signale que la polyvalence d'"exil" déborde l'exil au sens spatial pour englober d'autres emplois du terme. L'ouvrage collectif *Women Writing in Exile* dénonce l'exil d'écrivaines empêchées d'accéder à la publication ou au succès à cause de leur race, de leur sexe, du genre littéraire pratiqué, ou de leur classe sociale, ce qui laisse entrevoir un élargissement définitoire englobant les exils racial, sexuel, littéraire et social, dont plusieurs auront leur pertinence pour l'étude de l'œuvre d'Anne Hébert. Il convient de se pencher de plus près sur cette extraordinaire polyvalence sémantique d'*exil*.

EXIL PSYCHIQUE

Angela Ingram, et d'autres auteures de *Women Writing in Exile*, évacuent de la définition de l'exil (et aussi du non-exil) toute présence obligatoire d'un sème de spatialité - "Pour être en exil, ou encore pour trouver une communauté où guérir la douleur de l'exil, point n'est besoin de passer d'un pays à un autre"[8]. Le terme "douleur" ici identifie l'exil non plus comme phénomène d'ordre juridico-spatio-politique, mais plutôt comme phénomène d'ordre *psychique* (comme l'est la douleur dont parle Ingram). Caren Kaplan définit implicitement l'exil comme psychique en évoquant "l'espace fermé du moi contemporain, exilé du monde"[9].

Hallvard Dahlie, dans *Varieties of Exile. The Canadian Experience*, affirme que les écrivains du vingtième siècle tendent à voir l'exil comme un état psychique et intellectuel plutôt que purement physique[10]. Michael Seidel, comme Angela Ingram, évoque l'exil comme métaphore d'une aliénation polyforme contemporaine indépendante de toute expulsion d'une patrie[11]. Il fait mention d'une "anxiété exiliaire" résultant de la séparation d'avec un objet du désir et cite en exemple le cas du narrateur d'*A la recherche du temps perdu* qui ouvre le roman en racontant l'angoisse qu'infligeait à l'enfant qu'il était, couché dans sa chambre, la séparation d'avec sa mère qui recevait des invités dans la même maison[12]. L'exil a encore été défini comme manque ou crise d'identité (Dahlie, p. 141 ; Beausang, p. 565), manque ou crise qui, selon Henri Paucker, aurait une pertinence particulièrement forte en littérature exiliaire puisque celle-ci serait le fait de "ceux qui ont été exposés à la crise de l'identité d'une façon personnelle bouleversante"[13]. L'exil a été perçu comme "rupture globale" des liens et références émotionnels[14] et comme chute au sens moral (*cf.* le récit biblique de l'expulsion d'Adam et d'Eve du jardin d'Eden)[15].

Certains critiques développe encore la notion d'exil psychique pour définir l'exil comme phénomène relevant du *psychiatrique* (voir Roland Jaccard, *L'Exil intérieur. Schizoïdie et civilisation*), ou encore du *psychanalytique* (l'exil, ce serait la séparation douloureuse du sujet d'avec ses objets de désir inconscients). Certains parlent d'exil *métaphysique* et/ou d'exil *spirituel :* il s'agit là de variantes de l'exil psychique.

EXIL LANGAGIER

Le très fréquent exil *langagier* n'est pas toujours vécu comme négatif : ainsi, la Canadienne (anglophone, mais écrivaine de langue française) Nancy Huston, parlant - dans *Lettres parisiennes. Autopsie de l'exil* - de l'adoption par elle-même et son frère du français dans ses variantes française (pour elle) et québécoise (pour lui) :

> Les gens trouvent très comique de nous entendre, mon frère et moi, parler français ensemble avec des sonorités si différentes. Et - chose étrange - nous ne nous parlons et ne nous écrivons, effectivement, qu'en français. Cela s'est fait sans concertation aucune et malgré des itinéraires dissemblables : nous avons fini l'un et l'autre par nous exiler presque totalement de notre langue maternelle et par ne plus nous sentir à l'aise pour nous exprimer que dans ces deux langues étrangères qui s'appellent toutes deux, par les hasards de la géographie et de l'histoire, le français. [...] Lors des réunions de famille, nous nous réfugions dans ce territoire privé, à l'abri de l'écoute des autres, quand nous avons des choses "importantes" à nous dire[16].

Notons bien la spatialisation du langage dans la vision de Nancy Huston : le français constitue pour elle et son frère un *"territoire"*, ce qui sied bien à son emploi du verbe "exiler" ("nous avons fini [...] par nous exiler [...] de notre langue maternelle"), emploi qui désigne le changement de langue comme exil (mais choisi et positif, dans la perspective de Huston).

EXIL SOCIAL

La notion d'exil *social*, de l'exil comme rapport ou sentiment d'étrangeté et de rejet chez les membres d'une classe sociale par rapport à ceux d'une autre, a été étudiée par Terry Eagleton dont *Exiles and Emigrés* explique le parcours de plusieurs écrivains en fonction du sentiment d'exil *social* qu'ils éprouvaient. Selon Mazzotta, Dante voyait dans la distance et la confrontation entre le poète et la société l'espace constitutif de la poésie[17] : dans une telle perspective, l'exil social de l'écrivain/e serait indispensable à son art. La notion de l'exil social se retrouve sous des plumes de gauche comme de droite, et caractérise la conception de l'écrivain chez les romantiques comme chez les "maudits". Au vingtième siècle, la notion de l'absurde chez un Camus, parmi d'autres, découle en partie du sentiment que les êtres humains sont victimes d'un exil social en raison de l'incommunicabilité. L'exil social, qui souvent thématise des oppositions de classe, l'exil des opprimés par rapport aux riches, est fortement mis en relief dans certaines œuvres d'Anne Hébert et y prend fréquemment la forme d'un *exil spatio-social* qui se manifeste tantôt verticalement, tantôt horizontalement. D'autre part, l'œuvre hébertienne n'a guère cessé de mettre au premier plan de ses préoccupations cet immense problème d'exil social qu'est trop souvent la condition féminine.

EXIL ÉCOLOGIQUE

Ecologique, l'exil ? Oui, chez Albert Camus lu par Kurt Weinberg ; Camus chez qui cet exil écologique consisterait en la coupure de l'être humain de la nature[18]. Dennis Duffy, critique canadien, voit l'homme comme auteur de cet exil écologique en raison de sa destruction de l'environnement naturel[19]. Dorothy Jones a insisté sur le rôle de la nature comme lieu exiliaire positif, de refuge mais aussi de ressourcement, chez les femmes écrivains[20]. Il faudra d'ailleurs interroger cette notion apparemment paradoxale du "lieu exiliaire positif" (notion déjà rencontrée ci-dessus, dans sa variante langagière, chez Nancy Huston).

Une aussi vigoureuse prolifération définitionnelle n'est pas pour s'arrêter, on s'en doute bien, en si beau chemin ! Selon les acidulées "*Treize études sur l'exil*" de Limonov par exemple, l'exil peut aussi devenir une... profession fort rentable ![21]

Ces diverses façons de définir l'"'exil" tendent à se préoccuper de l'exil comme phénomène tantôt juridico-spatio-politique, tantôt psychique, social, racial, ou autre. En outre, le lecteur se sera déjà aperçu de trois autres problèmes définitionnels :

  1) l'exil est souvent présenté comme état subi, mais parfois aussi comme état choisi et donc *volontaire* ;

  2) l'exil, le plus souvent conçu comme événement et/ou état négatif, comme malheur, est parfois perçu comme *positif*, voire *heureux*.

  3) l'exil est parfois perçu comme état anormal, *circonstanciel*, car découlant de circonstances susceptibles de se modifier de façon à mettre fin à l'état d'exil. Par contre, l'exil est parfois conçu comme faisant partie inhérente, inéluctable, inchangeable et donc *fondamentale* de la condition humaine ; ou encore, d'une de ses dimensions (la condition de l'artiste ou de l'écrivain, par exemple).

Explorons d'abord le premier problème - l'exil peut-il être volontaire ? Peut-on nommer un tel état "exil" ?

EXIL VOLONTAIRE

"En règle générale, à l'époque moderne, les écrivains ont choisi l'exil de leur propre gré : en témoignent Heinrich Heine, Byron, James Joyce, Paul Celan, Peter Weiss, ou Czeslaw Milosz," selon Ehrhard Bahr[22]. Bahr oppose ici "l'époque moderne" aux époques antérieures. Opposition fréquente : si maints auteurs remontent jusqu'à l'exil du Grec Anaxagore (cinquième siècle av. J.-C.) ou au moins jusqu'au célèbre bannissement du poète romain Ovide par l'empereur Auguste en l'an 8 de notre ère, et citent aussi (pour s'en tenir aux écrivains) l'exil de Dante, pour bon nombre de chercheurs il n'en va plus guère ainsi dans le monde dit occidental, où l'"'exil" serait le plus souvent le résultat d'une décision de départ pour motif personnel.

D'autre part, certains émigrants jouissaient dans leur pays d'une situation matérielle très confortable, n'ayant changé de pays que pour faire augmenter des revenus, une notoriété ou un pouvoir déjà considérables. Ces personnes peuvent sans doute, malgré leur confort (et peut-être pour leur plus grande surprise), ressentir dans le pays d'adoption un sentiment d'exil en raison de l'absence de quelque chose qui leur était précieux (parfois à leur insu) dans leur ancienne patrie, en raison donc de la séparation d'avec un objet du désir, ou encore à cause de la présence au pays d'adoption d'un irritant qu'ils n'avaient pas prévu. Il peut cependant y avoir des émigrés volontaires privilégiés qui n'éprouvent jamais de sentiment d'exil (ou plutôt, qui en éprouvaient un dans leur pays d'origine en raison de leur séparation - fût-elle toute relative - d'avec un objet du désir : argent, célébrité, pouvoir..., cas d'exil interne).

Il reste néanmoins vrai que l'on peut, pour maintes raisons, étudier ensemble bien des cas d'exilés *stricto sensu* et de réfugiés d'une part, et d'autre part, d'émigrés volontaires. Parmi ces raisons, outre la tradition consistant à qualifier d'"'exilés" des écrivains qui sont volontairement partis habiter et travailler à l'étranger, il y a le critère (auquel nous reviendrons à l'aide du travail d'Isabelle Cielens) de la séparation d'avec un objet du désir (cet objet étant souvent la possibilité de s'épanouir comme artiste mieux que dans le pays d'origine).

En outre, il est parfois difficile de savoir où et quand commence l'exil - telle personne partie en simple voyage touristique se découvre un beau matin exilée par décision des autorités de son pays ; telle autre décide de demander l'asile au pays visité et de se placer ainsi en exil volontaire. Hallvard Dahlie, dans un chapitre bien intitulé "The Ambiguities of Exile : Shaping a Definition", fait remarquer que certains dictionnaires incluent dans la définition de l'exil l'expatriation volontaire.

Il semble donc fort utile de penser la définition de l'exil spatial en fonction d'une expression de Dahlie : celle du "continuum exilé-touriste"[23]. Il est utile de penser l'exil comme une gamme de situations possibles, s'étendant depuis l'exil au sens politico-spatial classique - le bannissement, ou encore le sort du réfugié qui doit s'échapper de son pays pour éviter la torture et la mort - jusqu'à certains cas d'exil volontaire. Ce qui n'empêche pas qu'il faudra tenter de canaliser quelque peu notre réflexion sur ce phénomène complexe qu'est l'exil, en mettant l'accent sur l'exil littéraire (l'exil d'une auteure et l'exil *de* et *dans* son œuvre).

Exil heureux ?

Apparentée à la notion d'exil volontaire est celle de l'exil positif, voire heureux, notion exprimée (non sans ironie parfois) dans des
titres tels que *Les Joyeusetés de l'exil* de Charles Malato, ou encore *Les
plaisirs de l'exil* de George Lamming. Caren Kaplan observe que l'exil
peut enfermer le sujet dans l'isolement et le désespoir, mais peut aussi lui permettre l'innovation critique, et le rendre plus fort[24]. Le bannissement et *a fortiori* l'émigration volontaire peuvent parfois valoir à
l'exilé-e une vie plus heureuse que celle que lui offrait le pays natal,
pour diverses raisons : rencontre affective heureuse, épanouissement
social ou professionnel... Dante déjà, dans son *Paradiso*, présente l'exil
comme expérience rédemptrice, donc éminemment positive[25] ; pour
Guy Scarpetta, l'œuvre de Dante embrasse et valorise l'exil au point
de constituer "l'envers exact du futur dispositif idéologique de l'enracinement"[26]. Bahr prétend que le Los Angeles de l'entre-deux-guerres
permit à la culture de la République de Weimar non seulement de rétablir son identité en exil mais aussi de remplir ses aspirations[27], celles
des artistes et intellectuels allemands qui, brimés par l'Allemagne nazie, s'étaient réfugiés aux Etats-Unis.

Leïla Sebbar, co-auteure de *Lettres parisiennes. Autopsie de l'exil*,
y dit sa surprise de rencontrer une Allemande jouissant d'une situation aux antipodes des réfugiés de l'Allemagne nazie, une jeune nomade berlinoise contemporaine qui

> *travaillait dans une boutique [en France] qu'elle quitterait dès
> qu'elle sentirait qu'elle devait aller ailleurs. Elle pouvait ap-
> prendre n'importe quelle langue. Elle ne se sentait jamais en
> exil là ou elle décidait de vivre [...] Elle était bien partout, elle
> ne se sentait pas d'un pays et ne se souciait pas de ses racines[28].*

Et Leïla Sebbar d'ajouter : "J'ai pensé : son exil est un exil heureux"[29].
Pierre Popovic, collaborateur à la revue québécoise *Spirale*, a souligné
l'apport compensatoire particulèrement vital et positif de l'exil pour
l'écrivain empêché d'écrire dans son propre pays : "L'exil n'est pas un
prix trop haut à payer pour gagner le droit d'écrire et de lire sa demeure, autrement dit, de l'habiter"[30]. Selon Isabelle Cielens, l'exil a une
fonction à la fois fondamentale et positive dans l'œuvre de Camus, car
"il peut [...] conduire à une prise de conscience existentielle par sa
fonction initiatique, ouvrant ainsi une voie vers le royaume"[31].
Dorothy Jones s'appuie sur Simone de Beauvoir pour maintenir que

souvent la femme écrivain doit s'exiler d'une société répressive de la femme, afin de pouvoir prendre possession d'un espace à elle, parfois dans la nature réelle ou imaginée. Cet exil dans la nature sera relativement heureux puisque là, l'écrivaine libre des interdits d'une société patriarcale, pourra enfin accéder au droit d'explorer et de communiquer son authenticité par l'écriture littéraire[32]. Selon Valentina da Rocha Lima, c'est grâce à l'exil que des femmes exilées du Brésil ont pu accéder à cette prise de conscience de leur identité spécifique, à cet instrument d'amélioration de leur sort qui se nomme le féminisme[33]. Chez tel personnage de l'écrivaine canadienne Mavis Gallant (résidente parisienne depuis des décennies, comme Anne Hébert), le séjour en exil fournit la vision morale qui lui permettra d'habiter désormais son pays - le Canada - en fonction de ses propres valeurs[34].

Dans *Lettres parisiennes. Autopsie de l'exil*, la Canadienne Nancy Huston et sa correspondante algérienne Leïla Sebbar (née en Algérie d'une mère française et d'un père algérien) nomment leur situation respective "exil", bien que ni l'une ni l'autre ne fut obligée de quitter son pays d'origine pour s'installer en France. A la première phrase de la première lettre, Leïla Sebbar parle du "signe tangible, concret, matériellement voluptueux de l'exil", et qui n'est autre que le "papier gaufré" sur laquelle elle écrira sa lettre[35]. Cette phrase liminaire confère une connotation positive au terme "exil", connotation qui ne le quittera plus tout au long du livre. Richement révélateur est la mise en relief, dans cette première lettre de Leïla Sebbar, de *l'écriture dans sa matérialité* : le *papier* et, dès la phrase suivante, l'*encre*, car c'est à propos de l'écriture que Huston et Sebbar chantent le versant positif de l'exil. Ainsi, Leïla Sebbar écrit que

> *l'acte d'écrire m'est vital et constitue aussi un territoire [...],*
> *l'exil est ma terre d'inspiration, de lyrisme, d'émotion, d'écri-*
> *ture[36] ; [...] C'est dans la fiction que je me sens sujet libre (de*
> *père, de mère, de clan, de dogmes...) et forte de la charge de*
> *l'exil. C'est là et seulement là que je me rassemble corps et âme*
> *et que je fais le pont entre les deux rives, en amont et en aval...*
> *Ailleurs, et dans un temps, un espace que je ne peux consacrer*
> *à écrire, je suis presque toujours mal [...]*[37].

On le voit, à l'instar de Huston au sujet de la langue française, Sebbar fort explicitement *spatialise* l'écrire, et présente l'exil comme phénomène et espace éminemment positifs pour l'écrivain.

Vers la fin de *Lettres parisiennes*, Nancy Huston, à son tour, souligne vigoureusement la dimension positive de l'exil : "l'`exil' n'est
que le *fantasme qui nous permet de fonctionner*, et notamment d'écrire"[38].
Huston indique ainsi l'immense valeur que peut avoir pour l'écrivain
une certaine métaphorisation de l'exil : elle parle de *"transformer
[l']exil objectif en exil subjectif, source pour nous d'énergie et d'émotion"*[39].
Phrase qui signifie combien l'exil peut être positif pour l'écrivain ; en
outre, elle signifie que qui voudrait écrire aurait intérêt à se placer en
exil, fût-ce en exil interne, en état d'emprisonnement ou encore d'exclusion et de marginalisation par rapport à sa société d'origine. Et à
l'avant-dernière page du livre, Nancy Huston rend explicite cette
fonction positive de la distanciation esthétique par rapport au pays et
à la société que l'écrivain peut évoquer dans son œuvre :

> *N'est-ce pas cette distanciation même qui constitue la
> littérature? Notre écriture ne vient-elle pas de ce désir de
> rendre étranges et étrangers le familier et le familial, plutôt
> que du fait de vivre, banalement, à l'étranger?*
>   *Vivre en France, pour moi, c'était choisir d'"étrangéï-
> ser" toute mes habitudes: ma vie sociale, ma vie intime, et mê-
> me, plus tard, ma relation à ma propre fille ; c'était faire de
> toutes ces choses une source d'étonnement perpétuellement re-
> nouvelée [...]*[40].

Huston rejoint ainsi la perspective danstesque dépeinte par
Mazzotta : la distance et la confrontation entre le poète et le monde
serait la "région" constitutive de (et donc indispensable à) la littérature. Peut-être bien est-ce cette conviction qui a amené Nancy Huston
non seulement à rechercher l'exil en quittant le Canada, mais à maintenir un rapport d'exilée même avec sa société d'adoption :

> *mon accent, au fond, j'y tiens. Il traduit la friction entre moi-
> même et la société qui m'entoure, et cette friction m'est plus
> que précieuse, indispensable. [...] Je n'aspire pas, en d'autres
> termes, à être vraiment naturalisée. [...] Vivre à l'étranger
> m'a permis d'avoir, vis-à-vis du pays d'origine et du pays
> d'adoption, un petit recul critique*[41].

Anne Hébert elle-même a évoqué cette fonction positive de
l'exil - la distanciation - nous y reviendrons.

Soit : l'exil peut s'avérer, du moins en partie, une expérience plutôt heureuse. Toutefois, au niveau de ses causes originelles, l'exil découle toujours peu ou prou du négatif : c'est en raison d'une *dysphorie au moins relative*, d'un *déficit* ou d'un *"manque à gagner" de bonheur dans le pays d'origine*, que naît l'exil. Qu'il suffise ici de noter que, si Nancy Huston ne fut certes pas obligée de quitter son Canada natal, si son exil fut et reste assurément volontaire, son cas n'en illustre pas moins la fonction *génésiaque* du malheur dans l'exil, et confirme ainsi que la notion de dysphorie doit entrer dans toute définition de l'exil comme le reconnaît Nancy Huston à propos de son propre exil "volontaire" : "je me suis exilée parce que j'étais triste, et j'étais triste (du moins est-ce ainsi que je m'explique les choses maintenant) parce que ma mère m'a «abandonnée» quand j'avais six ans"[42].

EXIL FONDAMENTAL ?

Que penser enfin de l'argument selon lequel l'exil fait partie *inhérente* de la condition humaine ? Ou encore, de la condition de l'écrivain ? Il s'agit là bien entendu de deux problèmes différents, mais qui sont apparentés dans la mesure où les tenants de ces deux positions attribuent à l'exil un caractère originel et à jamais incontournable ; en outre, la deuxième va souvent de pair avec une conception essentialiste de l'écrivain, celui-ci étant "né pour le devenir", de sorte que sa vocation d'écrivain et d'exilé serait d'ordre ontologique. Le plus souvent, l'exil chez ces penseurs relève du philosophique, du métaphysique, du spirituel ou du social.

La notion selon laquelle l'exil fait partie inhérente de la condition humaine découle souvent d'une perspective religieuse. Selon Kolakowski,

> *Pour les peuples du Livre, aussi bien Juifs que Chrétiens, l'exil est bien entendu le sort normal et inéluctable de l'humanité sur terre. On peut même aller plus loin pour dire que le mythe de l'exil, sous une forme ou l'autre, gît au coeur même de toutes les religions, de toute expérience religieuse authentique. Le message fondamental implicite dans l'adoration religieuse, c'est : notre maison est ailleurs*[43].

Pour Dante (nonobstant sa propre expérience d'exilé politique) comme pour bien des penseurs chrétiens, ce fut le péché originel d'Adam et d'Eve qui suscita leur exil non seulement du jardin d'Eden mais de la grâce, d'où la conception (fréquente chez certains chrétiens, au Québec et ailleurs) de la vie en tant que "vallée de larmes" (conception dont la dimension spatiale implicite dans le mot "vallée" souligne qu'il s'agit d'une vision de la vie humaine comme espace-temps exiliaire), vallée de l'exil dont on ne saurait sortir que grâce à l'intervention de Jésus-Christ, envoyé par Dieu pour offrir ainsi la fin de l'exil (comme le suggère le Christ lorsqu'il affirme à ses disciples qu'il part afin de leur préparer des chambres dans la maison de son père[44] : leur véritable foyer, leur maison, se trouve en fait "ailleurs" comme le disait Kolakowski, c'est-à-dire, au Paradis).

La notion de l'exil fondamental/originel se retrouve aussi dans des formulations non religieuses. Le nouveau-né subirait la naissance comme exil par rapport au lieu où il a connu le plus grand bonheur : la matrice. Selon Beausang,

> Difficile d'évoquer l'expulsion de la matrice sans qu'on pense par la même occasion à l'exil et à l'éloignement du sol natal. C'est que la question du fondement de l'oeuvre se pose en priorité à partir des origines et en fonction d'une grille où naissance, lieu, ontologie et création s'entrecroisent. Le discours d'exilé remonte en premier lieu à cette rupture matricielle qui provoque la conscience de soi et à laquelle l'errance loin de la mère patrie (der heimatliche Grund) n'est que suite et prolongation[45].

Et pour certains penseurs de l'absurde, la condition humaine est un exil en ce sens que l'humanité s'y trouve privée du sens dont elle éprouve pourtant la soif. L'œuvre de Samuel Beckett - explicitement présente dans celle d'Anne Hébert sous forme de références à *O ! les beaux jours* dans *Le premier Jardin* - en témoigne éloquemment.

Une variante du thème de l'exil fondamental est la notion selon laquelle l'exil serait inhérent aux sociétés occidentales contemporaines. Pour l'homme de théâtre chilien Alberto Kurapel, réfugié au Québec, les Québécois qui l'entourent ne sont pas moins exilés que lui :

> Il y a différentes façons de comprendre l'exil. Ce que je veux montrer, c'est qu'il y a, dans ce siècle, de plus en plus

> *d'exilés. Et les exilés ne sont pas seulement chiliens. Ce sont*
> *aussi des Québécois exilés de leur propre milieu. Ce que je veux*
> *dire, c'est que toute personne qui veut vraiment s'exprimer ou*
> *communiquer avec l'autre sera immédiatement rejetée, exilée*[46].

Toutefois, cette théorie de l'*exil comme incommunicabilité* admet le plus
souvent une solution à l'exil : celui-ci serait simplement inhérent aux
sociétés industrialisées contemporaines telles qu'elles sont organisées
et fonctionnent actuellement, il s'agit donc d'une variante de l'exil social. Que l'on change l'organisation et le fonctionnement de la société,
et l'on y supprimera l'exil.

Quant à l'idée selon laquelle l'exil constitue une dimension inhérente à toute pratique de l'écriture, Nancy Huston suggère que si
elle-même et Sebbar sont devenues écrivaines, c'est qu'elles portaient
en elles, de tout temps, cet exil créateur :

> *Parce que très certainement nous avons toujours*
> *connu ce sentiment auquel nous avons donné le nom d'exil. Le*
> *sentiment d'être dedans/dehors, d'appartenir sans appartenir.*
> *[...] je me suis aperçue que j'avais toujours eu cet automatisme*
> *qu'est la distanciation, ce réflexe qui consiste à "cadrer" les*
> *événements, à m'étonner devant eux, à exagérer un tant soit*
> *peu mes réactions à leur égard, à me raconter ma vie comme*
> *une histoire*[47].

Dans ses propos antérieurs, Nancy Huston attribuait son exil à l'abandon maternel ; ici elle étend la portée temporelle de son exil pour lui
faire embrasser la totalité de sa vie depuis "toujours". En même
temps, ce "réflexe", comme inné, prend aussi des allures d'état soi-
gneusement, volontairement entretenu pour son apport à la vocation
scripturale : l'exil est donc devenu une attitude choisie envers la vie -
et l'on rejoint ainsi à la fois l'exil volontaire et l'exil psychique, l'exil
non plus cependant comme épreuve douloureuse mais comme pulsion génésiaque et génératrice de l'écriture, pulsion à entretenir. Voilà
qui rappelle la notion de l'exil comme continuum.

Parmi les tentatives les plus claires et rigoureuses de définir
l'exil est celle d'une exilée lettonne, Isabelle Cielens, qui a développé
sa théorie de l'exil dans *Trois fonctions de l'exil dans les œuvres de fiction*
d'Albert Camus : initiation, révolte, conflit d'identité. Pour "définir le
concept de l'exil", I. Cielens a pris comme point de départ

une des définitions du Grand Larousse, *qui offre à notre avis une interprétation globale en même temps que concise:* «*Obligation faite à quelqu'un de vivre hors d'un lieu, d'un milieu où il souhaiterait demeurer, loin d'une personne dont la présence lui est chère ; état de celui qui subit cette contrainte*»[48].

A l'aide d'une analyse sémique inspirée du *Sémantique structurale* d'A. Greimas, Cielens démontre que les divers éléments de cette définition ont en commun le sens : "«séparation d'une unité de préférence»" (que cette unité soit un lieu, un milieu ou une personne) ; elle élabore ensuite l'axe sémantique de l'exil et du non-exil, axe qui relie les possibilités suivantes : séparation soi/univers, séparation soi/monde, séparation soi/soi, séparation <——> accord, accord soi/univers, accord soi/monde, accord soi/autres, accord soi/soi[49]. Cielens regroupe les différentes formes possibles de l'exil de façon à "dresser une classification portant sur certains aspects ou catégories de l'exil selon les différentes situations dans lesquelles se fait l'expérience de cet exil" [...] :

    1) *exil psychologique* - (séparation soi/soi) - état d'aliénation où le moi superficiel est séparé du moi profond [...] ;

    2) *exil intérieur* - séparation à l'intérieur du groupe auquel on appartient [...] ;

    3) *exil social et politique* - séparation en dehors de "l'unité de préférence" ;

        a) cette séparation peut être involontaire, c'est-à-dire imposée au sujet [...] ;

        b) elle peut être volontaire, c'est-à-dire déterminée par le sujet lui-même [...] ;

    4) *exil métaphysique* - (séparation soi/univers) - l'exil de l'homme ayant perdu l'adhérence à une unité transcendante, l'exil de "l'homme absurde" tel que nous le connaissons du *Mythe de Sisyphe*[50].

Cielens a repéré certaines formes de l'exil relevées plus haut dans ce chapitre, même si nous avons appelé "exil interne" (*cf.* "interner") ce que Cielens nomme "exil intérieur" (notre choix de l'adjectif "interne" nous ayant été dicté par l'emploi fréquent, chez les écrivains et critiques littéraires québécois, du terme "exil intérieur" pour désigner divers types d'exil psychique). Assez curieusement, Cielens ne semble utiliser le terme "exil" dans cette liste d'"aspects" de l'exil que de façon métaphorique, aux sens figurés. Si dans le présent travail, "exil interne" a jusqu'ici désigné l'état de toute personne dont les rapports avec son *espace* d'origine sont plutôt dysphoriques, cette dysphorie aura pour cause tantôt l'espace lui-même (sa topographie ou son climat, par exemple), et tantôt le milieu humain qui occupe cet espace. On peut imaginer des cas de figure selon lesquels une fin pourrait être mise à l'état d'exil interne du sujet sans que celui-ci quitte son espace d'origine: cet espace pourrait lui-même changer, que ce soit au niveau proprement spatial (amélioration du climat, dépollution,...) ou au niveau humain (changement du régime politique, ou encore ralliment du sujet au régime ou milieu auquel il s'opposait). Ce que Cielens nomme "exil métaphysique" peut se lire comme l'une des formes de l'exil psychique.

Malgré la rigueur et la clarté de la théorie de l'exil selon Isabelle Cielens, l'on peut s'interroger sur le bien-fondé de la notion d'une séparation "volontaire" d'avec l'unité de préférence sociale ou politique. Toute personne qui s'exclut de son propre gré d'un milieu social ou d'un régime politique ne peut logiquement le faire que parce que ledit milieu ou régime n'est justement pas - *sous sa forme actuelle* - son "unité de préférence". Ce qui n'empêche pas que l'exil puisse être volontaire ; mais dès lors, ce que quitte l'exilé/e, c'est une unité sociale et/ou politique non préférée, pour aller vers une unité se rapprochant mieux de son unité de préférence, de son idéal. Nonobstant cette réserve, la notion de l'exil comme séparation d'avec une unité de préférence (ou comme nous l'appelions ci-dessus, d'avec un objet du désir) semble utile, car elle s'applique avec justesse à tout cas d'exil (spatial ou autre) involontaire, et explique bien des cas d'exil volontaire (ceux par exemple de personnes désireuses de s'installer dans un pays qui leur semble préférable à leur pays d'origine en raison de son régime politique, de son niveau économique, etc.).

Isabelle Cielens observe avec raison que "les différents aspects de l'exil sont très fréquemment présents simultanément, à différents degrés, chez un même personnage"[51] : on aura amplement l'occasion de voir se confirmer cette observation lors de notre étude des personnages d'exilés dans l'œuvre hébertienne.

De cet examen du triple problème posé par le fait que les divers commentateurs de l'exil voient celui-ci comme relevant tour à tour du subi, du volontaire, du malheur, du bonheur, du circonstanciel, du fondamental, retenons que tout mot se définit par l'usage, et que ces divers emplois d'"exil" participent à sa définition : ce sont diverses façons de concevoir et de vivre l'exil - façons qui toutes se retrouvent dans le parcours textuel hébertien. Le plus souvent, ce parcours liera l'exil spatial et d'autres formes de l'exil, celui-là étant de celles-ci tantôt cause, tantôt résultat, tantôt métaphore. En outre, les différentes sortes d'exil sont le plus souvent en rapport d'interaction et de co-fonctionnement exilant, dysphorisant, aliénant.

Le terme "exil" serait donc particulièrement apte à permettre à l'esprit lisant ces glissements du propre (le dénotatif, le spatial) au figuré (le connotatif, le psychique et le social). Nous ne cherchons nullement à nier l'intérêt de tout ce qu'a produit ce glissement du spatial au psychique/social dans la lecture critique du corpus hébertien, cette riche moisson de lectures de l'exil (ou de l'aliénation) dans les multiples formes qu'il y revêt. Vouloir nier cet apport, ce serait tenter l'impossible, car comme l'a signalé Anthony Wall, les "sèmes de connotation" "s'ajoutent", voire se "collent" aux mots, de sorte qu'il n'est guère possible de lire ceux-ci sans que cette lecture soit conditionnée par ces autres sens qu'une tradition de lecture, de décodage de ces mots, y a déposés[52].

LE PAYS

Si l'exil spatial consiste à é-migrer d'un pays (en raison d'une certaine dysphorie) pour s'installer dans un autre, encore faut-il s'interroger sur la notion de *"pays"* (sans pour autant refaire ici la riche analyse de ce terme qu'a faite Janet Paterson dans son *Anne Hébert Architexture romanesque* en référence aux *Chambres de bois*).

On ne saurait penser ce terme "pays" autrement qu'en lui reconnaisant deux grands champs de signification : le spatial (ou physique) et l'humain (tout comme les géographes divisent leur science en deux volets principaux : géographie physique, et géographie humaine). Ce qui n'empêche pas de multiples interactions entre les dimensions physique et humaine d'un même pays : le sens le plus courant du mot "pays" est spatio-politique, spatio-humain ; le pays, c'est un territoire considéré en droit international comme la propriété d'une certaine population (qui peut comprendre divers peuples). Anne Hébert insistera sur l'interaction entre pays physique et pays humain en prétendant que l'univers mental des Québécois a été profondément structuré par leur pays au sens tellurique (mais elle n'évoquera guère, sauf dans "Le Québec, cette aventure démesurée", l'interaction dans l'autre sens, l'influence humaine sur le pays physique, sujet pourtant fort courant à notre époque de conscientisation écologique). Qu'Hébert ait souligné l'importance de telles interactions n'empêchera pas cette dichotomie pays physique/pays humain de revêtir une importance signifiante considérable dans les textes qui tendent à manifester un grand attachement au pays physique et une nette hostilité envers le pays humain, envers la société québécoise telle qu'Anne Hébert l'a connue jusque dans les années 1950.

En outre, le terme "pays" est d'une extension de sens telle, qu'il n'est pas limité à signifier "pays" dans le sens politique, mais peut aussi désigner une région à l'intérieur d'un Etat-nation. Il s'ensuit que l'exil (au sens dénotatif, donc spatial ou plus précisément qui comporte le sème de spatialité) réside d'abord dans le fait de changer en raison d'une dysphorie, soit d'Etat-nation, soit de région. Ainsi, dans cette phrase de *Kamouraska*, "les maîtres de ce pays" (K 32), "pays" désigne clairement le Québec par opposition à la Grande-Bretagne (et témoigne d'une certaine conscience nationale chez l'héroïne québécoise Elisabeth). Par contre, *Les Chambres de bois* présente comme deux "pays" différents le "pays de Catherine" (CB 27) et le "pays d'enfance de Michel et de Lia" (CB, 79), ce "pays de brume et de forêt" (CB 40) qui n'est vraisemblablement qu'à quelques kilomètres du premier et appartient fort probablement au même Etat-nation.

Qu'est-ce donc que cet exil qui nous servira de fil d'Ariane lors de notre exploration de l'univers hébertien ? "Exil" est avant tout un signifiant dont le signifié premier, selon les dictionnaires, est spatial, en témoigne l'étymologie d'"'exil" (latin ex : hors de). Les dictionnaires précisent que l'exil consiste à cesser d'habiter son pays natal pour en habiter un autre, et que l'exil peut être imposé ou choisi par sa victime, autant de précisions qui correspondent à l'usage du terme "exil" chez bien des auteurs de nationalités diverses. Dans les deux cas, il résulte toujours d'une situation peu ou prou dysphorique dans le pays initial ou au moins d'un déficit ou "manque à gagner" de bonheur. Il convient donc de nuancer l'opposition qu'établit Fernando Ainsa entre l'exilé et l'émigrant[53], comme il le reconnaît implicitement lui-même en écrivant ailleurs qu'"'à l'origine de toute migration, il y a un malheur latent [...]"[54]. Souvent ce "malheur" n'est pas que "latent".

Jamais l'exil n'a pour cause uniquement des facteurs heureux, même si ceux-ci peuvent amener le sujet à accepter ou à prolonger son exil, voire à préférer rester dans le pays de l'exil plutôt que de rentrer au pays d'origine (même une fois disparue la situation dysphorique ayant provoqué l'exil comme réponse).

L'exil peut aussi revêtir une multitude de significations non-spatiales : psychique, sociale, fondamentale... ces diverses formes d'exil - hormis l'exil fondamental, auquel on serait ontologiquement condamné - pouvant être volontaires ou involontaires, malheureuses ou (nonobstant une origine dysphorique) heureuses.

L'exil littéraire *spatial* restera notre point de départ et aussi notre pierre de touche, face au danger d'une inflation sémantique considérable venant de ce que l'on a qualifié d'"'exil" une vaste gamme de phénomènes - depuis la vie humaine elle-même jusqu'à la mort ! Ce qui ne nous empêchera point d'évoquer les multiples sens connotatifs, métaphoriques ou figurés auquel a donné naissance le paradigme exil/aliénation, l'exil comme métaphore, la métaphore de l'exil, cela d'autant plus volontiers que d'étroits liens unissent souvent l'exil spatial à d'autres formes de l'exil chez Anne Hébert, liens de cause à effet, d'effet à cause, de comparant à comparé dans un processus métaphorique, ou encore de co-occurrence, le rapport étant alors métonymique. Cette prise en compte des autres dimensions de l'exil se fera dans une modeste mesure tout au long de notre étude mais accédera, à égalité avec la préoccupation pour l'exil spatial, au premier rang dans notre chapitre sur *Le premier Jardin*, roman qui d'ailleurs l'exige, tant l'exil y revêt une massive polyvalence signifiante. Une autre raison de mettre moins d'accent sur l'exil aux sens autres que spatial, lors de l'étude des textes hébertiens antérieurs au *Premier Jardin*, c'est que la critique, face à ces textes antérieurs, y a assez abondamment étudié ces autres sortes d'exil : aliénation de l'identité, exil de la condition féminine et ainsi de suite (en témoigne, parmi une multitude d'exemples possibles, la définition par Pierre Emmanuel de la poésie d'Anne Hébert comme expression d'une expérience exiliaire parmi les "déserts de l'âme"[55], définition qui recourt métaphoriquement à la spatialité de l'exil à l'aide du vocable "déserts" ; en témoigne encore l'abondance déjà de la critique hébertienne féministe, surtout à propos de *Kamouraska* et des *Fous de Bassan*). Par contre, ce type d'analyse reste assez largement à faire pour ce qui en est du *Premier Jardin*.

EXIL TEMPOREL

Si la dimension spatiale de l'exil est liée à l'essence même de sa définition, une autre dimension de l'exil semble presque aussi importante sans pour autant qu'elle figure dans les définitions que donnent les dictionnaires. Cette dimension est particulièrement pertinente à la lecture de l'exil littéraire et biographique hébertien, et se nomme le *temps*. Dans *Etrangers à nous-mêmes*, Julia Kristeva évoque l'étranger/exilé *nostalgique* :

> *On connaît l'étranger qui survit tourné vers le pays de ses larmes. Amoureux mélancolique d'un espace perdu, il ne se console pas, en fait, d'avoir abandonné un temps. Le paradis perdu est un mirage du passé qu'il ne saura jamais retrouver*[56].

Selon Fernando Ainsa, "L'exilé se blottit au creux du passé, dans une mémoire figée (temps de l'échec et de la rupture) donnant ainsi naissance à la mystification de «l'autrefois», de «l'antan»"[57]. Ecrivaine canadienne anglophone (analogue à Anne Hébert par son exil volontaire à Paris), Mavis Gallant a écrit une œuvre peuplée d'exilés ; mais si l'exil constitue sa préoccupation, il s'agit d'un exil moins spatial que temporel[58]. Et pour Joseph Brodsky, l'écrivain en exil est le plus souvent un être "rétrospectif et rétroactif"[59]. La dimension *temporelle* peut donc faire partie de l'exil, puisque celui-ci constitue souvent une rupture entre l'*avant* et l'*après*. Le fait même que la plupart des textes hébertiens produits après son installation en France ont pour cadre spatial, le Québec, et pour cadre temporel le passé québécois, conforte l'hypothèse d'une Anne Hébert nostalgique du Québec passé ; il n'en va pas de même, bien au contraire, du fait que la plupart de ces textes critiquent la société québécoise évoquée. Même le mythe des origines reçoit un traitement plutôt négatif dans la pièce radiophonique *L'Ile de la Demoiselle*, dont l'action se situe au seizième siècle, au tout début des tentatives françaises d'implantation au Canada. Par contre, dans deux textes poético-journalistiques - "Quand il est question de nommer la vie tout court, nous ne pouvons que balbutier" (1960) et surtout "Le Québec, cette aventure démesurée" (1967) - ainsi que dans *Le premier Jardin*, la nostalgie d'un paradis perdu, se confondant avec les débuts de la Nouvelle-France, s'affirme fortement et s'y affirme comme sentiment d'exil historique, et peut-être historico-politique, par rapport à une identité rêvée - aux antipodes de cette identité plurielle post-moderne vers laquelle ne cesseront plus d'évoluer aussi bien le

Québec réel que sa littérature. Il faut certainement donc tenir compte, dans notre exploration de l'exil chez Anne Hébert, de la dimension temporelle.

ANTI-EXIL ET NON-EXIL

Ayant esquissé la vaste gamme définitoire, l'immense extension sémantique du mot "exil", l'on pourrait se livrer à un travail tout aussi long - et qui resterait esquisse lui aussi - en vue de définir le contraire de l'exil. Ce faisant, l'on rejoindrait la notion de l'exil positif ainsi que la thèse d'E. M. Stachniak, qui cherche à démontrer comment certains auteurs ont su transformer l'expérience exiliaire en apport positif. L'on retrouverait encore le précieux article de Claudio Guillén, "The Literature of Exile and Counter-Exile"[60]. Laissons plutôt l'œuvre hébertienne elle-même proposer des réponses à ces exils qu'inlassablement elle évoque et convoque, dévoile et dénonce. Réponses qui tantôt s'esquissent à peine, tantôt s'affirment d'exaltante façon. Mais dans cette œuvre, l'exil est beaucoup plus fréquent que l'anti-exil ou ses instruments, pour passionnant que soient ceux-ci dans plusieurs textes. Tout comme ce qu'est l'exil variera selon la subjectivité de chacun, le non-exil ne se prête guère à une définition monologique et ce qui fonctionne comme anti-exil chez un sujet donné pourra fort bien revêtir une fonction inverse chez un autre. Rappelons que l'on qualifie souvent d'"exil" un déplacement spatial qui relève plutôt de l'anti-exil, puisque ce déplacement répond à une forme d'exil interne, à un emprisonnement dans une situation dysphorique dans le pays ou la région d'origine, réponse qui corrige donc dans une certaine mesure les effets de l'exil interne subi jusque-là : on pourrait qualifier ce genre de déplacement spatial d'"exil anti-exil" ou d'"exil désexilant".

Il conviendra de garder ces multiples perspectives sur l'exil à l'esprit : sans doute aideront-elles notre lecture à rester ouverte, ouverture indispensable en raison de la complexité du sujet, de la diversité des causes et formes de l'exil comme du non-exil. L'essentiel de notre travail se fera toutefois plus près des textes hébertiens, puisque nous nous pencherons sur l'exil biographique tel qu'il se révèle dans des entrevues et d'autres écrits d'ordre autobiographique, d'une part ; d'autre part, sur le pays-cadre des divers textes littéraires hébertiens et enfin, sur les cas d'exil, les personnages d'exilés, dans ces textes.

Nulle œuvre ne se produit dans un vide, mais au contraire vient s'insérer dans la structure d'une tradition, d'un réseau de textes, de scripteurs, d'éditeurs, de critiques, bref, de l'*institution littéraire*. Or, l'exil lui-même fait l'objet d'une véritable tradition à l'intérieur de l'institution littéraire québécoise et constitue ainsi une institution dans l'institution. L'œuvre d'Anne Hébert relève de cette double problématique, appartenance qui fera l'objet du chapitre suivant.

CHAPITRE II

L'EXIL DANS LA TRADITION LITTÉRAIRE ET CRITIQUE CANADIENNE-FRANÇAISE : UN APERÇU

L'exil constitue un thème important de la littérature québécoise. Pour le Québécois André Gaulin, l'exil "en regard de notre littérature"

> vient avant tout du langage ou de l'exil de parler français en Amérique. [...] notre histoire [...] nous inscrit, non encore sevrés [de la France, car n'ayant pas eu le temps d'évoluer vers une rébellion et une indépendance vis à vis de la mère patrie] dans le giron de la lutte culturelle et linguistique. Dans cette optique là, nous parlerons d'exil[1].

Cette notion d'un exil dû au fait de parler français en Amérique est donc tributaire de l'historico-politique, de la Conquête de 1759, car si la Nouvelle-France était restée française, le statut du francophone nord-américain aurait été beaucoup moins problématique, moins exilant. Cette attribution par Gaulin (et bien d'autres) aux Canadiens francophones d'un exil d'origine historico-politique inhérent à leur situation d'ethnie minoritaire est d'autant plus vraisemblable, que d'autres événements historiques ont pu profondément ancrer l'expérience de l'exil dans l'esprit et la mythologie canadiens-français. Dès avant la Conquête, l'expulsion des Acadiens en 1755 donnait le tragique exemple d'un exil collectif des francophones d'Amérique. Les littératures acadienne et québécoise ont maintes fois évoqué ce "Grand Dérangement", tout comme la lutte des Acadiens pour annuler cet exil - en témoigne brillamment *Pélagie-la-charrette* d'Antonine Maillet - au point de susciter un mythe de cet exil et du retour au pays. Au Québec, l'écrasement de la Révolte des Patriotes en 1837-38 se solda par des exécutions, des peines de prison et des exils ; ceux-ci ont eu une valeur mythogène, en témoigne la chanson "Un Canadien errant" d'Antoine Gérin-Lajoie qui rendit célèbre l'image du "Canadien" (terme réservé à l'époque aux francophones) exilé - à un point tel que, pour archi-connue que soit cette chanson parmi les Québécois et les Canadiens français, elle est à citer pour le bénéfice d'autres lecteurs :

Un Canadien errant,
Banni de ses foyers,
Parcourait en pleurant
Des pays étrangers.

Un jour, triste et pensif,
Assis au bord des flots,
Au courant fugitif
Il adressait ces mots :

"Si tu vois mon pays,
Mon pays malheureux,
Va, dis à mes amis
Que je me souviens d'eux.

"O jours pleins d'appas,
Vous êtes disparus,
Et ma patrie, hélas!
Je ne la verrai plus.

"Plongé dans mes malheurs,
Loin de mes chers parents,
Je passe dans les pleurs
D'infortunés moments.

"Pour jamais séparé
Des amis de mon cœur
Hélas! oui, je mourrai
Je mourrai de douleurs.

"Non, mais en expirant,
O mon cher Canada,
Mon regard languissant
Vers toi se portera".[2]

Chanson que les Québécois n'étaient pas seuls à recevoir comme exprimant leur vécu collectif puisque, nous le signale Conrad Laforte dans le *Dictionnaire des œuvres littéraires du Québec* (Tome I, p. 715), les Acadiens "en 1883, firent du chant de Gérin-Lajoie leur hymne national [...] en prétendant que c'était à l'origine une de leurs complaintes : «Un Acadien errant»". Parmi bien d'autres textes à évoquer les exils découlant tantôt de l'exil des Acadiens, tantôt de la révolte des Patriotes, mentionnons encore *Le Retour de l'exilé* (1880) de Louis Fréchette.

Le dix-neuvième siècle et la première moitié du vingtième devaient voir des centaines de milliers de Québécois francophones, déçus par la dureté de la vie agricole sur des terres épuisées, prendre le chemin des villes industrielles de la Nouvelle-Angleterre. Migration massive que n'ont pas manqué de thématiser de nombreux textes littéraires, depuis le drame *Exil et patrie* (1882) d'Edouard Hamon jusqu'au célèbre roman *Trente Arpents* (1938) de Ringuet, grand roman de la terre, mais aussi grand roman de l'exil (spatial, culturel, linguistique...). On pourrait citer de très nombreux titres encore de textes littéraires québécois qui abordent, directement ou indirectement, la problématique de l'exil, exils parfois volontaire et positif comme celui du héros d'*Agaguk*, roman d'Yves Thériault. L'Inuit (l'Eskimo) Agaguk, en s'exilant loin des siens, se met dans une situation qui, après bien des vicissitudes, lui permettra un développement personnel - largement sous l'influence de sa femme, Iriook - qu'il aurait difficilement pu connaître (selon ce roman) s'il était resté à l'intérieur de sa tribu. L'exil restructure la relation de pouvoir entre homme et femme, accroissant le pouvoir de celle-ci, restructuration qui s'avère bénéfique. Quant à Iriook, son exil est plutôt subi que volontaire dans la mesure où elle est obligée de suivre son mari. Mais cet exil subi, en lui conférant néanmoins plus de poids dans l'unité sociale qu'elle forme avec son mari, lui est bénéfique également.

A l'instar du va-et-vient incessant entre textes littéraires et contexte socio-historique, revenons-en au social. Simon Harel a livré un précieux témoignage sur son enfance à Montréal :

> [...] le Saint-Léonard de mon enfance se composa[i]t d'autant
> de territoires où nous étions tous de nouveaux venus en quête
> d'un enracinement difficile. Que nos parents aient été origi-
> naires de l'Est montréalais ou du Sud de l'Italie ne changeait
> rien à cet état de fait. [...] nous nous insultions allègrement
> convaincus d'être les ethniques de l'autre [...][3]

Bref, au Québec - à Montréal tout particulièrement - les Québecois francophones peuvent se retrouver en état de minoritaires, ou d'im-migrés, car ils sont parfois perçus ainsi par des immigrants d'autres origines, pour qui "l'Amérique" est par définition anglophone. Comme le note Laurent Mailhot, "Le Québec - et son cœur, sa moitié montréalaise en particulier - est un entre-deux [...] un composé in-stable et dynamique de plusieurs cultures [...]"[4]. Les Québécoises et Québécois expriment parfois le sentiment de ne pas vivre dans un pays "normal", c'est-à-dire, un pays où la langue de la majorité (le français au Québec) serait prédominante. Pour y aller, à l'instar de Simon Harel, d'un témoignage vécu : l'auteur de ces lignes se rappel-le encore sa surprise d'entendre, en 1971, une "monitrice" de Trois Rivières, qui devait mener un groupe d'étudiants anglophones jus-qu'à la Place des Arts à Montréal, demander son chemin à un passant en préfaçant sa question par une autre : "Monsieur s'il vous plaît, est-ce que vous parlez français ?" On imagine difficilement un anglopho-ne de Toronto, d'Halifax, de Vancouver ou de toute autre ville cana-dienne à majorité anglophone s'enquérir de son chemin en demandant d'abord à son interlocuteur s'il parlait l'anglais : la connaissance de l'anglais y est tenue comme allant de soi. La question de cette Québécoise francophone témoigne du statut de *civilisation exi-lée* qui était celle du Québec francophone en 1971, à Montréal même. La fameuse "Loi 101" ("Charte de la langue française") n'a pas encore complètement corrigé la situation : nous avons eu l'occasion, en pre-nant le train de Montréal jusqu'à Kingston (Ontario) en avril 1988, de constater que l'agent chargé de diriger les passagers vers leurs voi-tures dans la Gare Centrale de la "deuxième plus grande ville de langue française au monde", fut unilingue anglophone. Rappelons aussi l'obligation où étaient les employés francophones de bien des sociétés de travailler en anglais. Ce genre d'exil trouve lui aussi ses échos dans la littérature québécoise (vg. le poème "Speak White" de

Michèle Lalonde). La problématique des rapports parfois mutuellement exiliaires entre Québécois francophones et allophones, mise en
relief par Harel, se trouve thématisée dans *Le Matou* d'Yves
Beauchemin, par exemple (alors que la situation inverse - celle de
l'immigrant-e au Québec - trouve expression littéraire dans *La
Québécoite* de Régine Robin, dans l'œuvre de l'Italo-Québécois
Antonio d'Alfonso, et dans celle de plusieurs écrivains d'origine haïtienne, parmi d'autres ; il arrive aussi que des auteurs québécois "de
vieille souche" traitent admirablement de ce thème, en témoigne
Aaron, d'YvesThériault).

Tradition-institution au sein même de l'institution littéraire
québécoise, l'exil *littéraire* comme *objet du discours critique*, comme *tradition de lecture*, est également d'un grand intérêt comme l'a bien démontré Pierre Nepveu en retraçant une partie de cette tradition dans
son excellente étude "L'Exil comme métaphore". C'est cette tradition
critique qui fera l'objet principal du présent chapitre. Ce discours sur
l'exil littéraire, c'est une certaine manière de voir et surtout de métaphoriser certains éléments dans des textes, littéraires et autres : perspective qui croisera d'intéressante façon la lecture hébertienne de son
propre pays, de ses habitants, et des rapports entre eux. De cette tradition/ce mythe nous ne pourrons voir que quelques traits constitutifs du contexte au sein duquel les textes hébertiens ont pu prendre
genèse et gestation, naissance et vie.

Soulignons cette observation-clé de Pierre Nepveu :

> *Chez les lecteurs de la Révolution tranquille, l'affirma*
> *tion selon laquelle nous avions eu, depuis toujours, une littéra*
> *ture d'exil a été décisive et créatrice. Et cela, dans la mesure*
> *même où "exil" pouvait fonctionner dans le discours comme*
> *un mot poétique, une* métaphore permettant de moduler
> entre sens propre et sens figuré, entre la privation objec
> tive d'un territoire et toute une gamme de termes à va
> leur psychique autant que sociologique: dépossession,
> manque, vide, irréel, aliénation, mort, etc.[5]

"Métaphore" et "métaphoriser" : l'exil, on l'a vu, a deux niveaux de
sens. L'un, dénotatif, accorde une place privilégiée à la dimension
spatiale ; l'autre, à la fois métaphorique et connotatif, étend la notion
d'exil à presque tout le champ humain.

Ce processus de métaphorisation de l'exil - qui peut intervenir au moment de l'écriture ou à celui du décodage - s'est développé de façon particulièrement nette et intéressante dans la tradition critique du Canada français (et a sa pertinence pour l'étude de la littérature canadienne-anglaise aussi, en témoigne l'excellent *Exil, révolte et dissidence. Etude comparée des poésies québécoise et canadienne* de Richard Giguère qui privilégie justement ces sens métaphoriques d'"'exil"'). Dans "Le thème de l'exil de 1940 à 1960", André Gaulin, tout en situant les origines de l'"'exil littéraire" dans un exil collectif général d'origine spatio-historico-politique, voit l'exil dans la littérature sous de nombreuses formes - la spatiale y occupant une place modeste :

> *Cet exil dont il est question prend des visages multiformes. Il s'appellera tout à tour délire (comme dans derilium [sic] tremens - tremens factus sum ego et timeo dit la stance du Dies irae -), folie, travestissement, ennui, errance, désespérance, songe, refuge impossible ou fuite, ou encore goût de la mort. Toute notre littérature témoigne de tout ceci[6].*

Or, dans cette liste de formes de l'exil, seules "errance", sa variante "fuite", et "refuge" ont une valeur signifiante spatiale ; et "refuge" peut aussi revêtir un sens non-spatial (Gaulin qualifie de "refuge" tant l'histoire sous forme de la recherche et de l'écriture historiques de F.-X. Garneau que le roman historique, le mythe messianique, et la religiosité)[7]. Ce qui n'empêche pas Gaulin de penser que toutes ces formes de l'exil résulte de la coupure spatiale, puis historico-politique, d'avec la mère patrie : "[...] l'exil ou le sentiment d'exil est au cœur même de toute la production romanesque des années 1940-1960. Explicitement ou implicitement, cet exil se définit par rapport à Paris aussi curieusement que cela puisse paraître"[8].

Dans "L'Exil comme métaphore", Nepveu se penche surtout sur

> *[...] la lecture, au tournant des années [19]50-60, de certains poètes (Crémazie, Nelligan, Saint-Denys Garneau, Grandbois) perçus désormais à la fois comme des symptômes et comme des phares, servant à retracer ou à élaborer l'histoire québécoise comme mythe et destin, comme aventure psychique ou comme projet existentiel (projet malheureux, avorté, à reformuler et à reprendre du tout au tout)[9].*

A dire vrai, dans cet article Nepveu ne traite guère que de Crémazie et de Nelligan, les deux cas les plus aptes à illustrer et à expliquer le passage d'une conception dénotative, spatiale, de l'exil à une conception psychique (non dénuée, dans un troisième temps, d'une dimension historico-politique et donc spatiale). "Mythe et destin" de l'exil : en fait, exil spatial en partie, mais vite perçu, avant tout, comme "aventure psychique" malheureuse.

La tradition canadienne-française exiliaire relève aussi du discours sur l'exil dans la tradition judéo-chrétienne évoquée au chapitre précédent. Rappelons les propos de Kolakowski selon lesquels la condition humaine sur terre en est fondamentalement une d'exil (du Paradis) pour les "peuples du livre"[10]. Naïm Kattam souligne, dans *La Mémoire et la promesse*, l'importance du thème de l'exil dans la culture judéo-chrétienne dès l'*Ancien Testament*. En Occident, pour Kattan,

> L'exil n'est plus un rapport à l'espace mais une expression de division de l'être, du conflit entre réel et conscience, acte et théâtralité. L'exil est intériorisé. *Il devient une dimension de l'être. Et d'abord l'exil de la parole. Silence de Dieu et absence du verbe. Le mot est approximation de la chose, contingence. Le silence de Dieu se traduit pour l'homme par une absence au monde. Dire le monde, c'est opposer la parole de l'homme au silence de Dieu. La naissance de la littérature en Occident fut, dès le départ, une affirmation, une tentative d'affirmation de la présence de l'homme*[11].

La lecture de Nepveu et de Kattan met en relief deux points fort utiles pour la lecture de l'exil biographique et littéraire hébertien. D'une part, Kattan pose la *littérature comme instrument possible de l'anti-exil* ; c'est cette fonction d'anti-exil que l'homme, depuis toujours, assigne à la littérature face au grand silence exilant de la condition humaine. Attitude explicite chez un Albert Camus, bien sûr, et aussi chez Anne Hébert (notamment dans "Poésie, solitude rompue" [où elle cite Camus], dans *Mystère de la parole* et dans *Le premier Jardin*). Mais d'autre part, l'*Ancien Testament*, à l'aide du récit des errances du peuple choisi, affirme le *déplacement spatial désexilant*. Le peuple choisi fut depuis longtemps en exil ; le pays dont il prendra possession, grâce à un déplacement spatial, lui sera favorable et mettra fin à son exil. En outre, si le pays en question n'est pas géographiquement le jardin d'Eden, fonctionnellement il en est l'équivalent, espace euphorique choisi par Dieu pour le peuple juif ; espace donc, sinon originel, du moins inaliénablement sien, lieu d'un bonheur et d'un épanouissement collectifs, quasi-édéniques, lieu venant compenser ainsi la perte de l'Eden. C'est donc une sorte de *retour dans le temps* jusqu'à l'*espace-temps d'origine*, jusqu'au *pays premier*. Le christianisme ayant eu la profonde influence que l'on sait sur les mentalités au Québec, surtout avant 1960, cette vision des choses - de l'exil mais aussi du non-exil et de ses rapports avec un espace-temps passé - aura profondément marqué l'esprit québécois. Nous retrouverons cette problématique en retraçant le parcours de Flora Fontanges, personnage principal du *Premier Jardin*, Québécoise d'origine qui s'est "exilée" en France et qui, néanmoins, saura dans une certaine mesure, et au pays du passé imaginaire, rejoindre les siens.

Naïm Kattan, parlant des immigrants tant francophones qu'anglophones au Canada, prétend que "les immigrants qui rêvaient d'une terre promise se sont retrouvés dans un exil"[12], et précise encore que "L'Amérique était, dès le départ, un lieu d'attente conduisant à une terre promise dont l'avènement reculait constamment"[13]. Exil inhérent donc à la condition de l'"homo canadiensis". Et l'homme, ou la femme, spécifiquement québécois/e ? A supposer juste l'affirmation par Kattan d'un exil intrinsèque à la condition nord-américaine et canadienne, il s'y ajouterait, pour les Canadiens français, d'autres couches d'exil en raison de leur vécu collectif spécifique. Militaires, historiques, politiques, tels furent certains des événements, nous l'avons vu au début de ce chapitre, qui ont pu inscrire dans la psyché canadienne-française le sentiment de subir un exil quasi inhérent à l'état du francophone nord-américain (*cf.* Gaulin). A ces facteurs exilants s'ajouterait, à en croire l'historien Claude Galarneau, une condition d'orphelin : Galarneau affirme qu'au Canada français, suite à la cession du Canada par la France à la Grande-Bretagne en 1763,

> *les masses populaires, chrétiennes et monarchistes, avaient [en raison de la cession par la France de sa colonie canadienne à la Grande Bretagne en 1763] [...] perdu leur mère patrie sans comprendre, mais étaient restés très attachés au roi de France. [...] Et soudain la Révolution, décapitant Louis XVI, les prive de leur père*[14].

Galarneau, historien québécois, affirme donc que l'avènement du régime britannique, suivi de la Révolution française, laissa les

Canadiens français orphelins de père comme de mère, orphelins de la France (la mère patrie, très précisément). Or, *Le premier Jardin*, s'il n'évoque pas la Révolution française, semble bien attribuer à la Conquête cette funeste fonction orphelinisante. Et il y a un rapport étroit entre la condition de l'orphelin et celui de l'exilé : être orphelin, c'est être séparé, exclu, donc exilé d'un certain objet du désir ; l'orphelin est marginalisé, exilé du bonheur et de la normalité. En outre, l'objet du désir dont est exilé l'orphelin, c'est sinon la patrie, du moins le foyer mythique, cette micro-patrie qu'est la famille dans la rêverie et la *doxa* occidentales. Si tous les Canadiens français sont des exilés selon Kattam, Galarneau et bien d'autres, pour des raisons historiques, économiques et politiques, alors leur littérature parlera bien évidemment d'exil, dans la mesure où toute œuvre littéraire comporte une part de fonction mimétique, porte la trace du sujet et de son vécu individuel et collectif, qu'il le veuille ou non.

Toutefois, selon un des plus éminents critiques et universitaires québécois, Gilles Marcotte, dans le domaine spécifiquement littéraire, les écrivains canadiens-français du dix-neuvième siècle à la fois étaient et n'étaient pas orphelins de la France ; et même, ils étaient d'autant plus orphelins que (culturellement, littérairement) ils ne l'étaient pas ! Marcotte affirme en effet que "Nos premiers poètes ne furent pas [...] frustes et simples. Ils avaient toute la littérature française derrière eux, devant eux, et ils la connaissaient beaucoup mieux que nous ne nous plaisons à l'imaginer"[15]. Dans une certaine mesure donc, les écrivains canadiens-français du dix-neuvième siècle n'étaient pas orphelins de la France, puisqu'ils étaient imprégnés de culture et surtout de littérature françaises. Mais cet attachement à la France culturelle était à double tranchant, puisque Marcotte observe que

> *Nos premiers poètes n'avaient rien de primitifs ; c'étaient des Européens déracinés. Par toute leur culture, par les fibres essentielles de leur être moral, ils continuaient d'appartenir à la France. Ils n'étaient plus totalement français, pourtant. Un autre style de vie, d'autres appartenances, un autre sol, les requéraient. Un autre "paysage" qu'ils n'avaient pas encore reconnu, et dans lequel ils ne s'étaient pas reconnus. [...]*

> *Et comment, dès lors, s'étonner que notre poésie s'in-*
> *terroge, avec une constance et une angoisse toutes particulères,*
> *sur sa condition d'exil ?*[16]

Gilles Marcotte précise ailleurs son analyse à propos du patriotisme
du poète Octave Crémazie et d'autres des années 1860 :

> *[...] il faut prendre garde à la nature de ce patriotisme : c'en est*
> *un d'Ancien Régime, tout nourri de regrets, de nostalgies. On*
> *vit au Canada, on veut y rester, on lui appartient; mais en mê-*
> *me temps on ne cesse de rêver de la France comme d'une patrie*
> *perdue. Le Canada français d'alors, à une certaine profondeur*
> *de lui-même, est partagé entre deux patries, celle d'ici et celle*
> *d'outre-Atlantique*[17].

L'apparent paradoxe s'explique : de par le fait de vivre au Canada, et
a fortiori dans un Canada sous régime britannique, les écrivains canadiens-français étaient orphelins de la France. Mais dans la mesure où
ils n'étaient pas entièrement orphelins de la France, dans la mesure
où ils restaient français par la culture, par une certaine identification,
ils étaient exilés du Canada lui-même, de leur terre natale. *Exil littéra-*
lement - et littérairement - double ! Surgissant à la fois du biographique
et du littéraire, le littéraire (culture littéraire française) mué en dimension biographique par son importance comme valeur chez les écrivains, le biographique (de composition double, puisque faite et de
l'éloignement spatio-politique par rapport à la France, et d'une culture littéraire devenue partie intégrale de la psyché des écrivains canadiens-français du dix-neuvième siècle) le biographique donc se muant
en dimension littéraire sous forme du thème de l'exil.

Nulle part ne se donne mieux à voir le passage de la notion
d'un exil spatial à celle d'un exil psychique. Gilles Marcotte continue
d'ailleurs son analyse en notant que

> *L'exil que subit la poésie canadienne-française est celui, sans*
> *forme ni visage, qui se loge au cœur, et nourrit la tentation de*
> *l'absence. Absence à la réalité extérieure, à la réalité sociale : à*
> *mesure qu'elle se dégage des clichés patriotiques et régiona-*
> *listes, cette poésie se découvre sans voix devant les hommes,*
> *devant les paysages qui devraient être siens*[18].

L'exil spatial et culturel des Canadiens français par rapport à la France se serait donc mué, selon Gilles Marcotte et d'autres, en exil psychique ayant pourtant des *conséquences sur les plans spatial et social, puisque les poètes canadiens-français en seraient devenus incapables d'être présents à leur propre terre comme à leurs concitoyens.*

Or, l'exil double, observé par Marcotte et d'autres chez les écrivains canadiens-français du dix-neuvième siècle, est constaté par Roland Bourneuf chez leurs successeurs du vingtième siècle aussi, dont, en particulier, le poète (cousin et contemporain d'Anne Hébert) Saint-Denys Garneau :

> *Cette étude [...] s'ouvre enfin sur le domaine des relations entre les littératures canadienne-française et européennes dans l'immédiat avant-guerre. [...] si Garneau a été écartelé* personnellement *entre des mouvements d'élan et de repli, il l'a été aussi "nationalement" entre une appartenance canadienne et une culture européenne. [...] Au-delà d'un cas individuel apparaît donc la situation culturelle de toute une génération de Canadiens français prise dans un double dilemme : ils aiment leur pays mais il est désert, l'Europe les éblouit de richesses mais ils y sont étrangers[19].*

Trouver son pays "désert", c'est assurément s'y sentir exilé.

L'on verra tout à l'heure que Gilles Marcotte emploie très précisément un texte poétique d'Anne Hébert pour mieux illustrer son propos et pour étendre la notion d'un exil collectif canadien-français, jusqu'à inclure celle d'un exil individuel par rapport à sa propre psyché. Mais il convient auparavant de mieux se pencher sur la lecture de l'exil d'Octave Crémazie et sur celle de l'"exil" du poète Emile Nelligan.

Si nous n'avons pas mis le mot "exil" entre guillemets en évoquant celui d'Octave Crémazie, c'est parce que celui-ci fut bel et bien obligé de s'exiler au sens spatial. La faillite de sa librairie en 1862 l'obligea à s'enfuir d'abord à New York, ensuite en France où il vécut un exil de dix-sept ans, jusqu'à sa mort en 1879[20]. Or, ce qui frappe dans la lecture qu'ont faite des critiques québécois contemporains du parcours biographique et littéraire de Crémazie, c'est qu'ils ont beaucoup plus mis l'accent sur l'exil qu'ils croient déceler dans son œuvre poétique (dont presque tout date d'avant son exil en France) que sur son exil spatial lui-même. L'on a vu que G. Marcotte, à propos de Crémazie et d'autres de sa génération, affirmait qu'ils souffraient d'un exil que nous avons qualifié de double, par rapport à la France d'une part, et à leur propre pays d'autre part. Ce faisant, Marcotte a su lire les rapports entre le biographique et le littéraire, la présence et le fonctionnement de l'un *dans* l'autre. Mais il est frappant que l'œuvre de Crémazie perçue par la critique comme expressive de l'exil, date d'avant l'exil proprement spatial de Crémazie en France. Marcotte confirmait en 1987 que c'est bien là sa façon de voir la chronologie, voire la relation causale, entre les deux phénomèmes : "l'exil géographique ne faisant en somme que porter à l'évidence un exil intérieur dont la poésie de Crémazie porte témoignage"[21]. Et selon Réjean Robidoux (cité approbativement par l'important ouvrage de référence *Dictionnaire pratique des écrivains québécois*), dans la poésie de Crémazie

> [...] la réalité canadienne, le paysage même sont décrits à coups de lieux communs, avec des accents qui dénotent l'emprunt et l'artifice. Ainsi, dans ce pays où deux siècles les ont établis, Crémazie et le Canadien dont il est la voix ne mènent-ils qu'une existence illusoire: leur âme est ailleurs. [...] le poète ne saisit toujours que l'envers de la vie ou que d'enviables faux semblants[22].

La lecture que Réjean Robidoux fait de l'exil chez Crémazie rejoint ainsi celle de Gilles Marcotte : l'"ailleurs" dans lequel est emprisonné Crémazie, dans lequel il est donc en exil, relève de l'"âme" et est de l'ordre du spirituel ou du psychique. Crémazie aurait été en exil par rapport au réel autour de lui ; son exil aurait donc été psychique plus que spatial, même si l'accident historique et spatial de son lieu de naissance (le Québec), joint à sa culture littéraire française, a pu contribuer à son sentiment d'exil.

Emile Nelligan naquit en 1879. Sa carrière de poète s'étendit de sa seizième à sa dix-neuvième année, soit de 1896 à 1899, date à laquelle il succomba à l'aliénation mentale et fut enfermé dans un asile où, comme le démontre le grand spécialiste nelliganien Paul Wyczynski, il resta, sans plus guère écrire, jusqu'à sa mort en 1941[23]. P. Nepveu, dans "L'Exil comme métaphore", démontre fort bien que l'aliénation mentale de Nelligan fut traitée par la critique québécoise - métaphorisation aidant - d'"exil"[24].

L'"'exil" de Nelligan fut aussi, dès avant son internement, un exil social. Exil qui frappait bien des écrivains de l'époque et qui avait partie liée avec la folie de Nelligan, comme l'a démontré de façon rigoureuse et convaincante Jacques Michon dans *Emile Nelligan. Les racines du rêve*. Evoquant le déclin de l'Ecole littéraire de Montréal, dont Nelligan était membre, Michon observe qu'

> *Il ne faut pas voir dans cette fin abrupte la marque du destin ou une fatalité inhérente au milieu, mais constater plutôt qu'elle est le résultat d'un manque de support institutionnel. [...] Ce n'est pas la défection ou l'absence de producteurs qui explique le déclin; mais plutôt l'absence de débouchés, de lecteurs et le sous-développement des différentes instances de production et de reproduction qui sont les supports nécessaires de la littérature, comme l'école, les bibliothèques, la presse et l'édition[25].*

Michon évoque aussi les membres de l'Ecole qui, vers le début de notre siècle, se tournent vers la France :

> *Alors que le clergé allait mettre un frein à une littérature cosmopolite qui échappait à son contrôle en appuyant sans réserve la littérature régionaliste, plusieurs auteurs [...] choisiront la voie de l'exil. [...] Par son internement à la Retraite Saint-Benoît, le 9 août 1899, Nelligan partageait à sa façon l'exil des tenants de l'art pour l'art, après avoir connu un bref moment d'entente et d'euphorie au sein de l'Ecole littéraire. [...] Vouloir être poète au sens où Nelligan l'entendait, c'était choisir une position d'exclusion. Dans cette société, il n'y avait de place que pour le bourgeois dilettante [...] Le poète plus exigeant qui ne supportait pas de compromis, qui refusait de confondre art et divertissement, littérature et loisir, qui demandait à la poésie autre chose qu'un "délassement délicat", devait se contenter de la part maudite. [...] Dans ce système symbolique, choisir l'art et la poésie de manière exclusive, c'était choisir à coup sûr la mort et la folie. [...] Le poète comme le fou devait être refoulé, exilé, interné[26].*

Cette conception de l'exil comme folie, les deux résultant de l'exclusion de l'artiste par une société philistine, réunit des dimensions sociale, psychologique, et spatiale (dans la mesure où la folie de l'artiste Nelligan l'a mené à l'espace asiliaire). Il s'agirait d'une forme d'exil interne. Ailleurs cependant, Michon démontrera que Nelligan recourt à la métaphorisation spatiale pour écrire aussi bien un exil qu'un non-exil, tous les deux comportant une forte composante temporelle. Le temps du non-exil - l'enfance du rapport fusionnel sécurisant avec une figure maternelle - est souvent représenté chez Nelligan comme un espace, un jardin voire l'Eden, ou encore un lointain idéalisé ("célestes Athènes")[27].

La prise en compte par Jacques Michon, de la dimension sociale de l'exil nelliganien, a été complétée par une lecture des dimensions politique et spatiale de celui-ci, sous la plume de Jean Larose. D'autres ont souligné l'apport qu'a valu à Nelligan la poésie européenne de langue française (Baudelaire, Verlaine, Rollinat et d'autres) ; mais Larose insiste sur l'importance de la France dans le manque (l'exil) que subissait Nelligan et qui aurait contribué à son aliénation mentale. Pour Larose, au départ et peut-être à l'arrivée de toute lecture de Nelligan, il y a "une constellation d'équivalents : La France [...], la Mère, l'Origine, le Manque [...]"[28]. Il ajoute que

> *Nelligan [...] appartient à la lignée de ceux qui n'oublient pas l'Origine, qui ne nient pas leur désir de ce qui y manque, tragique lignée "féminine" des poètes qui traitent la France non comme un père efféminé mais comme une mère phallique*[29].

Et encore sur Nelligan lui-même : "L'exil poétique dissimule chez lui [Nelligan] l'exil du colonisé. On aboutit ainsi au plus meurtrier des paradoxes : la modernité, pour lui, est une voie déterminée par l'aliénation"[30]. Citons enfin sur Nelligan, ce passage qui traite explicitement de son aliénation mentale :

> *L'internement de Nelligan n'a-t-il pas toujours été célèbré [sic] comme une métaphore des Plaines d'Abraham, c'est à dire de ce moment de perte, de délaissement et de minorisation définitive où notre histoire a cessé d'être un processus pour devenir le fantasme d'un processus, une suite d'images ?*[31]

Jean Larose fait commencer donc l'exil des Canadiens français surtout par la Conquête britannique qui fit d'eux des colonisés. D'autres répliqueraient peut-être que la Nouvelle-France était déjà une colonie et que ses habitants était autant les colonisés que les colons de la France. Anne Hébert elle-même, dans "Quand il est question de nommer la vie tout court, nous ne pouvons que balbutier", dans "Le Québec, cette aventure démesurée" et dans *Le premier Jardin*, évoque l'importance de la Conquête dans l'exil collectif des Canadiens français. Toutefois, *Le premier Jardin*, s'il fait la part large à la Conquête comme facteur exiliaire, présente certains personnages (féminins surtout) comme étant des exilés au physique et/ou au moral dès avant la Conquête, en raison de l'éloignement même par rapport à la France, mais aussi à cause de leurs conditions de vie, dont surtout la condition féminine.

Bon nombre de critiques ont évoqué l'aliénation d'Emile Nelligan par rapport à son père irlandais et anglophone parmi les causes de son aliénation mentale, de son "exil". Larose va plus loin en rattachant le cas Nelligan au phénomène que Gilles Marcotte décelait chez les poètes du dix-neuvième siècle : pour lui, le sentiment d'aliénation/exil chez Emile Nelligan serait dû fondamentalement à la coupure spatiale et historico-politique avec la France, faille d'autant plus béante, qu'Emile adorait la culture et surtout la poésie françaises, qu'il aurait eu tendance à rattacher à sa mère canadienne-française au tempérament d'artiste.

Cette interprétation nous intéresse aussi en raison de la portée générale que lui attribue Larose, pour qui elle serait valable non seulement dans le cas d'Emile Nelligan mais aussi des Canadiens français dans leur ensemble, donc de tout-e écrivain-e du Canada français, y compris Anne Hébert (nourrie, comme Emile Nelligan, de culture et de littérature françaises). Comment cette explication à tendance nationaliste, indépendantiste, de l'exil canadien-français, et surtout de l'"exil" des écrivains, a-t-elle ainsi resurgi sous la plume de Larose, après avoir cédé le pas aux explications plutôt psychologiques (comme l'avait signalé P. Nepveu par sa phrase "de l'exil réel de Crémazie, on glisse insensiblement vers une acception purement métaphorique du terme, on entre dans un espace résolument fictionnel, [...] mythe d'une errance collective vers le pays du réel"[32]) ? La réponse se trouve dans cette dernière partie de la phrase de Nepveu : en posant comme collectif le phénomène d'exil psychique qu'elle constatait et dénonçait, la critique québécoise a pu y lire une maladie nationale, donc du pays. Ce mythe de l'exil psychique collectif en arrivera ainsi à revêtir une fonction d'une immense importance politique et donc spatiale dans la culture québécoise lors de cette "Elaboration d'un espace psychique, imaginaire, *où la métaphore de l'exil nourrira la promesse du pays.* [...] Ce qui précède ou mieux, ce qui fonde le pays et un réel habitable, c'est l'exil [...]"[33]

Toutefois, les parts respectives de la Conquête britannique d'une part, et d'autre part, de l'éloignement par rapport à la France, dans la genèse de ce sentiment d'exil collectif, sont difficiles à déterminer. Larose raconte une anecdote destinée semble-t-il à prouver que chez tout Canadien français gît ce sentiment d'exil par rapport à la France perçue comme origine, comme mère :

> *Un de mes amis raconte son premier voyage en France, en 1949 : au matin, après une nuit passée debout sur le pont du ferry de Douvres, il entend sa voisine, une Française très noble d'allure, qui dit : "Regardez ! les côtes de France !" - et il éclate alors en sanglots... Il n'a "jamais su s'expliquer", il parle de "vérité remontée des profondeurs"... Il est né à Montréal en 1926*[34].

Faut-il lire dans cette anecdote le témoignage d'un sentiment d'exil ? Certes, elle met en relief l'attachement à la France qu'éprouve l'"ami" en question. Faut-il en conclure que cet homme éprouvait un sentiment d'exil par rapport à la France ? Voilà en tout cas la signification principale que Larose assigne à cette anecdote. Accordons-lui cette signification : quelle serait donc la cause originelle de ce sentiment d'exil chez cet anonyme québécois que Larose semble poser ici comme synecdoque symbolique de tous les Canadiens francophones ? Serait-ce le fait de vivre géographiquement loin de la France, ou celui d'avoir été coupé politiquement, puis économiquement et culturellement de la France en raison de la Conquête britannique ? Dans ce récit, aussi bien la "Française très noble d'allure" que le "ferry de Douvres", revêtent d'importantes fonctions symboliques. Cette "Française très *noble* d'allure" apparaît comme un signifiant dont le signifié serait la *France des nobles*, celle de l'Ancien Régime qui donna naissance à la Nouvelle-France, ce royaume de France de l'époque où France et Nouvelle-France ne formaient (du moins dans une perspective nostalgique) qu'une seule et même entité (d'ailleurs objet de nostalgie dans certains textes hébertiens). Quant à ce "ferry", il apparaît comme une synecdoque symbolique de l'appartenance britannique, tant en raison de son point de départ (et donc, pour l'imaginaire, son point d'origine, Douvres, synecdoque de l'Angleterre et symbole du monde britannique) qu'en raison du mot que Larose emploie pour le désigner : on dit normalement, en français canadien, "traversier"plutôt que "ferry". En recourant au mot anglais, Larose amène les lecteurs qu'il vise en tout premier lieu - les Québécois francophones - à lire ce véhicule comme étant anglais, il en accuse le cœfficient de "britannicité". A un certain niveau de l'imaginaire lisant québécois, ce "ferry" peut être perçu comme symbole du Canada lui-même. Dans la mesure où est mis en relief le caractère essentiellement anglais de ce vaisseau (nonobstant quelques passagers francophones ; *cf.* la minorité francophone au Canada), c'est le Canada lui-même qui est identifié comme essentiellement et principalement anglais. La Conquête, qui transforma le Canada en phénomène anglais, est donc présentée comme la cause originelle de l'exil de cet "ami" canadien-français comme de ses compatriotes.

Larose évoque aussi avec beaucoup d'à propos, un phénomène culturel qui semblerait contredire l'hypothèse même de l'existence d'un sentiment d'exil par rapport à la France chez les Québécois. Ce phénomène, c'est une certaine francophobie québécoise, ce que Larose appelle "le discours anti-«maudits Français» [sic]" :

> *Même inconsciemment, le discours anti-"maudits Français" est toujours fédéraliste et il vise en fait à maintenir refoulé notre mémoire de la grandeur de la culture que nous avons produite, et qui nous "appartient" tout autant qu'aux Français dont les ancêtres sont restés en France. C'est la menace de notre propre désir d'indépendance qu'on veut conjurer en attaquant la "France", car si nous cessions de maudire cette mère célébrée dans le monde entier (et si, d'ailleurs, nous nous y rapportions plutôt comme à un père puissant), nous cesserions peut-être de nous y soumettre[35].*

La logique de ce passage instaure une véritable identité entre Français et Canadiens/Québécois francophones[36]. Larose souligne ici que Québécois et Français d'aujourd'hui descendraient des mêmes ancêtres. Ce que Larose veut étudier, c'est la présence des mythes gémellaires de la France et de l'exil en chaque Québécois. Mythe fort présent dans "Le thème de l'exil de 1940 à 1960" d'André Gaulin, et aussi chez Gilles Leclerc dont la voix revêt des accents aussi passionnés que ceux de Larose : "Seuls les quelques hommes libres, littéralement rescapés de la mythologie, pourront jamais ressentir au plus profond de leur chair et de leur âme l'atroce injure de ne plus pouvoir être français"[37].

Tant la lecture hébertienne de l'exil psychique dans la culture québécoise que la vision de l'exil chez la critique québécoise seront plus aisées à comprendre si l'on tient compte de Saint-Denys Garneau. Rappelons - à l'intention surtout des lecteurs non-québécois - quelques passages du *Journal* qui permettront de saisir pourquoi la critique s'est fait de Saint-Denys Garneau l'image d'un poète de l'absence, fondamentalement divorcé du réel :

> *mon impuissance durant de longues périodes à atteindre la vie et la beauté des choses*[38] ;
>
> *ces envies de mourir qui me prenaient dans ma jeunesse, dès que je possédais quelque bonheur [...] j'avais le goût de mourir pour rejoindre la plénitude et l'éternité de cette béatitude qui me pénétrait*[39] ;
>
> *Or, maintenant, me voici avec mon poids de péché originel, sans la possibilité d'un seul repos en la complaisance charnelle. Et il me faut être dans le monde, avec ma chair du monde, comme n'y étant pas et sans un regard attendri pour lui*[40] ;
>
> *Ainsi, durant l'adolescence, une sorte de désir que mon corps finisse à la ceinture*[41] ;

ou encore ces vers d'"Accompagnement : "Je marche à côté d'une joie/D'une joie qui n'est pas à moi"[42]. Absence au réel, à la vie, au bonheur (et donc exil par rapport à ceux-ci). Il n'est pas rare que Saint-Denys Garneau exprime un exil psychique à l'aide d'une métaphore spatiale (activée ici par le verbe "marcher", qui suggère le mouvement d'un corps humain dans l'espace, et aussi par la construction prépositionnelle "à côté de" dont le sens dénotatif est on ne peut plus spatial. *Saint-Denys Garneau écrit un exil intérieur, psychique, comme s'il se produisait dans l'espace*. Puisque l'exil, apparemment spatial, chez Saint-Denys Garneau, était si manifestement psychique en réalité, la critique ne pouvait qu'être confortée dans sa tendance à lire d'autres exemples d'exil spatial ailleurs la littérature québécoise comme relevant surtout de l'exil psychique.

Plusieurs critiques ont lu certains personnages hébertiens - Michel (*Les Chambres de bois*) et Bernard (*Héloïse*) - comme reflets de

Saint-Denys Garneau, en raison de leur incapacité à vivre, leur crainte de la chair et de la sensualité. Julien, dans *L'Enfant chargé de songes*, peut à son tour se lire ainsi, mais pour d'autres raisons : son amour de la poésie et de la musique, et le fait que Lydie lui applique un vers du poème "Cage d'oiseau" de Saint-Denys Garneau - *"Il aura mon âme au bec*, si je le laisse faire" se dit Lydie au sujet de l'adolescent idéaliste qui l'aime.

Plus d'une fois, au cours de ce survol de quelques repères dans une tradition, voire un mythe de l'exil dans la critique canadienne-française, nous avons évoqué des propos d'Anne Hébert portant sur cette problématique. Or, Gilles Marcotte emploie justement un texte poétique d'Anne Hébert - *Le Tombeau des Rois* - pour mieux illustrer ses propos et pour étendre leur portée depuis le plan collectif jusqu'au plan individuel le plus intime : dans ce recueil, pour Marcotte, se manifeste le sentiment que

> [...] *tout lui a été enlevé, interdit, et [...] il faut tout réapprendre à partir des éléments.*
> *Tout réapprendre, et soi-même d'abord. Car si la possession des choses paraît menacée, le poète n'éprouve pas moins de difficulté à se posséder lui-même, à réaliser sa propre unité. La figure définitive de l'absence, nous la trouverons ici: dans une aliénation intérieure, dont la poésie canadienne-française n'a jamais cessé de porter le témoignage*[43].

Le passage depuis l'exil spatial et culturel collectif par rapport à la France jusqu'à l'exil tout intérieur, psychique, à la fois collectif et individuel, se réalise dans la pensée de Gilles Marcotte, et cela à propos d'une œuvre d'Anne Hébert.

Anne Hébert elle-même a exprimé des positions fort semblables aux réflexions de Marcotte et vers la même époque. Dès 1960, dans "Quand il est question de nommer la vie tout court, nous ne pouvons que balbutier", elle affirmait que

> *notre réalité profonde nous échappe; parfois c'est à croire que tout notre art de vivre consiste à la refuser et à la fuir. Et d'ailleurs, notre éducation ne nous a-t-elle pas enseigné, avant toute chose, à éviter soigneusement toute confrontation avec la réalité [?] Avec quelle délectation morose avons-nous pratiqué l'absence et le songe jusqu'à l'absurde !*[44]

L'accent mis sur l'éducation, dans ce texte hébertien, confirme l'importance de la présence d'un exil d'ordre psychique au Canada français avant 1960 et souligne aussi que cet exil était délibérément inculqué aux jeunes Canadiens français : l'on en voit d'autant mieux comment a pu naître parmi ce peuple une tradition d'exil psychique.

Et pourtant, les propos d'Anne Hébert attribuent à ce sentiment d'exil psychique un versant spatial. En effet, elle écrit (toujours dans "Quand il est question de nommer la vie tout court...") que la terre, le climat, le paysage québécois ont littéralement, biologiquement, fait, façonné, l'*homo quebecensis* ; mais elle s'interroge pour savoir si les Québécois ne sont pas en état d'exil par rapport à l'espace québécois lui-même :

> *Cette terre dont nous sommes matière vivante, parmi les villes et les forêts, les champs et l'eau, cette terre quotidienne et sensible qui est nôtre, la voyons-nous vraiment et prenons-nous conscience de notre être, enraciné dans un lieu particulier du monde, avec toutes ses contradictions existentielles ?*[45]

Anne Hébert se montre consciente ainsi de la dimension psychique de l'exil québécois, mais en souligne aussi la dimension spatiale, et surtout le rapport entre psyché et pays tellurique. En postulant une inadéquation entre le pays et la capacité de ses habitants de se l'intégrer psychiquement, Anne Hébert conforte la position qu'exprimaient Gilles Marcotte et Réjean Robidoux en faisant remarquer la difficulté qu'avaient les poètes canadiens-français du dix-neuvième siècle à se sentir chez eux dans leur propre pays et à donner à celui-ci et à ses habitants une expression littéraire adéquate.

En 1967, dans "Le Québec, cette aventure démesurée", Anne Hébert écrivait que, pendant quelque temps, les Canadiens français étaient tellement en exil par rapport au réel, tellement prisonniers du "songe de Lazare", qu'ils en étaient "pareils aux morts"[46].

A la différence des propos de Marcotte, ces deux textes d'Anne Hébert n'évoquent l'attachement des écrivains ou de la population canadienne-française à la France que de façon négative ("Ayant réchappé, tant bien que mal, un héritage français désuet, professant le culte d'un passé bien révolu [...]"[47]). Cette différence importe moins que les ressemblances, toutefois. Comme Marcotte, Anne Hébert affirme une relative incapacité des Canadiens français à s'intégrer le réel dont aussi bien leurs paysages (leur pays) que leur propre vie intérieure, à les reconnaître et à les exprimer.

Ce survol de quelques repères dans une tradition littéraire et critique de l'exil au Québec aura permis de confirmer que, grâce au processus de métaphorisation identifié par Pierre Nepveu, grâce donc au recours à un certain nombre de sens connotatifs du terme "exil", l'on en est arrivé, au Québec littéraire, au triomphe de la notion de l'exil comme phénomène d'ordre psychique, voire spirituel. On saisit mieux ainsi comment l'exil a pu être pensé autour d'Anne Hébert et donc le contexte par rapport auquel devait se situer (en écho ou en contraste) le texte hébertien. On comprend aussi que cette prédominance a pu confiner, presque jusqu'au silence, toute autre lecture de l'exil. La lecture de l'exil hébertien reste donc à développer en fonction de l'espace.

Chez Anne Hébert, la notion d'exil garde une forte dimension spatiale, en témoigne son article "Quand il est question de nommer la vie tout court, nous ne pouvons que balbutier". Cette sensibilité à la *matérialité* d'une terre, d'un pays, et *donc de l'exil* ne la quittera plus. Il n'empêche que certains éléments de la tradition critique exiliaire au Canada français s'avéreront pertinents à l'étude de l'exil biographique et littéraire hébertien. Malgré sa conscience restée aiguë de la spatialité de l'exil, Anne Hébert n'a pu qu'être marquée par l'accent mis sur l'exil métaphorique, de sorte que l'exil dans ces textes relève tantôt du spatial, et tantôt du non-spatial. Anne Hébert a fort bien pu souffrir également du sentiment d'exil qui, selon la critique, habiterait tout-e Québécois-e. D'ailleurs, le sentiment attribué à nombre d'écrivains canadiens-français, d'une parenté - voire d'un rapport d'appartenance mutuelle - par rapport à la culture et à la littérature françaises a fort bien pu habiter Anne Hébert, tout comme a pu la marquer le sentiment d'exil double : exil par rapport à la France culturelle et littéraire, et exil par rapport à son propre pays et ses habitants. Cela d'autant plus que, selon Anne Hébert elle-même, l'éducation des jeunes Canadiens français visait à les mettre en état d'exil interne par rapport à leur réalité. En outre, nous verrons que si certains milieux canadiens-français étaient fort hostiles à la culture de la République française, Anne Hébert et son milieu familial y étaient plutôt favorables. Rappelons enfin les remarques de Jacques Michon sur l'exil de l'écrivain/e dans et par une société philistine, exil de l'artiste *qua* artiste à la recherche de son authenticité, de la vérité sur sa société, et de l'expression artistique de cette authenticité comme de cette vérité. Exil qui, au dire d'Anne Hébert elle-même, a lourdement pesé sur elle et dont il sera question au chapitre suivant.

CHAPITRE III

VERS L'EXIL BIOGRAPHIQUE D'ANNE HÉBERT

Anne Hébert a plus d'une fois exprimé sa réticence à voir sa vie devenir biographie. On prisera d'autant mieux les nombreuses remarques d'ordre autobiographique qu'elle a bien voulu livrer lors d'entrevues ainsi que certains écrits à tendance autobiographique. Cette vie - qu'il faut entendre ici, rappelons-le, comme ensemble de textes, seule forme sous laquelle elle nous est connue - se veut discrète, ne se mue en auto/bio-graphie qu'avec une pudeur certaine ; mais est néanmoins riche du poids comme de la promesse de ses exils.

Si Pierre Pagé, René Lacôte, Denis Bouchard et Delbert W. Russell ont écrit des pages précieuses (auxquelles nous sommes ici redevables) consacrées à la biographie d'Anne Hébert, et si critiques et journalistes ont abordé la question du pourquoi du déplacement spatial de notre auteure, il reste à approfondir cette question à l'aide des textes d'Anne Hébert : entrevues, écrits mi-littéraires mi-autobiographiques, œuvres littéraires et autres.

Interrogation donc du déplacement spatial d'Anne Hébert qui, suite à un premier séjour de trois ans en France, amorcé en 1954, a habité alternativement les deux pays avant de s'installer à Paris en 1966, déménagement suivi toutefois par de fréquents séjours au Québec. L'installation en France s'explique en large partie par les déboires éditoriaux d'Anne Hébert au Québec, mais d'autres facteurs ont pu y contribuer : un univers littéraire marqué par le mythe de l'exil étudié au Chapitre II, l'univers culturel familial d'Anne Hébert, et l'évolution de l'artiste vers l'expression toujours plus authentique d'un refoulé collectif et individuel fortement marqué par une problématique sexuelle (évolution qui n'est point étrangère aux mésaventures éditoriales). Un autre facteur a contribué à ce déplacement spatial : ce fut, chez Anne Hébert, les rapports entre les deux volets d'une complexe entité rêvée : "volets" qui sont d'une part, le Québec et les Québécois, et, d'autre part, la France et les Français, dans la rêverie d'une identité structurée en fonction de l'*espace-temps de jonction* de ces deux volets : la Nouvelle-France.

Face à l'*exil* biographique hébertien donc, il s'agira pour nous de savoir :

1. Si Anne Hébert était en exil interne de façon significative pendant au moins une partie de sa période de résidence québécoise (de 1916, année de sa naissance, à 1954, date du départ pour la France) ;
2. Si son départ pour la France, joint au fait de s'y installer, releva de l'exil ;
3. Si la vie d'Anne Hébert en France constitue un exil et, dans l'affirmative ou/et la négative, pour quelles raisons.

ÉLÉMENTS EXILIAIRES DANS LA VIE D'ANNE HÉBERT DE 1916 À 1954 (période de résidence canadienne)

Nombreuses furent les raisons, on l'a vu au Chapitre II, pour lesquelles le contexte littéraire et culturel dans lequel a évolué la jeune Anne était fortement marqué par un sentiment et une problématique de l'exil sous plusieurs formes. Le premier niveau de contact entre Anne Hébert et ce contexte, ce fut le niveau familial. Or, nous ne prétendons nullement traiter ici des rapports entre Anne Hébert et ses parents au sens de l'état civil, mais plutôt des rapports dans les textes de l'auteure, de l'imaginaire avec les *instances parentales*.

La famille d'Anne Hébert appartenait depuis déjà longtemps à l'élite francophone du Québec. Les ancêtres paternels comprennent

Louis Hébert, né à Paris vers 1575, mort à Québec en 1627. Apothicaire venu en Nouvelle-France dès les premières tentatives de colonisation en 1606, il devint le premier cultivateur de l'histoire québécoise. Son épouse, Marie Rollet, arriva de Paris à Québec en 1617 avec son mari et ses trois enfants ; le mariage de leur fille Anne (déjà !) fut, selon l'historien Sagard, le premier à être célébré au Canada selon les rites de l'Eglise[1]. Plus d'une fois - par exemple, dans "Le Québec, cette aventure démésurée" (1967) et dans *Le premier Jardin* (1988) - Anne Hébert accorde à Louis et à son épouse Marie Rollet le statut d'"'Adam et Eve" dans la fondation du Québec et du peuple canadien-français[2], valorisation qui souligne combien Anne Hébert est consciente et fière de ses ancêtres français et de l'héritage français de la Nouvelle-France comme du Québec actuel. Elle nous a d'ailleurs fait savoir que du côté maternel ses ancêtres étaient originaires du sud-ouest de la France[3]. Anne Hébert compte, parmi ses ancêtres, l'historien et poète F.-X. Garneau, et l'architecte de l'hôtel du parlement. Le père d'Anne Hébert, Maurice Hébert, était un poète et critique ouvert aux œuvres contemporaines dont celle d'Eluard, nous y reviendrons.

Nombreux sont les commentaires d'Anne Hébert et de la critique concernant l'influence bénéfique de son père, le poète et critique Maurice Hébert, sur la genèse et l'éclosion de sa vocation d'écrivaine. Par contre, un quasi vide, un non-dit sonore tant il surprend, chez la critique surtout mais aussi dans les déclarations d'Anne Hébert, entourait le rapport entre la mère de celle-ci - Marguerite Hébert (née Taché) - et ces mêmes genèse et éclosion. Quasi silence (signalé déjà par André Vanasse dans son entretien avec notre auteure dans Voix et images, "L'écriture et l'ambivalence") qui dura jusqu'à une époque où (vraisemblablement à la faveur d'une prise de conscience féministe) Anne Hébert s'est mise à souligner l'apport maternel à son intinéraire d'écrivaine. Ce mutisme relatif avait assurément, parmi ses causes, la structure de la société patriarcale d'alors, société qui tendait à réserver aux hommes la maîtrise du *logos*, le savoir et le pouvoir sur le langage, les fonctions littéraire et critique.

Certains textes du début de la carrière d'Anne Hébert manifestent déjà une sensibilité d'exilée, et suggèrent que cet exil avait un rapport avec l'instance maternelle :

> *Ils sont trente jours de juin*
> *Et moi, Maman, je veux celui-ci*

Ils sont trente jours de juin;
Peut-être pour moi était marqué
Cet aujourd'hui que j'ai manqué!
Dans la chambre
J'ai passé mon jour,
Comme j'ai pu,
Avec des fées
Fabriquées à mesure
[...]
Les fleurs, le vent et la lumière
Composent une fête, avec le ciel aussi,
Dehors c'est un jour de juin.
Fermez la fenêtre!
[...]
Cette lézarde à l'été;
Si je ne dois pas habiter ce jour,
Qu'il ne vienne pas me tourmenter!
[...]
Ils sont trente jours de juin.
Hélas ! Maman,
Qu'est devenu celui-ci?
Le jour se couche...
Que n'ai-je ignoré
Qu'il s'est levé! ("Jour de juin", SE 11, 13, 14)

Le recueil est dédié "A mon père, à ma mère, mes plus grands amis". Poème liminaire, "Jour de juin" exprime manifestement un exil spatio-temporel. Le sujet locuteur se sent en état de rupture, de divorce, avec le "jour", au sens temporel certes (absence au présent, à l'aujourd'hui), mais plus encore au sens spatial du *monde à l'extérieur de la chambre*, l'univers naturel, tout le plaisir sensoriel, tout le corps aussi donc, le corps comme site, lieu du plaisir, point de rencontre rêvée du "je" et du monde, espace euphorique de la joie qui aurait pu/dû jaillir de cette rencontre. Dans ce poème sont puissamment liés le thème d'un exil spatio-temporel et un sentiment de malheur (confirmant ainsi le lien définitoire postulé au chapitre I entre l'exil et une certaine dysphorie). Par ailleurs, ce poème confirme que la lecture de l'exil spatial n'a pas à se limiter à l'exil par rapport à une entité spatiale définie selon des critères d'ordre politique (Etat-nation) ou même géographique (région) : dans "Jour de juin", ce qui compte, c'est la distinction entre, d'une part, l'espace fermé de la chambre (métonymique et symbolique à la fois de la maison, de l'ordre social) et, d'autre part, le dehors (espace du monde sensible et de la liberté cinétique) dont le sujet se trouve exilé. Dans *La Canne à pêche*, la mère redoute la nature et cherche à transmettre cette peur à sa fille. Dans *L'Enfant chargé de songes*, Pauline, le personnage maternel, se sent mal à l'aise à cause des excursions de ses enfants aux environs du village de Duchesnay. Une peur semblable a pesé sur l'enfance d'Anne Hébert qui témoigne dans "Les étés de Kamouraska... et les hivers de Québec" de la crainte éprouvée par sa mère que des chasseurs ne confondent chevelures enfantines et peau des chevreuils[4] : crainte que partage Pauline.

Dans "Jour de juin", cet exil à la fois spatial, temporel et psychique, côtoie une référence à la mère. Celle-ci est présente dans le poème comme allocutaire : la voix poétique s'adresse à la mère pour lui demander... mais quoi, au juste ? Son aide dans la conquête de ce jour ? Sans doute, aux deux premiers vers cités ; mais dès le quatrième vers, cet espoir s'avère déçu et la fin de cette première strophe fait savoir qu'au moment de l'énonciation, au moment où l'enfant s'adresse à sa mère, le jour a déjà pris fin, irrémédiablement perdu pour le "je". Dès lors, l'interpellation de la mère, au début et à la fin de ce poème, résonne comme un reproche, voire une mise en accusation. En appeler à l'aide de la mère, au début, c'est aussi assigner à celle-ci la responsabilité du bonheur du sujet locuteur. Mais cet espoir cède la place à l'observation que le jour a été perdu pour le sujet locuteur, l'espoir que l'enfant plaçait en l'instance maternelle a été déçu, ce qui rend cette instance responsable de l'exil de l'enfant par rapport au jour (aux sens tant spatial que temporel) et au bonheur. Il en va de même *a fortiori* de l'interpellation de la mère dans le dernier extrait cité, qui provient d'ailleurs de la dernière strophe du poème.

Ce même thème d'un appel à l'aide lancé à la mère, mais qui n'aboutit qu'à une certaine déception, se manifeste dans un autre poème de *Songes en équilibre*, "Jardin de fièvre", mais s'y double d'une déception en provenance de l'instance paternelle aussi :

> Mon cauchemar
> N'est donc pas guérissable,
> Que ma mère et mon père réunis
> N'y peuvent rien! ("Jardin de fièvre", SE 70)

La dysphorie dans "Jardin de fièvre", si elle est explicitement identifiée comme relevant du psychique, prend texte par la métaphore du
"jardin" clos (exil spatial interne).

Pire que décevante toutefois, l'instance parentale/maternelle
peut s'avérer mortuaire ; Paul Raymond Côté affirme à juste titre que

> *La corrélation symbolique mère—mort, constante dans la créa-*
> *tion hébertienne, est évidente dans cette strophe tirée du poème*
> *Ballade d'un enfant qui va mourir: Je n'ai jamais vu la Mort /*
> *Son visage est-il beau / Comme celui de ma mère? [...]*[5]

Le rapport dysphorisant avec la mère se retrouve dans le plus
récent texte littéraire hébertien - *L'Enfant chargé de songes* - en raison
de l'amour excessif, étouffant, dévorant de Pauline Vallières pour ses
enfants, Hélène et Julien ; Lydie l'accuse même d'être prête à imiter la
renarde qui, pour protéger ses petits, les dévorerait... Et l'on pourrait
peut-être attribuer à cet amour maternel excessif, et au besoin
qu'éprouverait Hélène d'y échapper, le funèbre désir de celle-ci de
chercher à plaire à Lydie en toute chose, y compris en allant en canoë
dans ces rapides qui lui seront fatals.

Fabuleuse à plusieurs égards toutefois, est cette précieuse allusion d'Anne Hébert au rôle de sa mère dans son exil biographique,
une mère qui a séjourné en France avant son mariage :

> *Depuis mon enfance je rêvais de la France et surtout de Paris*
> *comme d'une terre promise [...] ville privilégiée, patrie des*
> *écrivains et des artistes. En contrepoint, la voix de ma mère*
> *évoquait pour moi la vie quotidienne qu'elle avait connue à*
> *Paris, avant son mariage. [...] Peu à peu une sorte de* pays
> mythique s'était mis à vivre en moi, plus fabuleux qu'au-
> cune terre humaine[6].

Madame Hébert mère a donc contribué à l'élaboration, chez la jeune
Anne, d'une France imaginaire mythique, merveilleuse, fabuleuse (la
phrase "plus fabuleux qu'aucune terre humaine" confirme que ce qui
compte est la façon dont les "réalités" extérieures, les "pays" - la
France, le Québec, le Canada - sont vécus et intériorisés par l'imaginaire hébertien). Ce passage affirme, plutôt qu'une rupture entre mère
et fille, un *lien* entre l'instance maternelle et l'écrivaine, la *fabulatrice*,

(*cf.* "fabuleux" : même si Anne Hébert n'a que rarement posé la France comme cadre de ses fictions, il est clair que les propos maternels sur la France ont contribué à activer la "machine à fabuler", l'imagination créatrice de la jeune Anne). Par ses propos, ses fables, ses récits donc, l'instance maternelle a pu contribuer à l'exil biographique d'Anne Hébert par rapport à son "ici-maintenant" québécois, et surtout à son goût du "fabuleux", de "ce qui relève de la fable", du "fictif". L'on peut ainsi, nonobstant la rareté des propos d'Anne Hébert sur le rôle de sa mère dans sa vocation d'écrivaine, postuler un important apport à celle-ci de la part d'une instance maternelle "racontante" (qui racontait son séjour à Paris et le transformait en du fabuleux, en une sorte de fiction ; ailleurs Hébert a souligné l'amour de sa mère pour le théâtre et donc l'apport maternel à sa vocation de dramaturge)[7]. On voit ici un rapprochement entre trois instances apparemment distinctes : la mère (productrice de récits) ; la mère-patrie (comme objet de récit) ; la vocation d'écrivaine chez la fille (Anne Hébert). L'on peut même postuler que l'une des premières formes de l'exil, pour Anne Hébert, ce furent ces séjours imaginaires dans le pays "fabuleux" suscités dans son imagination enfantine par les récits de la mère ; espace d'un exil désexilant, puisque lieu d'un bonheur remémoré (par la mère), et rêvé (par la fille). Postulons encore que, pour la jeune Anne Hébert, l'écriture fut tout simplement la suite "logique" de cet exil euphorique, une façon de prolonger les récits désexilants maternels. Et plus tard, dans la mesure où les récits maternels avaient la France comme cadre, le fait pour Hébert de s'installer à Paris pouvait paraître, là encore, comme une suite toute naturelle, une autre façon de faire de Paris le "cadre" de sa vie d'écrivaine dans un processus d'ensemble désexilant.

Les problématiques abordées dans nos divers chapitres sont fort liées, d'où, parfois, l'abord dans un chapitre de la problématique d'un autre. Aussi, anticiperons-nous ici sur le chapitre V, "Exils et exilés dans l'œuvre d'Anne Hébert". En effet, le premier versant, plutôt négatif, de la problématique des rapports entre Anne Hébert et l'instance maternelle, se manifeste au niveau des personnages hébertiens en exil affectif de leur mère. François, dans "Le Torrent", sans cesse battu par sa mère au point d'en devenir sourd quand elle le frappe à la tête, finit par la tuer ; Catherine (*Les Chambres de bois*) accepte de s'exiler dans l'univers de Michel, en partie parce qu'elle est privée du soutien affectif de sa mère, celle-ci étant morte ; dans le même roman, Michel et Lia ont été abandonnés par leur mère ;

Elisabeth (*Kamouraska*) est fort négligée par la sienne ; Marguerite de Nontron (héroïne de *L'Ile à la Demoiselle*) est orpheline ; la mère d'Olivia (*Les Fous de Bassan*) est morte ; le révérend Nicolas Jones, dans le même roman, s'est depuis toujours senti rejeté par sa mère, Felicity ; Flora Fontanges (*Le premier Jardin*) fut élevée dans un orphelinat. En outre, pour Jean Royer, "Ce premier jardin, bien sûr, c'est encore ce vieux rêve de l'humanité, cet Eden perdu, «l'idée de la bonté maternelle absolue», qui fait peut-être fuir Maud, la fille de Flora Fontanges"[8]. Rêve impossible, condamné à la déception. D'autres personnages pourtant - voire certains de ceux que nous venons de citer - sont aussi orphelins de père (Elisabeth, Marguerite de Nontron, Flora ; et dans *Les Chambres de bois* Michel et Lia, abandonnés par leur mère, se sentent abandonnés par leur père aussi puisque celui-ci passe ses journées à la chasse), ou encore sont exilés en raison d'une décision paternelle. Déjà dans certains de ses tout premiers textes, Anne Hébert conçoit l'enfant comme orphelin : nulle mention n'est faite des parents des "trois petits garçons" qui, dans Bethléem il y a deux mille ans, sont matériellement pauvres, mal vêtus, pieds nus (indices d'un manque de soins parentaux, aux yeux de lecteurs nord-américains du vingtième siècle) ; les deux personnages enfantins de "La boutique de Monsieur Grinsec" sont d'autant plus orphelins que l'adulte chargé d'eux est un véritable "parâtre". Dans *Kamouraska*, l'enfant George Nelson, sa sœur et son frère furent envoyés en exil par leur père, alors que leur mère pleurait leur départ. (K 128) Nombreux sont les personnages d'orphelins ou rejetés par leurs parents dans *La Cage*, où le rejet est le plus souvent le fait du père. Et dans *L'Enfant chargé de songes*, le personnage paternel a abandonné sa famille, laissant Hélène et Julien dans un état analogue à celui de demi-orphelins ; en outre, l'autre personnage "enfantin" (ou adolescent) du roman, Lydie, a été placé en villégiature par ses parents pour l'été.

Le premier livre d'Anne Hébert, *Les Songes en équilibre*, évoque (*cf.* "Jour de juin") un exil spatio-temporel qui va de pair avec un exil affectif par rapport à l'instance parentale et surtout maternelle. Exils que l'on retrouve chez de nombreux personnages romanesques, dramatiques, et poétiques hébertiens. Faudrait-il en conclure que l'exil biographique et littéraire hébertien prend racine dans un rapport problématique avec l'instance maternelle, conclusion qui se rapprocherait peut-être des affirmations de Michael Beausang relevées au Chapitre I et selon lesquelles l'exil résulte d'abord de notre expulsion, à la naissance, de la matrice ? Ce serait trop simple : tout au plus peut-on conclure, pour l'instant, que l'exil tant spatial que temporel et affectif s'exprime dès le premier recueil d'Anne Hébert, recueil qui, tout entier, évoque l'univers enfantin ; et que les trois composantes de cet exil triple (spatial, temporel et parental/maternel, donc affectif) y vont de pair. Cette présence de diverses formes de l'exil dans *Les Songes en équilibre* - et dans des textes, tels "Trois petits enfants dans Bethléem", antérieurs aux *Songes en équilibre* - suggère que l'imaginaire de la jeune Anne Hébert a été marqué par un sentiment de séparation, voire d'aliénation, un sentiment d'exil interne. En même temps, le fait que ce soit à propos de sa vie en France que la mère d'Anne Hébert racontait à celle-ci des histoires merveilleuses et euphorisantes, a pu amener Anne Hébert à tendre (fût-ce inconsciemment) à voir, avec le Québec, la France aussi comme espace maternel, espace de la mère, mère-patrie ou encore "matrie". Cette hypothèse sera à nouveau convoquée par la notre lecture de certains textes littéraires hébertiens, et notamment du *Premier Jardin*.

L'influence *paternelle* sur la genèse et l'évolution de la vocation d'écrivaine chez Anne Hébert a été confirmée à maintes reprises par Anne Hébert elle-même. Maurice Hébert assurait à ses enfants une culture internationale et transculturelle en leur lisant *Don Quichotte* et la Comtesse de Ségur ainsi que *Maria Chapdelaine*[9]. Il encourageait fortement Anne dans ses expériences de jeune écrivaine[10]. Anne Hébert a insisté sur le caractère français de cette éducation : "Nous n'étions pas élevés de façon très américaine, ni moderne. C'est une éducation plus exigeante que celle de mes camarades, une *éducation plus française qu'américaine*"[11]. Cette exigence n'empêchait pas l'ouverture et la liberté. Le milieu immédiat dans lequel baignait Anne Hébert fut d'autant plus riche, que l'un de ses cousins était le poète et peintre Saint-Denys Garneau. Celui-ci amenait à Sainte Catherine de Fossambault (village près de Québec où les deux familles séjournaient l'été) ses amis cultivés. Tout ce groupe montait, certains étés, des pièces de théâtre souvent écrites par Anne Hébert (qui composait depuis son enfance des contes et des œuvres dramatiques pour ses collatéraux et cousins)[12].

Dans cette éducation, tradition canadienne-française (y compris assurément le souvenir de la Nouvelle-France) et culture française allaient de pair, indissociables et complémentaires plutôt que rivales, comme le confirmait René Lacôte en 1969 :

> *Anne Hébert rappelle volontiers l'exigence paternelle qui, dès*
> *son plus jeune âge, imprégnait son esprit de tradition française*
> *et d'une culture française qu'il faut entendre avant tout et en*
> *toutes choses dans le respect absolu et la pratique rigoureuse*
> *de la langue à la fois la plus pure et la plus vivante*[13].

En 1985, seize ans après la parution du livre de Lacôte, Hébert l'a confirmé :

> *Si je pense à mon enfance, je me souviens que mon père, écri-*
> *vain lui-méme, était très fier que nous parlions français mais il*
> *était aussi très vigilant. Il passait son temps à surveiller les*
> *mots que nous disions, à les filtrer afin de ne pas laisser s'in-*
> *troduire dans notre langue des mots d'anglais. Quand on est*
> *dans un environnement principalement anglophone, cela sup-*
> *pose une vigilance de tous les instants de préserver son fran-*
> *çais*[14].

Et encore, en 1985, "mon père, qui était bilingue (il était directeur du tourisme) montait la garde autour des mots qui arrivaient de l'exté-rieur. Il filtrait les mots anglais, les traduisait, les réinventait en fran-çais. Il fallait se méfier, faire attention"[15]. Amoureux du beau langage et des belles-lettres, lui-même poète et critique, Maurice Hébert a ma-nifestement cherché à susciter en ses enfants une conscience vive de la langue et du langage, *favorisant ainsi une vocation d'écrivaine chez sa fille puisque l'écriture littéraire, c'est avant tout un travail sur le langage.* En outre, il ne manquait pas d'exposer la jeune Anne aux œuvres lit-téraires, comme l'auteure l'a souligné à maintes reprises.

Delbert W. Russell a bien noté à quel point ce milieu familial cultivé s'opposait au "désert littéraire" qu'était la société environnan-te :

> *Le contexte culturel de Québec était à l'opposé de celui qu'of-*
> *frait sa famille ; la ville provinciale était un "désert littéraire"*
> *[...] Le climat culturel à l'extérieur de la capitale ne valait guè-*
> *re mieux*[16].

Russell emprunte à Anne Hébert elle-même l'expression "désert litté-raire", tout comme l'opposition entre la ville de Québec et le milieu

familial hébertien en matière littéraire. Anne Hébert a en effet déclaré
que "La ville de Québec de mon enfance, c'était le désert, au point de
vue littéraire. [..] Mais le climat littéraire, je le trouvais dans ma famille. J'avais la chance d'avoir un père écrivain et critique littéraire"[17].
Pertinentes au vécu d'Anne Hébert sont les remarques de Bourneuf
sur le contexte intellectuel et culturel où œuvrait Saint-Denys
Garneau, cousin et contemporain de notre auteure. Bourneuf évoque
"l'isolement des jeunes écrivains au Canada français avant la deuxième guerre mondiale, le défaut de stimulation dans le pays même et la
rareté des contacts culturels avec les autres pays"[18]. Bourneuf note
que Saint-Denys Garneau "a plusieurs fois fait le diagnostic du vide
culturel qui régnait au Canada français à cette époque"[19] ; et en effet,
dans son *Journal*, Saint-Denys Garneau constate avec une émouvante
sobriété combien l'être épris de valeurs autres que matérielles ou de
vanité est d'emblée traité, par une certaine bourgeoisie, d'"'étranger",
quand il n'est pas carrément "rejeté"[20], deux mots qui nomment bien
l'exil de l'artiste par la société. Exil dont la forme extrême, selon A.
Gaulin, au "pays des épiciers" frappe "nos écrivains plus que [...]
leurs personnages : ils ne sont pas lus, ou ils sont lus par devoir"[21].
Exil qui donnera lieu, selon Bourneuf, au "débat du «poète assassiné»
par son milieu"[22]. Nulle révélation dans tout cela pour les lecteurs
québécois habitués à lire la vérité sur une époque souvent nommée
"la Grande Noirceur" ; encore faut-il, afin de poursuivre notre exploration de l'exil biographique d'Anne Hébert, en documenter le parcours. Encore faut-il surtout comprendre la vision qu'Anne Hébert elle-même se faisait de l'ambiance culturelle au Québec de sa jeunesse
et de l'effet néfaste de cette ambiance pour la création littéraire :

> *Ma couleur locale, c'était la solitude : ma génération était per-*
> *due au fin fond des bois, et du jansénisme. C'était le Moyen*
> *Age : dans les librairies, Proust et Balzac était à l'enfer! Les*
> *gens ne lisaient pas. Quand mon père lisait, il se faisait en-*
> *gueuler par une de ses sœurs qui lui reprochait cette perte de*
> *temps ! Pensez que* Le Torrent *a été refusé encore par une*
> *maison d'édition qui se voulait «jeune et saine» ! J'ai dû le pu-*
> *blier à compte d'auteur ! Nous vivions dans une cave*[23].

A la suite de Le Grand, Russell observe à quel point l'esprit
borné de l'idéologie officielle, qui cherchait à imposer ses valeurs
conservatrices en matière morale, sociale, politique et esthétique, ne
pouvait que provoquer un sentiment d'aliénation chez tout artiste

québécois à la recherche de l'expression authentique[24]. Et comme Russell le laisse entendre, il y avait un tel contraste entre le milieu familial cultivé d'Anne Hébert, et l'idéologie qui régnait alors sur la société canadienne-française, que ce sentiment d'aliénation devait être particulièrment fort chez Anne Hébert ; or, se sentir ainsi aliénée, c'est se sentir en quelque sorte *étrangère*, en marge, *en exil* par rapport aux forces idéologiques dominantes. A ceux qui verraient dans la famille Hébert les représentants d'une moyenne bourgeoisie québécoise typique de l'époque, catholique et bien pensante, il convient de souligner que le degré d'écart entre le milieu familial hébertien et le Québec clérico-duplessiste peut se mesurer par l'acceptation immédiate (selon Saint-Denys Garneau[25]) par Maurice Hébert de l'œuvre de Paul Eluard, alors que pour les gouvernements de Maurice Duplessis (premier ministre du Québec, 1936-1939 et 1944-1959), comme pour l'idéologie clérico-traditionnelle de l'époque, le qualificatif "communiste" était synonyme du mal absolu[26]. Anne Hébert n'a cessé de confirmer l'influence de Saint-Denys Garneau : "«J'ai été très proche de lui. Certainement que sa poésie a profondément influencé la mienne. Pour moi, si l'on peut dire, il représente une sorte de maître à penser»"[27]. Et quand Jean-Pierre Salgas de la *Quinzaine littéraire* l'a interrogée sur "les grandes influences littéraires" qu'elle aurait subi, elle a répondu que c'était souvent des auteurs que lui avait fait découvrir Saint-Denys Garneau[28]. Il en allait ainsi de ses découvertes dans le champ littéraire français de l'époque. Par "milieu familial" donc, il convient d'entendre un milieu dans lequel son cousin poète occupait une place majeure.

Eluard, Supervielle (poète cité dans *Les Chambres de bois*), Claudel (notre auteure consacra un texte à *L'Annonce faite à Marie*), Rimbaud surtout (découvert alors qu'Hébert avait dix-huit ans[29] et dont elle a dit "Ç'a été pour moi une révélation. C'est le plus grand poète que j'aie connu. Absolument génial"[30]) : c'était la culture française contemporaine. Par leur ouverture à celle-ci, Anne et Maurice Hébert s'opposaient encore à l'idéologie dominante, qui souvent rejetait la France de l'époque, hormis ses monastères et couvents, et ne prisait qu'une France mythique de l'Ancien Régime comme l'illustre bien le roman *Pour la patrie* de Jules-Paul Tardivel, publié en 1895 et réédité en 1936, alors qu'Anne Hébert avait la vingtaine :

> [...] *la France mondaine, sceptique, railleuse, impie et athée, la France des boulevards, des théâtres, des cabarets, des clubs et*

*des loges, la France ennemie déclarée de Dieu et de son Eglise a
aussi fait irruption au Canada. Depuis longtemps les théâtres
sont florissants à Québec et à Montréal [...] gâtant les mœurs,
ramollissant les caractères. La littérature corruptrice qui sort
de Paris comme un fleuve immonde se répand sur notre pays
[...] Elle a porté ses fruits de mort. Grand nombre de cœurs ont
été empoisonnés, et de ces cœurs gâtés s'élève un souffle pesti-
lentiel qui obscurcit les intelligences*[31].

Le roman de Tardivel, comme bien d'autres textes canadiens-français
du dix-neuvième siècle et du début du vingtième, valorisait une
France d'Ancien Régime perçue comme paysanne, catholique et mis-
sionnaire avant tout ; ces mêmes textes s'attaquaient à une France
contemporaine républicaine et laïque. Anne Hébert a d'ailleurs précisé son sentiment d'étrangeté par rapport à l'image de la France que
l'élite dominante québécoise avait voulu imposer, en précisant que le
Québec n'avait guère réussi qu'à réchapper "un héritage français désuet"[32], observation à laquelle échappait pourtant, c'est clair, son milieu familial et notamment son père qui fut d'ailleurs nommé par la
France officier de l'Instruction publique - distinction éminemment républicaine, voire laïque (mais il s'est également vu octroyer - distinction plus conservatrice peut-être - la médaille de vermeil de
l'Académie française).

L'on se rappellera la déclaration d'Anne Hébert, déjà citée à
propos de l'influence maternelle sur sa vocation d'écrivaine, dans laquelle elle définissait la France et Paris comme "terre promise", "ville
privilégiée, patrie des écrivains et des artistes", "pays mythique", "fabuleux". Cette déclaration et les remarques de notre auteure sur l'importance qu'attachait son père à l'emploi d'un français libre d'angli-
cismes mettent en relief un deuxième versant du fossé séparant le
milieu familial hébertien d'une large part de la société québécoise
d'alors : celui-là prisait la culture française, le caractère français du
Québec, alors que la société québécoise devenait de plus en plus amé-
ricanisée dans son économie comme dans ses mœurs et son langage.
Qu'Anne Hébert, évoquant son enfance à Québec, ait usé de l'expression "un environnnement principalement anglophone", tout comme
l'action de filtrage linguistique que pratiquait son père et le fait que
ses "camarades" recevaient une éducation moins "française", plus
"américaine" que la sienne témoigne de la pression marginalisante
qu'exerçait la puissante société américaine sur la québécoise. Cette

pression ne pouvait qu'exacerber le sentiment d'altérité/étrangeté/exil que devaient en ressentir Anne Hébert et son milieu familial franco-phile - consciemment ou non.

Ce survol de l'ambiance dans laquelle s'est déroulée la vie d'Anne Hébert a donc mis en relief un double exil socio-idéologique qui frappait alors Anne Hébert. D'une part, sa famille était plus por-tée sur la culture que ne l'était, dans son ensemble, la société québé-coise qui l'entourait ; d'autre part, elle semble bien avoir été mieux disposée envers la culture française, et surtout celle de l'époque, que ne l'était la société québécoise d'alors. Il ne pouvait en résulter qu'une double marginalisation : d'un côté par rapport au Québec catholique conservateur, et de l'autre, par rapport au Québec en voie d'américa-nisation.

A ce double exil socio-idéologique s'ajoutaient d'autres fac-teurs exilants. Parmi ceux-ci, retenons les différentes formes d'exil collectif qui, selon toute une tradition critique passée en revue au cha-pitre précédent, ont pu peser sur l'ensemble du Canada français ou sur une bonne partie de ses écrivains. La société québécoise franco-phone est ultra-minoritaire, en marge du continent nord-américain. La volonté des Québécois de conserver leur spécificité culturelle les met en marge de la tendance nord-américaine prédominante (au Canada presque autant qu'aux Etats-Unis) vers l'effacement des ca-ractéristiques de spécificité ethnique au profit du "melting pot".

EXILS ? LE DÉPART D'ANNE HÉBERT DU QUÉBEC ET SON INSTALLA-TION EN FRANCE

L'étude, en fonction des critères définitoires de l'exil, du dépla-cement spatial qu'effectua Anne Hébert en cessant de résider au Québec pour s'installer en France, portera principalement sur des dé-clarations d'Anne Hébert dans lesquelles elle a fait l'historique de la question et évoqué les raisons de ce changement de résidence. Or, le changement de pays de résidence fut aussi un changement de pays de publication (changement qui a précédé cette installation définitive en France qu'ont d'ailleurs suivi quelques publications hébertiennes au Québec). Puisque le grand public (surtout hors-Québec) a moins faci-lement accès à ces déclarations qu'aux œuvres littéraires de l'auteure, nous en citerons d'assez longs extraits.

[Québec français] : En quelle année êtes-vous partie vivre à Paris ?

[Anne Hébert] : En 1954. J'avais une bourse et je m'étais pro-mis de ne rester qu'un an en France. Je travaillais à l'Office National du Film à ce moment-là. J'ai obtenu un congé d'un an et au bout d'un an j'avais commencé Les Chambres de bois. *Je n'avais pas trouvé d'editeur ici [au Québec], ni pour* Le Torrent *ni pour* Le Tombeau des rois. *On m'offrit de pu-blier* Les Chambres de bois *avant même que je l'aie terminé. Je rencontrais Paule Flammand des éditions du Seuil, comme ça, par hasard. Elle m'a dit : "Vous écrivez un roman ; quand vous l'aurez terminé, vous me l'apporterez." Je trouvais ça très excitant. Je suis restée en France jusqu'à ce que j'aie terminé* Les Chambres de bois *que j'ai laissé à l'éditeur. Le livre a paru quand je n'étais pas à Paris. Il a paru ici aussi. Je suis re-tournée [en France] après deux ans et jusqu'en 1965, c'est-à-dire jusqu'à la mort de ma mère, je faisais la navette. Ça posait trop de problèmes, parce que je n'avais pas de maison au Canada et ne voulais pas avoir deux appartements, ce n'était pas possible. Alors, maintenant, je vis surtout là-bas [en France] et je fais des séjours ici[33].*

Cette déclaration fondamentale indique que, si ce n'est pas dans l'in-tention de quitter son pays qu'Anne Hébert vint d'abord en France, une situation dysphorique éditoriale au Québec, rendue plus évidente par l'invite du Seuil, lui fit prolonger son séjour (malgré des difficul-tés d'adaptation initiales à la France et à Paris[34] qu'elle a fini pourtant par aimer "comme une personne"[35]). Hébert n'avait pas trouvé édi-teur au Québec pour des textes - *Le Torrent* et *Le Tombeau des Rois* - dont l'importance et la qualité sont aujourd' hui largement reconnues. En outre, si ses œuvres antérieures - quelques contes pour enfants et le recueil de poèmes *Songes en équilibre* - reflètent une puissante in-fluence sociale conservatrice sur la jeune écrivaine ("Trois petits gar-çons dans Bethléem", conte de Noël paru en 1937, adopte la chronolo-gie chrétienne traditionnelle selon laquelle le monde avait quatre mille ans environ lors de la naissance du Christ), bien au contraire *Le Torrent* et *Le Tombeau des Rois* témoignent d'une authenticité person-nelle absolue et d'un don total de soi à l'écriture. Dès lors, rejeter les textes d'Anne Hébert, c'était la rejeter elle-même, l'exiler, sa personne et ses textes, hors de l'espace éditorial québécois. L'auteure n'a pu que vivre très mal, comme un véritable rejet/exil ce refus des éditeurs ; par contre, le Seuil, en lui donnant un aussi bon accueil, lui accordait "droit de cité", la traitait comme étant "chez elle" en France.

D'autres déclarations d'Anne Hébert confirment à quel point elle a souffert du climat éditorial au Québec dans les années 1950 :

> *Ecrire, en ce temps-la, c'était être vouée à la damnation. Et pour les gens moins portés sur l'Inquisition, c'était faire preuve d'un goût immodéré pour l'oisiveté. De toutes façons [...] on ne vous publiait pas. Surtout si vous écriviez de la poésie*[36].

Paule-France Dufaux a posé une question essentielle :

> *[P.-F. Dufaux] : Vous sentez-vous mal dans votre peau de vous faire éditer en France ?*

> *[Anne Hébert] : Ecoutez, moi j'ai la conscience tranquille à ce sujet. Quand j'ai quitté le Canada tous les éditeurs existants ici avaient refusé* Le Torrent *disant que c'était trop violent, que le Canada francais était une nation jeune et saine et que c'était [sic] des choses malsaines à ne pas mettre entre toutes les mains.* Le Tombeau des rois *avait été également refusé. C'est Roger Lemelin qui l'a publié à ses frais. Moi j'avais publié* Le Torrent *à compte d'auteur. Ça n'avait pas beaucoup circulé, comme vous imaginez*[37].

Les éditeurs canadiens-français justifiaient donc leur refus du *Torrent* en affirmant qu'il y avait entre ce recueil et la société canadienne-française un rapport de non-adéquation, d'étrangeté, comme si ces nouvelles ne pouvaient venir du Canada français mais d'un pays étranger, moralement inférieur. Tandis que les éditeurs québécois font preuve depuis les années 1960 du plus grand libéralisme, les éditeurs au tournant des années 1950 non seulement rejetaient *Le Torrent* et *Le Tombeau des Rois* de l'espace éditorial québécois mais les privaient de leur québécité, les excluaient du Québec, les bannissaient de la civilisation canadienne-française - et donc leur auteure avec eux, vu l'authenticité et l'engagement absolus de celle-ci dans l'écriture.

Les deux dernières déclarations ajoutent une information capitale au simple constat de non-publication qu'offrait la première : la

difficulté de trouver éditeur ne relevait pas du hasard. Par ailleurs,
ces déclarations - qui toutes répondaient à des questions portant sur
le déplacement spatial d'Anne Hébert, sur son changement de pays
de résidence et de publication - confirment autant l'utilité d'interroger
le versant spatial de l'exil hébertien, que la symbiose entre vie et
œuvre, symbiose évidente dans cet espace de rencontre entre vie et
œuvre qu'est le lieu de publication des textes. C'est pour une bonne
part les problèmes de publication qui expliquent le changement de
pays de résidence. En même temps, que la biographie se soit ainsi
modifié en fonction des exigences de l'œuvre afin de donner à celle-ci
une place où s'épanouir au lieu de rester cloîtrée dans le manuscrit,
voilà qui confirme à quel point Anne Hébert était déjà devenue écrivaine avant tout ; voilà aussi qui explique pourquoi notre analyse de
la période de résidence française devra se faire largement en fonction
des textes littéraires eux-mêmes.

Soulignons-le : un soutien québécois envers l'œuvre d'Anne
Hébert, même durant la période qui nous occupe ici, fut d'une réelle
importance dans sa carrière, comme l'a signalé à juste titre André
Vanasse qui insiste la-dessus tant à propos de Jacques Godbout que
d'Anne Hébert :

> *Leur pénétration du marché français a été lente et difficile.*
> *N'eût été du support inconditionnel qu'ils ont reçu du*
> *Québec, leur carrière aurait été sérieusement compromise à*
> *l'étranger. Ainsi, leurs premiers romans, qui ont pourtant*
> *connu d'assez forts tirages se sont quasi exclusivement vendus*
> *au Québec*[38].

A. Vanasse base ces affirmations sur des chiffres publiés dans *Le roman québécois en France*, de Jacqueline Gerols : seulement sept pour
cent du tirage total des *Chambres de bois* ont été vendus en France[39]
(ajoutons que les débuts plutôt conformistes de l'œuvre hébertienne
ont été fort encouragés par l'institution littéraire québécoise conservatrice d'avant la "Révolution tranquille", en témoigne le prix David
décerné aux *Songes en équilibre* en 1942). Toutefois, il convient de
nuancer à leur tour les observations d'André Vanasse. J. Gerols fait
observer que *Les Chambres de bois* valurent à Anne Hébert le prix
France-Canada attribué par décision d'un jury composé de quatre
prestigieuses personnalités littéraires européennes : nul doute que
l'attribution de ce prix ait largement contribué au succès commercial

de ce roman au Québec. Il s'agit là d'un aspect de l'institution littéraire francophone : l'influence des instances de consécration françaises
sur l'institution littéraire québécoise (dont notamment le marché du
livre).

En réponse à la question de J.-P. Salgas, "Quel rôle la France a-
t-elle joué dans votre légitimation d'écrivain québécois au Québec
même", Hébert a évoqué la lecture publique, "au Canada même", de
son premier recueil de poèmes par Pierre Emmanuel ; et la publication, grâce à Albert Béguin, de certains de ses poèmes dans *Esprit* en
1954[40]. Remarques qui attribuent une valeur de consécration canadienne et québécoise à des instances françaises. Une remarque du même ordre s'impose pour ce qui en est du choix du manuscrit par le
Seuil (intervenu selon Hébert grâce à la publication de ses poèmes
dans *Esprit*)[41]. J. Gerols note que

> *Si le succès ou l'échec d'une œuvre romanesque peut*
> *être attribué à trois facteurs principaux : le sujet du roman, le*
> *talent stylistique de l'écrivain et l'importance de l'éditeur dans*
> *le monde littéraire, il nous semble que c'est ce dernier facteur*
> *qui joue un rôle déterminant dans le cas du roman québécois*
> *en France[42].*

Or, il semble légitime de supposer que le même phénomène se produisait au Québec, plus encore à l'époque des *Chambres de bois* sans
doute que de nos jours ; et sans aucun doute, le fait qu'un éditeur
jouissant du prestige français et international du Seuil ait jeté son dé-
volu sur ce roman a favorisé son succès commercial non seulement
dans le pays de l'éditeur mais aussi au Québec. Ce qui n'enlève rien à
l'intérêt de l'observation d'André Vanasse, puisqu'elle implique une
certaine divergence de valeurs entre le public lecteur de l'époque de
la publication des *Chambres de bois* (1958) d'une part et, d'autre part, le
monde des éditeurs canadiens-français vers le début de la même dé-
cennie.

Par la suite, la question de l'importance du soutien du lectorat
québécois à l'œuvre d'Anne Hébert perdra de son acuité, puisque même pour la version 1965 du recueil de nouvelles *Le Torrent*, les ventes
françaises représentent quatre-vingt trois pour cent du total (il est
vrai que le public québécois avait déjà à sa disposition une autre édition, d'ailleurs plus complète, de cet ouvrage). Quant à *Kamouraska*, J.

Gerols signale que si soixante-sept pour cent d'une édition de 85 743 exemplaires se vendirent en France, une édition de poche de 115 747 exemplaires sera vendue exclusivement au Canada, ce qui indique que vers 1970 les deux marchés français et québécois contribuaient de façon appréciable au succès commercial du roman hébertien.

Et le langage ? Question moins saugrenue que ne le croirait quiconque l'estimerait sans pertinence en raison du caractère franco-phone tant du pays d'origine que du pays d'adoption d'Anne Hébert. Un exil langagier peut s'imposer aux Québécois qui séjournent en France (comme aux Français qui séjournent au Québec), car si l'on parle français dans les deux pays, les différences dialectales sont par-fois appréciables. René Major, célèbre psychanalyste parisien d'origi-ne québécoise, a éloquemment évoqué cet exil langagier franco-qué-bécois dans sa "Préface" au *Voleur de parcours* de Simon Harel. Major y parle de sa vie d'immigrant en France et

> [...] *du sentiment, dans l'exil, de parler une autre langue dans la même langue. Non pas d'être exilé de ma langue maternelle mais d'être exilé dans ma langue maternelle. J'étais confronté à l'étrange sentiment que ma langue maternelle m'était étrangè-re. Je devenais étranger dans ma langue, éprouvant l'étrangéi-té de ma langue maternelle. Parlant apparemment la même langue que celle du pays d'adoption, j'avais non seulement le sentiment d'être étranger à l'oreille de mon interlocuteur mais aussi, puisque nous parlions la même langue, d'être étranger à cet étranger que je semblais être*[43].

Cet exil langagier aurait fort peu marqué l'expérience d'Anne Hébert écrivaine, à en croire la déclaration suivante : "Pour moi, il était natu-rel d'écrire en français-français avec des couleurs qui étaient les miennes"[44]. Encore une fois, on peut imaginer que la fancophilie - dont surtout son versant littéraire - qui caractérisait la famille d'Anne Hébert ait contribué à empêcher, ne fût-ce qu'au niveau de l'écrit, tout exil langagier d'origine dialectale ; mais rappelons aussi qu'au niveau de l'écrit, la divergence dialectale franco-québécoise a le plus souvent été bien moins marquée qu'au niveau de l'oral. Hébert ne semble avoir fait mention d'aucun malaise, d'aucun exil à l'un ou l'autre de ces deux niveaux ; elle a explicitement nié tout exil de cette sorte au niveau de l'écrit. Cela dans une déclaration où il est égale-ment question d'un certain écart/exil entre Hébert et bien des

Québécois au niveau de l'oral, dans la mesure où elle précise n'avoir jamais parlé en joual[45], et n'avoir jamais eu beaucoup d'accent[46]. La question de la journaliste française, comme la réponse d'Anne Hébert, tendent à identifier l'un à l'autre, à tort, "joual" et "français québécois".

EXIL ? LA PÉRIODE DE RÉSIDENCE FRANÇAISE D'ANNE HÉBERT (1965-PRÉSENT)

Pour mieux comprendre ce changement de pays de publication, il convient de tenir compte des textes littéraires d'Anne Hébert depuis son installation en France, et même de textes d'autres auteurs. Or, la critique et la contestation virulentes de la société québécoise d'antan qui se manifestent, par exemple, dans *Kamouraska* et surtout dans *Les Enfants du Sabbat*, roman riche en actes pervers de toutes sortes (inceste, viol, infanticide, meurtre...) tendent à confirmer une observation de Julia Kristeva : "En définitive, c'est l'éclatement du refoulement qui conduit à traverser une frontière et à se retrouver à l'étranger"[47]. On a vu que c'est dans la mesure où des textes tels que *"Le Torrent"* et *"Le Tombeau des Rois"* furent particulièrement authentiques, mettant en pleine lumière des problèmes que l'élite dirigeante, catholique conservatrice, avait pour coutume d'impitoyablement refouler (refoulement collectif que ces textes contribuaient donc à faire *éclater* dans deux sens du mot : paraître clairement, avec évidence ; se rompre avec violence *[Le Robert]*), qu'ils ont été refusés par les éditeurs canadiens-français. On sait la réaction inverse des Editions du Seuil.

Cette contribution de l'"exil" en France est d'autant plus importante que, comme l'a signalé France Nazair Garant, l'œuvre d'Hébert effectue - nous dirions même, constitue - un "voyage au centre de l'être"[48]. Ce "centre" est peut-être, à un certain niveau, le "pays" dont se sentent exilés les personnages hébertiens. Et comme le dit encore Garant, "Ce qui importe, c'est l'atteinte du cœur des choses et des êtres, pour en révéler le vrai visage. [...] la richesse la plus grande de toutes, la vérité. Vérité à découvrir, à déterrer"[49]. Or, cette vérité est à la fois sexuée et sexuelle, entre autres. Sans doute était-ce déjà en raison de la vérité sexuelle dont étaient ouvertement porteuses des œuvres telles que "Le Torrent" et *Le Tombeau des Rois* que ces textes furent refusés par les éditeurs québécois. Dans *Etrangers à nous-*

mêmes, Julia Kristeva précise les rapports entre exil et sexualité : "S'arracher à sa famille, à sa langue, à son pays, pour venir se poser ailleurs, est une audace qu'accompagne une frénésie sexuelle : plus d'interdit, tout est possible"[50]. Force est de reconnaître la grande importance de la sexualité, y compris dans ses formes socialement réprouvées, dans les textes qu'Hébert a écrits depuis son arrivée en France en 1954. Toutefois, une réelle préoccupation avec la sexualité s'était déjà manifestée dans les textes antérieurs, et notamment dans *Le Tombeau des Rois* et dans *Le Torrent*, ouvrages dans lesquels la sexualité a déjà un caractère peu ordinaire ("Vie de château" et "Le Tombeau des rois" comportent des scènes de nécrophilie ; et dans "Le Printemps de Catherine" l'héroïne tue son premier amant le lendemain de leur premier rapport sexuel ; dans "Le Torrent", l'exil de Claudine serait le résultat du libre exercice de sa sexualité avant la naissance de François, et celui-ci semble incapable de vivre une sexualité épanouissante ; dans "Un grand mariage", Augustin cède à son désir pour Délia qu'il cherche à réduire au statut d'objet/jouet sexuel ; l'Elisabeth de *L'Arche de midi* aurait eu jadis d'innombrables amants, mais souffre de ne plus avoir qu'un seul adorateur dans une relation bourreau-victime où l'un des châtiments de cette dernière (Le Boîteux), c'est d'être condamné à toujours soupirer sans jamais pouvoir assouvir son ardeur amoureuse ; les jeunes, dans *Les Invités au procès* comme dans *Le Temps sauvage* aspirent clairement à l'épanouissement amoureux sous toutes ses formes - pour ne donner qu'une idée partielle de l'importance d'une problématique sexuelle dans les écrits hébertiens antérieurs à l'installation définitive à Paris vers 1966.

On peut donc penser qu'Anne Hébert s'est sentie la proie d'un exil éditorial, les éditeurs canadiens ne voulant plus publier ce qu'elle avait à dire (de sexué et de sexuel surtout) ; le changement de pays de résidence lui permettait de poursuivre une voie (*faire éclater le refoulement*, selon l'expression de Kristeva) interdite (ou qu'Hébert percevait ainsi) par les éditeurs canadiens. Le passage à la France a permis l'approfondissement, voire le déferlement d'une thématique du *refoulement éclaté* et du *refoulé éclatant*, refoulé largement sexuel.

Tout cela sent-il le soufre ? Kristeva note encore que le catholicisme romain a parfois agi de façon à "transforme[r] les hérétiques en étrangers dans leur propre pays"[51] ; elle aurait pu en dire autant de bien des religions, mais son propos est pertinent au cas d'une écrivaine baptisée et élevée dans un Québec fortement marqué par le catholicisme. Il est déjà clair, et le deviendra plus encore dans cette étude, qu'Anne Hébert était, en quelque sorte, "hérétique" par rapport à l'élite dominante québécoise de l'époque. C'est sans doute dans la mesure où, en France, le catholicisme et une certaine censure catholique n'avaient pas la même influence qu'au Québec, notamment dans les milieux de l'édition, que la France a pu servir d'espace de l'"éclatement du refoulement".

Revenons à cette massive présence du Québec dans les textes d'Anne Hébert produits depuis son installation en France. Présence qui n'est autre que le signe d'un *manque du Québec* dans le quotidien d'Anne Hébert, résidente de Paris. Ce manque reflète sans doute une ambivalence bien normale chez Anne Hébert envers son pays d'origine ; tout exilé n'est-il pas sujet à telle ambivalence ? Et une ambivalence semblable ne caractérise-t-elle pas l'attitude de l'exilé envers son pays d'adoption aussi ? La réaction en sera parfois une d'"amour-haine" ; dans le cas d'Anne Hébert, le pays d'adoption n'a guère fait l'objet d'une "haine" durable :

> Une fois à Paris, je n'arrivais plus à retrouver mon rêve. J'en éprouvais une grande tristesse. Une sorte de rage. J'en voulais terriblement à Paris de ne pas ressembler à sa légende. [...] Jusqu'aux billets de banque qui avaient l'air faux, trop grands, trop minces, de l'argent de théâtre pour une vie de théâtre. La vraie vie devait se trouver ailleurs. [...] Peu à peu le Paris de mes rêves d'enfance s'est effacé. La réalité m'est apparue, rose et épines, plus intense qu'aucun songe. Images, sons, odeurs, visages. La vraie vie était là dans la rue. J'ai tenté en vain de conserver mes distances. J'aime Paris comme on aime une personne vivante avec ses qualités et ses défauts[52].

Bref - et tout comme le Québec fut pour Anne Hébert à la fois patrie et exil - la France, anti-exil, *mère-patrie* au sens fort du terme, a recélé néanmoins au début, pour sa nouvelle résidente, une part d'exil en raison même du fait qu'elle n'était pas le Québec, et qu'une part d'Anne Hébert, une certaine part tellurique et onirique, ne pouvait être totalement chez elle loin du pays de son enfance et de son adolescence. Il ne faudrait pas en conclure à un malheur radical, à un sentiment d'exil marqué chez l'Anne Hébert des quais de la Seine : la présence massive du Québec dans son œuvre après son installation en France peut aussi répondre à un désir d'écrivain de travailler dans une perspective de mimétisme critique : dire dans leur vérité profonde le pays et le peuple, la terre et la société qu'Anne Hébert connaissait le mieux.

En outre, l'on ne saurait oublier le fossé qui sépare le langage du vouloir-dire, les signifiants employés des signifiés visés (ce que Kaplan a nommé "la distanciation entre signifiant et signifié"[53]), bref, l'inadéquation fondamentale du langage, véritable exil langagier. Plusieurs déclarations d'Hébert (nous y reviendrons) suggèrent que pour elle, écrire sur la France ne ferait qu'accroître ce fossé, cette inadéquation, puisque sa vérité intérieure, les expériences fondamentales de l'enfance - qui pour elle sont ce qui détermine qui l'on est et restera et les signifiés qu'elle-même souhaite porter en texte - relèvent de son vécu québécois : dès lors, écrire sur le Québec constituerait pour Anne Hébert une façon sinon de supprimer, tout au moins de limiter cet exil langagier.

Tzvetan Todorov, dans *Nous et les autres*, a eu à ce propos une remarque fort utile : "on n'est jamais aussi conscient de sa culture qu'à l'étranger"[54]. Si cette phrase s'applique à tous les exilés, elle serait particulièrement pertinente à la compréhension de la question de l'exil biographique d'Anne Hébert, puisque celle-ci a donné à la majorité de ses œuvres littéraires, depuis son installation en France, un cadre spatial québécois ; et a abordé dans tous ses textes de cette période (même ceux ayant un cadre spatial français ou non-identifié) des problématiques québécoises. Anne Hébert a d'ailleurs souligné l'utilité de la distance spatiale (de l'exil) pour une observation plus lucide de sa société d'origine[55].

D'autres remarques de Todorov sur l'exilé vont dans le sens de cette position hébertienne sur l'utilité de l'exil, et semblent pertinentes à la production littéraire d'Anne Hébert depuis son installation en France :

l'exilé [...] *évite l'assimilation* [...] *il ne s'intéresse pas particulièrement au peuple au sein duquel il vit [ce manque d'intérêt ne caractérise sans doute pas la personne Anne Hébert par rapport aux Français ; mais semble assez vrai de l'auteure, c'est-à-dire : de ses textes]. Qui est l'exilé ? C'est celui qui interprète sa vie à l'étranger comme une expérience de non-appartenance à son milieu, et qui la chérit pour cette raison mê-*

me. L'exilé s'intéresse à sa propre vie, voire à son propre peuple ; mais il s'est aperçu que pour favoriser cet intérêt, il valait mieux habiter à l'étranger, là où on n'"'appartient" pas[56].

"Avantages de l'exil" d'Emil Cioran, lui-même un célèbre déraciné, s'ouvre sur une phrase qui s'applique bien au parcours d'Anne Hébert, à sa façon de vivre son exil éditorial au Québec et aussi à son installation en France :

> *C'est à tort que l'on se fait de l'exilé l'image de quelqu'un qui abdique, se retire et s'efface, résigné à ses misères, à sa condition de déchet. A l'observer, on découvre en lui un ambitieux, un déçu agressif, un aigri doublé d'un conquérant[57].*

L'exilé - qui par définition réagit à une dysphorie - a par là même des ambitions : celle d'être plus heureux, ou plus à même de poursuivre les objets de son désir, qu'il ne l'aurait été dans son pays d'origine. Ces deux phrases de Cioran nous semblent s'appliquer particulièrement bien à Anne Hébert qui, on l'a vu, a dénoncé - si ce n'est avec aigreur du moins avec vigueur - certains refus éditoriaux canadiens et s'est exilée afin de *pouvoir* poursuivre sa carrière d'écrivaine (tout comme son personnage, Flora Fontanges, dans *Le premier Jardin*, s'est exilée en France afin de poursuivre une carrière d'actrice). Applicables aussi à l'itinéraire d'Anne Hébert écrivaine sont des propos par lesquels Cioran insiste sur l'apport que l'exil peut constituer pour l'activité artistique en amenant l'artiste à se dépouiller du réel ambiant (le réel français de sa vie quotidienne, dans le cas d'Anne Hébert), pour se dévouer exclusivement à l'art[58] (un art riche de la présence du Québec).

oOo

Il s'est avéré nécessaire de remonter au-delà de l'exil éditorial qu'a subi Anne Hébert au Québec vers le début de sa carrière d'écrivaine, pour chercher dans son environnement familial et culturel ainsi que dans son enfance et sa jeunesse, les indices d'un exil affectif, social, culturel et donc intellectuel et esthétique tout aussi important

que le déplacement spatial physique. Les indices de cet exil n'ont cessé de se multiplier, grâce largement aux entrevues qu'Hébert a accordées. Il semble raisonnable de postuler que l'œuvre hébertienne elle-
même, fruit de l'esprit, porte les traces des migrations de celui-ci.

Or, ces migrations intérieures hébertiennes, ces errances d'un
esprit, peuvent nécessiter que l'on remonte encore au-delà de l'enfance de l'écrivaine. A vrai dire, Anne Hébert l'a fait chaque fois qu'elle a
évoqué Louis Hébert et Marie Rollet. Une analyse de la qualité
d'étranger par Julia Kristeva s'avère pertinente à ce sujet : il s'agit de
son analyse des principes juridiques traditionnellement utilisés pour
définir appartenance et non-appartenance, l'étranger (et donc l'exilé)
étant celui qui n'appartient pas à un groupe donné. Ces principes juridiques sont surtout pertinents à la question de savoir si le fait de
s'installer dans la mère patrie constituait vraiment, dans l'esprit
d'Anne Hébert, un "exil". Ces deux principes juridiques ont nom :
"*jus solis* et *jus sanguinis*, le droit selon la terre et le droit selon le
sang"[59]. C'est au niveau de l'œuvre hébertienne (sur laquelle les chapitres suivants se pencheront de plus près) que l'analyse de Kristeva
prendra toute sa résonnance. On verra que dans l'imaginaire hébertien il y a, entre la France et le Québec, entre Français et Québécois,
une parenté certaine ; même si selon le droit international, Québécois
et Français sont étrangers les uns aux autres selon "la seule définition
moderne acceptable et claire de l'étrangeté : l'étranger est celui qui
n'appartient pas à l'Etat où nous sommes, celui qui n'a pas la même
nationalité"[60]. Plusieurs textes hébertiens montrent une conscience
d'une parenté de "sang" entre Français et Québécois (tout en recon-
naissant la présence chez ceux-ci d'apports génétiques autres, notamment amérindiens). D'autre part, certains textes d'Hébert dont surtout *Le premier Jardin*, posent la Nouvelle-France comme espace-temps
mythique où le Québec faisait partie du royaume de France (partie
donc du même sol) et où les premiers Québécois étaient très précisément des Français, des émigrés qui n'étaient pas (encore) pour autant
des exilés (ce que devaient faire de leurs descendants le temps et surtout la Conquête britannique de 1759, exilés toujours liés cependant
aux Français européens par le *jus sanguinis* ou du moins par le
"sang").

Sa résidence française a pu donc procurer à Anne Hébert certains avantages venant corriger l'état d'exil socio-culturel et éditorial
qu'elle avait vécu au Québec. Son intérêt pour les productions cultu-

relles françaises contemporaines pouvait s'épanouir dans un contexte non-conflictuel. Son désir d'atteindre à l'expression toujours plus authentique d'un refoulé individuel et collectif québécois, son aspiration aussi à procéder à une évocation miméto-critique de sa société d'origine, pouvaient paradoxalement mieux s'assouvir en France en raison de la moindre emprise qu'y avait un certain catholicisme, en raison aussi des avantages pour la création littéraire attribués à la distance spatiale. Enfin, dans la ville même de son ancêtre Louis Hébert, et dans le pays où le passé (l'espace d'origine du Québec) devenait du présent (n'était plus "vieux pays" mais pays de l'aujourd'hui quotidien), l'imaginaire hébertien pouvait peut-être mieux se livrer à une rêverie de la fusion d'instances apparemment contraires (France et Québec, mère et père, passé et présent), bref, à une rêverie de l'identité tellurique et génétique (en termes du *jus solis* et du *jus sanguinis*) enfin et à nouveau unifiée, comme à l'époque de l'ensemble "France + Nouvelle-France".

Notre conclusion à ce chapitre III, consacré à l'exil biographique d'Anne Hébert, ne consiste nullement à dire qu'Anne Hebert serait moins une écrivaine québécoise que française. Simplement, la documentation examinée semble bien indiquer d'une part, qu'au Québec tel qu'elle le percevait il y a près d'un demi-siècle, Anne Hébert se sentait confinée dans un état d'exil (socio-culturel et éditorial) interne ; d'autre part, que dans une certaine mesure, la dimension socio-culturelle de cet exil caractérisait déjà objectivement son milieu immédiat (que celui-ci en ait été alors conscient ou non) ; et enfin qu'Anne Hébert, de par l'orientation francophile de son milieu familial et donc de son éducation, de par aussi (vraisemblablement) la rêverie d'une identité franco-québécoise originelle, pouvait, suite à des difficultés initiales d'adaptation, se trouver passablement chez elle en France. Fait qui a pu cristalliser ou prolonger sa "décision"[61] de s'exiler, et ne pouvait que renforcer l'effet du bon accueil que lui accordait la France éditoriale. Détail qui tend à appuyer cette conclusion : Anne Hébert, qui nous a déclaré voir Montréal comme une ville "très américaine", voit comme plutôt française la ville de Québec que son discours rapproche de Paris à propos du rapport à la spatialité :

> *Québec est son nid.*
> "*J'adore les vieilles rues où l'on va, à pied, flânant comme à Paris*"[62].

Et le journaliste de rattacher cette assimilation Québec-Paris à un rapprochement entre Anne Hébert la Québécoise et son ancêtre français Louis Hébert : "Louis, le grand ancêtre, dès le XVIIe siècle [...] séjournait tantôt à Paris, tantôt en Nouvelle-France !"[63]

Anne Hébert a-t-elle suggéré au journaliste ce rapprochement, comme pour répondre à ceux qui l'ont critiquée de vivre et de publier à Paris, qu'après tout, c'était là aussi son "chez elle", ce Paris depuis des siècles une ville non seulement familière mais même *familiale,* en quelque sorte ?

Soulignons toutefois que la vision qu'Anne Hébert s'est faite de la France, même une fois évanouies ses difficultés d'adaptation initiales, n'a point été béatement admirative ni idéalisée. La Québécoise a su poser sur la France un regard critique, comme le prouvent la mise en relief d'éléments négatifs de la société française dans *La Mercière assassinée, Les Chambres de bois* et *Héloïse.*

Lourd a pu peser le prix du (relatif) non-exil offert par la France. Le fait qu'Anne Hébert vive et se fasse publier en France a été mal vécu par certains Québécois. Les reproches sont de deux sortes. D'une part, le reproche implicite, ou perçu comme tel par Anne Hébert, reproche qui s'exprime par le fait même de lui demander pourquoi elle habite ou publie en France puisqu'elle "écrit sur le Québec" (la palme à cet égard revient à Andréanne Lafond qui, dans un entretien d'une page paru dans *Forces* a trouvé le moyen de lui poser trois fois ce type de question), ou de lui en faire la remarque. A ces reproches, Hébert réagit parfois avec un agacement manifeste, un sentiment d'être la victime d'une injustice. Interrogée par Gloria Escomel en 1980 pour savoir quelles questions l'énervaient le plus lors des interviews, Hébert a répondu, "«Pourquoi avez-vous quitté le Québec ? Pourquoi publiez-vous en France ?» Voilà des reproches qui reviennent souvent. Je les ressens comme des griefs... qui font ressortir mes propres griefs"[64] - et notre auteure d'enchaîner sur l'impossibilité jadis de faire éditer *Le Torrent* et *Le Tombeau des Rois* au Canada, avant d'ajouter : "J'ai l'impression qu'on me traite de renégate, de traître à la patrie ! L'endroit où je vis, c'est pourtant quelque chose qui ne devrait concerner que moi, c'est ma vie privée, je trouve absurde qu'on fasse grief aux gens de ce genre de choix..."[65]. Louis-Bernard Robitaille rapporte qu'Anne Hébert a réagi envers ce reproche sans que son interlocuteur pensât le lui adresser, ayant plutôt voulu se renseigner sur ses lectures :

> *Et la littérature québécoise ? On la [Anne Hébert] sent*
> *devenir encore plus circonspecte et prudente. Bien que le pa-*
> *triotisme littéraire obligatoire soit de moins en moins à la mo-*
> *de, Anne Hébert reste sur ses gardes. "Ah ! oui, pourquoi je*
> *parle du Québec sans y habiter..." commence-t-elle alors que ce*
> *n'était pas le sens de la question. Vingt-six ans après la publi-*
> *cation des* Chambres de bois *aux éditions du Seuil, elle*
> *continue de répondre à d'imaginaires accusateurs ("Je ne vous*
> *apprends rien en vous disant qu'il est mal vu de se faire éditer*
> *à Paris...")*[66].

Or, on comprend d'autant mieux Anne Hébert de ressentir douloureusement ce genre de critique, qu'il s'est retrouvé sous la plume d'un des plus prestigieux de ses confrères, Jacques Ferron, dans *"Kamouraska* ou l'invention d'un pays". Selon Ferron, le modèle historique d'Antoine Tassy aurait été médecin ; "En faisant de ce mari un p'tit seigneur, Madame Hébert donne dans une convention fausse, la convention "Vieille-France" rentable auprès du public français - ce qui montre l'inconvénient de se faire éditer en France"[67]. Ferron accuse Hébert de s'être trompée parfois dans ses observations géographiques - "[...] elle ne semble connaître ni Sorel ni Kamouraska"[68] - et - reproche encore plus sévère - en conclut qu'"Il y a aussi des avantages à se faire éditer en France"[69], impliquant ainsi qu'Anne Hébert se ferait publier en France pour éviter que son lectorat s'aperçoive de ses erreurs à propos de son pays natal. On a beau admirer aussi bien Jacques Ferron que son œuvre littéraire, on aura du mal à comprendre un compte rendu qui passe presque sous silence les extraordinaires qualités d'écriture de *Kamouraska* - lui concédant avec mépris une maîtrise des "bonnes vieilles méthodes du roman-feuilleton"[70] - pour se livrer à une critique pointilleuse qui semble peu redevable à l'intelligence pourtant grande de son auteur. Les reproches que Jacques Ferron adresse à Anne Hébert conduiraient à nier toute liberté de création et asserviraient l'œuvre à la seule fonction "référentielle" (Jakobson) ou informationnelle. Les quelques libertés qu'a prises Hébert avec la réalité historique ou géographique visent à rehausser l'effet artistique sans pour autant trahir la réalité affective de ses personnages ; du reste, il ne faudrait pas parler d'erreurs mais de divergences parfaitement justifiées par le fait même que *Kamouraska* est une œuvre d'art, de création. En outre, le reproche ferronien selon lequel le modèle historique d'Antoine Tassy - Louis Paschal Achille Taché - aurait été médecin plutôt que seigneur est contredit dans une étude fouillée de la dimension historico-politique du roman, "The Signifying Absence. Reading *Kamouraska* Politically" de Emile J. Talbot[71].

Une deuxième sorte de reproche vise moins le fait d'habiter en France que d'y avoir fait carrière tout en continuant à être choyé par l'institution littéraire et critique québécoise. D. C. Schinkel a critiqué la décision du jury du prix Jean Béraud - Molson de n'accorder celui-ci à personne en raison de la qualité insuffisante des manuscrits en candidature, et d'utiliser le montant de cinq mille dollars

> *pour créer un fonds de secours pour les auteurs mais «pas né-cessairement pour les auteurs en besoin»* (sic), *illustrant fort bien sa pensée par deux exemples fort clairs : M. Yves Thériault et Mme Anne Hébert.* Cette dernière, j'en suis sûr, dormira maintenant beaucoup mieux sachant qu'elle peut recourir au fonds de secours spécial alimenté par le manque de savoir-faire des jeunes écrivains et officielle-ment créé par Mme Ouellette-Michalska et son jury, lorsque lui parviennent ses factures de communication outre-mer ![72]

Un reproche du même ordre anime peut-être des propos de Jean Ethier-Blais qui laisse entendre qu'Anne Hébert écrirait selon des re-cettes visant tout simplement un succès français :

> *Nous assistons peut-être à la naissance d'un genre litté-raire : le roman canadien ou québécois à l'usage des Français. Le plus bel exemple en est l'œuvre d'Anne Hébert depuis qu'el-le s'est installée à Paris. La religion catholique au Québec est faite d'ignorance et de violence ? Allons-y d'un roman sur les couvents, pépinières de monstres sacrés. Nos cousins de France sont ravis, nous sommes bien ainsi. Violence et déses-poir en bordure de mer ? Le tout saupoudré de conflits raciaux en puissance ? Allons-y pour* Les Fous de Bassan. *C'est ainsi que se perpétuent les mythes. Le Québec émerge de cette litté-rature comme un géant grisâtre, informe, encore prisonnier de la gangue d'une histoire qui n'aura jamais été la sienne. Le folklore n'est pas loin. Nous savons, nous, ici, en contact quo-tidien avec les œuvres, que la réalité est tout autre[73].*

Les reproches sont de taille ! Non seulement J. Ethier-Blais suggère-t-il qu'Anne Hébert profite de façon opportuniste du marché français, mais il l'accuse également de trahir la réalité du Québec (sa patrie), puisqu'elle en livrerait à l'étranger une image non seulement fausse mais péjorative. Certes, J. Ethier-Blais ne dit mot du fait qu'Anne Hébert vive et publie en France ; mais il lui reproche sans ambiguïté de vivre dans et de l'institution littéraire française. L'auteure résidât-elle et se fît-elle publier principalement au Québec... L'exil québécois d'Anne Hébert n'a pas tout à fait encore pris fin. Quoi qu'il en soit, la documentation indique que la France, pour Anne Hébert, sur les plans personnel et littéraire, a été surtout (mais non exclusivement) l'espace de l'anti-exil. Si dans le présent chapitre cette documentation a le plus souvent pris la forme d'entrevues accordées par Anne Hébert, cette conclusion se renforcera, aux cours des chapitres à venir, à l'aide de l'œuvre littéraire elle-même, œuvre déjà amplement évoquée dans le présent chapitre et qui sera désormais l'objet principal de notre lecture.

CHAPITRE IV

LES "PAYS" HÉBERTIENS ET L'EXIL

L'œuvre a déjà enrichi notre étude textuo-biographique en raison de la place centrale qu'a toujours tenue l'écriture dans la vie d'Anne Hébert, celle d'une extension métonymique du moi de l'auteure, son mode privilégié de saisie et de compréhension/interaction par rapport à lui-même, aux autres, et au monde. Situons-nous maintenant, non plus parmi les circonstances extérieures (fussent-elles biographiques) entourant la production des textes hébertiens, mais à l'intérieur de ceux-ci, *dans* les pays qu'ils inscrivent - car la problématique de l'exil résonne et travaille le sens de ces textes du dehors comme en dedans.

Le pays-cadre sert de charnière entre les exils biographique, d'une part, et d'autre part, romanesque, nouvellistique, poétique ou dramatique. Par "pays" la plupart des dictionnaires entendent une entité d'ordre spatio-politique, le pays humain étant tout aussi important que le pays physique. Ce sens spatio-humain désigne souvent mais non toujours un Etat-nation souverain ; la langue française emploie également le terme "pays" au sens de la *région* ; dans les deux cas, tout pays évoqué dans une œuvre littéraire peut renvoyer explicitement à un pays/une région réel/le dans l'univers du hors-texte, ou encore être présenté comme espace purement fictif où habite ou dont est originaire tel ou tel personnage. Et comme l'a démontré Janet Paterson dans *Anne Hébert Architexture romanesque*, le pays peut relever de l'onirique ou de l'irréel : c'est souvent ainsi que le personnage hébertien tente de s'évader d'un espace ambiant dysphorique. Qu'un "pays" nommé ou évoqué dans un texte littéraire soit Etat-nation ou région, référentiel ou fictif, on devra, pour en dégager le fonctionnement signifiant, tenir compte de sa dimension humaine (l'histoire, les valeurs, les problèmes et aspirations de la population que le texte lui associe) ainsi que de ses caractéristiques physiques (rocheux, agricole, maritime, sauvage, fermé, ouvert, etc.) Et si le pays (physique ou humain) peut souvent sembler fortement référentiel, au point de porter le nom d'un rays réel du hors-texte, il peut aussi se présenter comme purement imaginaire.

Les principaux textes hébertiens[1] présentent l'un ou l'autre de trois grands types de cadre géographique, de "pays" : le pays indéterminé ; la France ; et le Québec. Certains textes comportent plus d'un de ces trois types, notamment *L'Ile de la demoiselle*, *Le premier Jardin*, et *L'Enfant chargé de songes* qui ont pour cadre principal le Québec, et pour cadre secondaire la France.

1. **PAYS INDÉTERMINÉ** (ne renvoyant pas explicitement à un pays du hors-texte) :
Les Songes en équilibre (1942) ;
L'Arche de Midi (1944-45) ;
"Le Printemps de Catherine" (1946-47) ;
Les Invités au Procès (1952) ;
Le Tombeau des Rois (1953) ;
Mystère de la Parole (1960) ;
"Poèmes nouveaux" (parus dans *Anne Hébert* de René Lacôte ; certains de ces poèmes avaient d'abord paru ailleurs) ;
Les poèmes parus dans *Châtelaine* (1972) et dans *Québec français* (1978) ;
Les sept poèmes parus dans *Ecrits du Canada français* N° 65 (1989).

2. LA FRANCE

La Mercière assassinée (1958) ;
Les Chambres de bois (1958) ;
"Le Silence" (1971) ;
L'Ile de la demoiselle (en partie) (1979) ;
Héloïse (1980) ;
Le premier Jardin (en partie) (1988) ;
L'Enfant chargé de songes (en partie) (1992).

3. LE QUÉBEC

"La Robe corail" (1938) ;
"L'Ange de Dominique" (1938-1944) ;
"La Maison de l'Esplanade" (1942) ;
"Le Torrent" (1945) ;
"Shannon" (1960) ;
"La Mort de Stella" (1962) ;
"Un grand Mariage" (1963) ;
Le Temps sauvage (1963) ;
"Un Dimanche à la campagne" (1966) ;
Kamouraska (1970) ;
Les Enfants du Sabbat (1975) ;
L'Ile de la Demoiselle (en majeure partie) (1979) ;
Les Fous de Bassan (1982) ;
Le premier Jardin (en majeure partie) (1988) ;
La Cage (en majeure partie, le fait cependant qu'une partie de la pièce ait pour cadre l'Angleterre et que deux des personnages principaux en soit originaires aura son importance) (1990).
L'Enfant chargé de songes (en majeure partie) (1992).

Fait frappant, dans la mesure où l'on cherche des indices spatiaux explicites, le classement des textes dans la liste "Le Québec" pose plus de problèmes que ceux des deux autres listes : il n'y suffit pas que le cadre consiste en un pays de forêts et d'eau ! Quelques nouvelles du recueil *Le Torrent* posent des problèmes d'identification spatiale : dans certaines c'est le dialogue seul, parfois une seule réplique, qui sert de lien explicite avec le Québec[2] ; dans "le Torrent", par exemple, seule la phrase du vagabond, "La grande Claudine, si avenante, autrefois... Fâche-toi pas..." (T 17) permet (grâce à la construction impérative "Fâche-toi pas" typique du parler populaire canadien-français) de relier explicitement ce texte au Québec, même si la problématique janséniste, l'importance de la religion et du sentiment du péché constituent de puissants indices implicites favorisant un tel rattachement (mais il n'y a pas qu'au Québec ou au Canada français qu'on les rencontre). Quant à la topographie, dominée par le torrent et la forêt, elle n'est guère assez spécifiquement québécoise pour identifier le Québec comme référent du cadre ou pays fictif. Dans "L'Ange de Dominique", le langage de la tante Alma - "tête croche" (T 80), "C'est pas restable ici" (T 94) - remplit cette même fonction de seul lien explicite avec le Québec. Parfois une nouvelle dont le cadre n'est pas explicitement nommé comporte une phrase qui fait penser au Québec, mais sans qu'on puisse être sûr que le cadre spatial renvoie à ce pays. Ainsi, dans "Le Printemps de Catherine", la phrase "Ousque je couche c'est quasiment le plancher" (T 134) pourrait s'entendre soit au Québec soit dans le parler populaire de certaines régions françaises. Mais la diégèse ne fait guère penser à l'histoire du Québec réel, même en tenant compte des événements de la querre de la Conquête, et plus d'un critique l'a rattachée à l'invasion allemande en France en 1940.

Dans ces textes dont le cadre québécois est peu explicite, le pays-cadre n'est pas nommé et se caractérise souvent par une dimension poétique et symbolique qui le rapproche des textes à pays indéterminé. Mais parallèlement, les textes à indétermination géographique - qui comportent parfois des cadres spatiaux peu ou prou évocateurs du Québec (grâce aux images de la forêt et de l'arbre, par exemple) - présentent aussi des thèmes et problématiques - sentiment de péché, claustration, difficulté d'aimer et d'être libre de choisir le cœur et le corps, l'affectivité et le désir - qui évoquent bien le Québec d'antan et sont largement présents aussi dans les textes hébertiens ayant pour cadre explicite le Québec.

La France est explicitement le cadre de *La Mercière assassinée* dont le héros est pourtant canadien. L'interaction des composantes française et canadienne est essentielle au sens de la pièce. L'action de *L'Ile de la demoiselle* commence en France, a ensuite pour cadre un navire français en Atlantique, et enfin l'Ile des Démons/Ile de la Demoiselle, "en Canada". A l'époque évoquée, il ne s'agissait pas encore de deux pays politiquement distincts, mais de deux territoires du royaume de France[3]. Même *Héloïse*, qui situe son action entièrement en France, évoque en passant le Canada, une tante de Bernard lui ayant offert un voyage qu'il n'a pas accepté (H 57).

Classer *Les Chambres de bois* parmi les romans dont l'action se passe en France surprendra peut-être certains, car des critiques - dont nous-même - ont naguère estimé que le cadre de sa première partie avait pour référent le Québec et son pays de l'amiante, la deuxième, Paris (explicitement), et la troisième, une région de type méditerranéen, vraisemblablement en France. R. Lacôte a parlé d'un "espace non situé"[4] à propos de ce récit dans son ensemble, alors que sa phrase ne s'applique vraiment qu'à la première partie et, dans une moindre mesure, à la troisième. Bien que Maurice Emond ait su situer la première partie dans le nord de la France[5], et qu'Anne Hébert nous ait informé que le "pays" de la première partie lui avait été inspiré par des régions du Nord de la France vues en revenant d'un voyage en Belgique[6], rien dans le texte n'indique explicitement une telle référence, ne nomme le pays ; pas plus que le dialogue n'est spécifiquement français. On ne voit pas non plus d'indices implicites que cette première partie ait pour cadre la France. La seule preuve de ce rattachement est extra-textuelle : les propos de l'auteure.

L'absence de référence textuelle explicite ou implicite à la France dans la première partie (même les références aux "seigneurs" pourraient renvoyer au Québec) relève moins du manque que de la plénitude, car elle témoigne de l'ouverture et donc du potentiel signifiant pluriel qui caractérisent le texte hébertien. Plus qu'à un "espace non situé", on a affaire ici à un espace textuel ambigu, et donc polyvalent, polysémique et polyréférentiel. Dès lors, texte et hors-texte peuvent s'interpénétrer. Il ne faut exclure ni le sens suggéré par la productrice du texte, ni celui qui s'est imposé avec la force de l'évidence chez bon nombre de ses lecteurs : l'ouverture textuelle est ici telle, que la fonction référentielle du pays peut renvoyer autant à la France qu'au Québec ; en même temps, ce pays fictif conserve des fonctions non-référentielles : poétique, onirique et symbolique comme l'a démontré Janet Paterson. Les deuxième et troisième parties ont pour cadre la France. Et la troisième semble mettre en texte un *anti*-Québec (opposé au Québec de la "Grande Noirceur" duplessiste), nous y reviendrons.

Le premier Jardin et *L'Ile de la Demoiselle* présentent très brièvement comme cadre initial la France qui, après que presque tout le reste du texte ait eu pour cadre le Québec, est posée aussi comme cadre de l'après-texte, le pays vers lequel retourneront Marguerite de Nontron et Flora Fontanges. Structure modifiée fort significativement dans *L'Enfant chargé de songes*, car si le Québec constitue à nouveau le cadre central et principal du roman (parties II et III, p. 27-140), la partie initiale ayant pour cadre la France est beaucoup plus longue (p. 7-

25) que dans les deux autres textes, et trouve son écho dans une partie à cadre français de longueur appréciable qui clôt le roman (p. 141-159) ; plus important, dans *L'Enfant chargé de songes*, le pays de l'après-roman vers lequel retournera Julien, c'est le Québec. Cela en raison du fait que les parties II et III (cadre québécois) constitue une longue analepse, rendue possible par le fait que Julien, dans sa chambre d'hôtel parisien, s'endort et glisse ainsi dans le rêve-souvenir - ce qui fait de la France le pays du réel (fictif) et du Québec le pays du songe ! Mais le Québec, c'est aussi le pays vers lequel retournera Julien pour revêtir à nouveau le joug du présent et du réel - et pourtant, ce Québec proleptique reste associé au songe, puisque "Le songe est à nouveau devant lui." (ECS 159) Merveilleux exemple de cette fusion de tout le réel, rêve et réalité (celle-ci comprenant celui-là comme Hébert l'a signalé), ces passionnants rapports de Julien avec la France et le Québec, avec le réel et le songe...

Fictifs, enfin, tous ces espaces le sont ; la dimension référentielle d'une France ou d'un Québec fictifs ne les prive pas de leur statut d'expression langagière d'une vision toute subjective, leur caractère d'images dans un univers, justement : imaginaire.

SIGNIFICATIONS DU PAYS-CADRE

Textes à cadre géographique se référant peu à un pays précis du hors-texte.

Il convient d'étudier ensemble les textes à pays-cadre indéterminé et ceux qui comportent une référence québécoise faible ou peu explicite : ceux-ci présentent des cadres qui tendent plus vers l'indétermination que vers la spécificité québécoise, c'est cette indétermination qui apparaît comme le principal trait signifiant à décoder.

Les textes à pays indéterminé ou à référence québécoise peu marquée datent du début de la carrière d'Anne Hébert et même d'avant son premier séjour en France, exception faite de plusieurs poèmes dont la majeure partie ont paru, soit dans *Anne Hébert* de René Lacôte en 1969, soit dans *Ecrits du Canada français* en 1989.

Ces textes ont été reçus par les critiques québécois comme authentiquement québécois en raison des problématiques qu'ils évoquent. "Le Torrent" serait "une allégorie de la société québécoise, écrasée sous la toute-puissance de l'idéologie religieuse"[7], et Le Grand en dit autant des *Songes en équlibre*, des *Poèmes*, du "Torrent", et du *Temps sauvage*[8] ; certains ont vu dans la paralysie de Dominique ("L'Ange de Dominique") un symbole de l'immobilisme que l'idéologie traditionnelle faisait peser sur le Québec.

Ces interprétations s'expliquent sans doute par le fait qu'à cette époque-là, il n'était pas question, ni pour Anne Hébert ni pour ses lecteurs et critiques, qu'elle écrive à propos d'un pays autre que celui qu'ils partageaient avec elle et qu'elle avait toujours habité : point n'était donc besoin de nommer le pays (et nos listes montrent qu'un seul texte antérieur au premier séjour d'Hébert en France comporte une détermination géographique québécoise fortement explicite, "La Maison de l'Esplanade" (1942) ; du reste, on ferait peut-être mieux d'employer la construction "de Québec" dans ce cas, car la fonction des références spatiales semble être d'identifier et d'opposer trois espaces principaux : le Grand Nord, plus la haute ville, et la basse ville, de la vieille capitale. Anne Hébert aurait trouvé d'autant plus saugrenu de nommer le pays dans ses textes d'avant le voyage en France, qu'elle avait sans doute le sentiment de se mesurer, d'une part à des problèmes d'*écriture*, et d'autre part à des problèmes qui lui semblaient (à juste titre) universels et dont elle ne saisissait peut-être pas encore la part de spécificité québécoise : difficulté d'aimer et d'être aimé, d'affronter la mort, de choisir la vie, le cœur, le corps.

Le mal qu'elle eut à faire publier *Le Torrent* et *Le Tombeau des Rois*, joint à son premier séjour en France et au bon accueil du Seuil, permirent assurément à Hébert de prendre clairement conscience d'une certaine spécificité culturelle québécoise. D'ailleurs, c'est en remontant le fleuve Saint-Laurent, au retour de son premier séjour parisien, qu'Anne Hébert prit conscience de la spécificité géographique canadienne par rapport à celle de la France[9].

L'indétermination géographique a sans doute revêtu aussi d'autres rôles importants dans le parcours littéraire hébertien. D'une part, permettre à la psyché de l'écrivaine de mettre en écriture ses rêveries à propos des "quatre grands éléments primitifs", eau, terre, feu, air, comme l'a abondamment démontré la critique hébertienne d'inspiration bachelardienne ou "thématique". D'autre part, nous semble-t-il, fournir à l'écriture un espace à elle, espace propre de l'écriture et surtout de ce que Roman Jakobson a nommé la "fonction poétique"[10]. Une écriture qui évoque un cadre géographique renvoyant à un pays spécifique du hors-texte est à cet égard plus mimétique que le texte à indétermination géographique. Choisir l'indétermination géographique, c'est choisir un ailleurs où pourra se déployer la fonction poétique, certes, mais aussi, où l'on pourra se permettre d'autres rapports avec son propre pays. Un rapport de distance et d'évasion créatrice, pour commencer, car l'indétermination géographique - l'espace fictif a-référentiel - permet à l'imaginaire et à la consience écrivants de se distancer d'un réel ambiant dysphorique. Plus important cependant fut sans doute un autre rôle : permettre à l'auteure de mieux voir, jauger, juger et critiquer sa société. "«Le Québec, a confié Anne Hébert à Jean Royer, est devenu mon arrière pays, celui que j'ai aujourd'hui dans mon imaginaire, et j'ai besoin de le garder à distance pour en parler»"[11]. Ailleurs elle a répété l'importance de cette fonction de stimuler l'imaginaire et l'a liée explicitement à la dimension spatialo-tellurique du pays, la présentant donc comme un anti-exil : "Je vois mieux le Québec, les paysages, lorsque je suis à Paris, à distance. Je ne pourrais pas écrire maintenant sur Paris, ce serait du réalisme. Pour que mon imaginaire se développe, il me faut un *no man's land* entre le pays dont je parle et celui où je vis"[12]. Le rejet maintes fois réitéré du réalisme n'empêche pas l'esthétique hébertienne d'embrasser cette fonction de mimétisme critique, Hébert l'a confirmé dans la revue *Arcade* :

> [Céline Messner] - *Vous vivez depuis de nombreuses années à Paris, et pourtant, à part quelques exceptions comme* Héloïse *ou* Les Chambres de Bois, *la majorité de vos romans se déroulent en terre du Québec, pourquoi ?*

> [Anne Hébert] - *C'est le pays que j'ai dans la tête, c'est le pays que j'ai avec moi et je peux en faire un pays imaginaire, parce qu'il n'est pas trop près de moi. S'il était près de moi, j'en ferais peut-être des descriptions, des paysages, un peu comme on fait du journalisme, c'est-à-dire avec fort peu d'arrière-plan, et fort peu de ce qui est derrière le personnage finalement. Mais ce que j'aime, c'est ce que la poésie peut faire dans un roman: rendre sensible ce qui est invisible. [...]*

> [Céline Messner] - *Etait-ce important pour vous de quitter le Québec ?*

*[Anne Hébert] - Moi, je crois qu'il est important de prendre
non pas du détachement, mais une certaine distance[13].*

Cette déclaration répond à une question portant sur les textes à cadre
québécois ; elle est néanmoins riche en indices concernant la fonction
de l'indétermination géographique. Si même un pays fictif mais fortement référentiel constitue un "pays imaginaire", comme le signale à
juste titre Anne Hébert, encore plus imaginaire sera un pays fictif ne
renvoyant pas explicitement à un pays du hors-texte. Et Anne Hébert
le précise bien ici : tout l'intérêt d'un "pays" littéraire, quel que soit
son degré de référentialité géographique, c'est de "rendre sensible ce
qui est invisible", l'"arrière-plan", "ce qui est derrière le personnage".
Avec le mot "personnage", Hébert convoque la dimension humaine
et donc sociale. La fonction du caractère imaginaire du pays littéraire
est donc de permettre de mieux faire la lumière sur cette vérité humaine et sociale. Un pays imaginaire à référentialité géographique
faible ou nulle est aussi apte qu'un pays à cadre géographique fortement référentiel à remplir cette fonction - voire mieux apte selon la logique d'Anne Hébert. Sa référence à "la poésie dans le roman" est ré-
vélatrice, puisque la poésie tend à être moins référentielle que le
roman.

La chronologie a ici son importance. Les textes hébertiens à
cadre géographique peu ou non-référentiel datent surtout du début
de sa carrière ; et l'on en a vu certaines raisons plausibles. Une raison
de plus, c'est sans doute que, à l'époque où Anne Hébert habitait au
Québec, elle éprouvait quelque difficulté à vivre celui-ci comme
"pays imaginaire" tant sa présence était forte tout autour d'elle : dès
lors, le meilleur moyen de susciter dans ses textes ce "pays imaginaire" nécessaire à l'écriture d'une certaine vérité humaine et sociale,
c'était de leur donner un cadre géographique non ou peu référentiel.
Par contre, une fois Anne Hébert installée en France, la distance ainsi
prise avec le Québec réel lui permettait, comme elle le dit très bien
dans le passage cité, de transformer le Québec en pays imaginaire afin
de mieux écrire la/ses vérité/s sur son pays et sa société. Or, parmi
ces vérités, l'une des principales, ce fut l'exil, en témoigne le cadre de
L'Arche de Midi, cette "campagne nordique" d'un texte dont "ni le décor, ni les costumes ne précisent le pays et l'époque", cadre d'un drame "qu'aucun détail de mode, ou autre, ne limite dans l'espace et le
temps." (AM 2) Cet espace sans traits autres que sa nordicité souligne
qu'Elisabeth et Marie ont été "chassées" du village (AM 2). Toutefois,

les villageois eux-mêmes habitent ce même univers, et se trouvent toujours plus confinés dans l'exil interne en raison de la guerre. Dans *Les
Invités au procès*, le cadre est une "plaine déserte", des lieux d'un "acca-
blement profond" au sein desquels croupissent une "cour embrous-
saillée", un "maigre potager", et trois saules seules. "Les chemins sont
effacés" (ce qui souligne l'isolement de l'Auberge du père Salin), "Les
ronces les ont envahis, ainsi que la cour" (l'exil est donc à la fois exter-
ne, interne, et intérieur). (TS 159) Cet espace est bien plus négatif que
celui, pourtant peu séduisant, de *L'Arche de midi* et se muera même en
"grand jardin terrifiant" (TS 167), puis en enclos, "hors du monde" qui
rassurera certains villageois (TS 178-184) mais qui se muera en tombeau lacustre, plongeant l'Auberge du père Salin et tout le village dans
l'exil absolu de la mort (TS 184-187). Le cadre de ces deux textes sert à
signaler l'exil spatial, social, psychique, et moral des personnages. Et
encore une fois, l'exil est proche parent de l'aliénation (mentale), car
dans *Les Invités au procès*, l'on a explicitement affaire à un "lieu mauvais que gagnent la folie et la mort". (TS 177)

TEXTES À CADRE GÉOGRAPHIQUE FRANÇAIS

La France est le référent principal voire exclusif du cadre de
certains textes hébertiens, et le référent partiel de certains autres. Il
convient de ne traiter, sous la rubrique "Textes à cadre géographique
français", que le premier groupe de textes, car il s'avère que les textes
à cadre secondaire français tirent une large part de leur signification
de la dialectique, au sein d'un même texte, entre cadre secondaire
français et cadre principal québécois.

La Mercière assassinée (1958) et *Les Chambres de bois* (1958) ayant
tous deux pour cadre explicite la France, témoignent, comme l'a dit
Russell, de la découverte de la France[14], mais aussi, à notre sens (suite
à l'arrivée d'Anne Hébert en France en 1954), d'une *réorganisation psychique du rapport de l'auteure avec le Québec et la France en elle*, et de son
rapport à la problématique de son identité personnelle et nationale.

L. Mailhot, à propos de *La Mercière assassinée* (1958), pose la question "Pourquoi un protagoniste canadien dans la pièce ?", et y répond :

> *Jean Rivière, qui scrute la petite histoire de la ville et l'enfance
> d'Adélaïde, c'est un peu, et même beaucoup, le Canada fran-
> çais, le Québec, qui interroge l'histoire de France, considère ses*

propres origines, éprouve son enracinement, remonte à une en-
fance ancestrale[15].

Essentielle donc à la signification de cette pièce, l'interaction entre personnage canadien et cadre dramatique français serait selon Mailhot, l'interaction entre le Québec et son héritage français ("origines", "enracinement", "enfance ancestrale").

Le jeu des rapports entre les composantes canadienne et française de la pièce, comme le jeu entre leurs significations, paraissent encore plus complexes que ne le suggèrent les études pourtant fouillées qu'y ont consacrées Russell et Mailhot. Celui-ci cite un passage important :

> LA MARQUISE — *... Où en étais-je ? Ah oui ! La France se désagrège depuis 89, quelle pitié, tandis qu'au Canada, on n'a pas subi les horreurs de la Révolution. (D'un air rêveur) C'est encore le 17ᵉ là-bas : moé, toé, fret, dret, la langue du roé, quoi. Ah ! les larmes m'en viennent aux yeux. J'ai une telle nostalgie qui me serre le cœur. Parlez-moi, Monsieur, parlez-moi la langue du Canada, je vous en prie....*

> JEAN —— *Kamouraska, Kénogami, Chicoutimi, Caughnawaga, Chibougamau, Richebouc, Yamaska, placotter, magasiner, t'avais ben enbelle, O.K. All right, on est paré, t'es ben smatte ...*

> LA MARQUISE — *Mon dieu ! Qu'est-ce qu'il a dit ? C'est terrifiant !*

> LE JUGE — *Je n'en ai pas la moindre idée. Ce garçon est sauvage et n'a aucune éducation !*

> LA MARQUISE — *Ca sent le Nouveau-Monde à plein nez ! Aucune éducation ! (MA 109-10)*

Russell, commentant les deux premières répliques, écrit que la marquise présente "un faux catalogue des caractéristiques du Québec et des Québécois", et que la réponse de Jean, "catalogue de quelques toponymes pas du tout français et de quelques phrases en joual [...] constitue une juste réfutation qui démontre combien le Québec est divorcé de la France"[16]. Mais si Jean représente le Canada français ici,

Mailhot a raison aussi de signaler qu'il existe plus d'une France dans cette pièce, celle des "anciens nobles dégénérés" et des notables d'une part ; et d'autre part, celle d'Adélaïde, de Maria, d'Achille, celle du "peuple français"[17]. Plutôt qu'un Québec "divorcé de la France" (Russell), le passage montre la différence qui sépare le Québec d'une certaine image de la France, celle d'une France élitiste et fidèle aux apparences traditionnelles, correspondant à l'image de la France valorisée par l'élite dominante québécoise au cours de l'enfance et de la jeunesse d'Hébert, cette élite qui rejetait la France d'après 1789, lui préférant celle de l'Ancien Régime. Cette France-ci, plus d'un siècle après la Révolution, est représentée dans *La Mercière assassinée* par cette "élite" aristocratique archaïque et hypocrite, et dont l'apparence d'élite n'est qu'illusion. La pièce (et Hébert avec son texte) avertit ainsi l'élite bourgeoise bien-pensante du Québec que la France à laquelle croit et reste fidèle cette bourgeoisie, c'est une image fausse, une illusion.

Aussi convient-il de nuancer le propos de Mailhot: Jean n'est pas "*le* Canada français", "*le* Québec" (nous soulignons), mais *un certain* Canada français qui avec Hébert, conteste l'idéologie, la "sagesse" traditionnelles (*cf.* "La Sagesse m'a rompue les bras", p. 92-3). Cette France châtelaine ou de notables, que *La Mercière assassinée* présente comme profondément hypocrite, ressemble fort à l'élite bourgeoise québécoise qu'Hébert a décrite et dénoncée dans bon nombre de ses textes. Dénoncer celle-là, c'est aussi condamner celle-ci. Il faut retenir la phrase de Russell - cette pièce est "une mise en accusation d'une culture plus ancienne par un jeune touriste intelligent et ouvert qui prend la mesure de sa culture ancestrale" ("older parent culture")[18], - mais en en changeant le sens : cette "culture ancestrale" est sans doute moins la française que l'idéologie québécoise cléricotraditionelle, ou encore, la culture québécoise - et française d'Ancien Régime - telle que l'élite dominante au Québec d'alors l'avait définie, se la représentait, et en avait construit le mythe et la *doxa*.

Mailhot souligne cependant à quel point Jean le Québécois est accepté dans cette France fictive : "Il est différent et en même temps reconnu, accepté par tous"[19], y compris par les notables jusqu'au passage cité ci-dessus, quand la marquise et le juge, prenant conscience du fossé entre Jean Rivière et eux, le rejettent (et par ce même passage, la pièce et son auteur rejettent cette France fausse, pour reprendre le terme de Mailhot, ainsi que l'élite québécoise qui la valorisait).

Mais Mailhot a raison de dire que Jean Rivière reste non seulement le cousin mais le "frère"[20] des personnages de classe populaire, beaucoup plus authentiques. Que cette pièce postule la coexistence conflictuelle de deux France, une vraie et une fausse, Mailhot le confirme : Jean vient en France "pour connaître et reconnaître, épousseter, cerner, départager le faux de l'authentique" ; c'est un "Québécois chez lui, non parmi l'*élite* mais avec le peuple français"[21]. Or, cette France du peuple posée par cette pièce comme authentique, conserve envers Jean une attitude d'acceptation et d'accueil, et Jean réagit de même envers elle. Jean Rivière, Québécois en France, ne se sent point en exil.

La signification de cette pièce, d'une importance manifeste pour la problématique de l'exil dans l'univers hébertien, ressort d'autant mieux si on la rapproche de la réaction de l'auteure envers la France lors de son premier séjour, rapprochement qui nous convoque à revenir à un passage-clef déjà cité, mais cette fois-ci en le citant plus longuement :

> *Depuis mon enfance je rêvais de la France et surtout de Paris, comme d'une terre promise [...] Une fois à Paris je n'arrivais plus à retrouver mon rêve [...] La vraie vie devait se trouver ailleurs. [...] Le culte du passé, partout autour de moi, me gênait terriblement, durant mon premier séjour. [...]* Peu à peu le Paris de mes rêves d'enfance s'est effacé. La réalité m'est apparue, rose et épines, plus intense qu'aucun songe. Images, sons, odeurs, visages. La vraie vie est là dans la rue. J'ai tenté en vain de conserver mes distances. J'aime Paris comme on aime une personne vivante avec ses qualités et ses défauts[22].

La dernière phrase de cette déclaration exprime un leitmotiv hébertien : la nécessité d'embrasser et d'accepter tout le réel, "rose et épines", hors de tout "songe", de toute illusion ; savoir s'épanouir "hors du Paradis. En pleine terre maudite"[23]. Cette déclaration éclaire utilement aussi l'attitude d'Hébert envers le Québec. La gêne que lui inspirait le culte du passé autour d'elle est en flagrante contradiction avec la devise du Québec - "Je me souviens" - et traduit son rejet de l'idéologie passéiste et souvent réactionnaire qui régnait alors au Québec. Il est probable aussi que ce culte du passé, elle l'a trouvé, comme Jean Rivière dans *La Mercière assassinée*, surtout chez les notables ; et a découvert "la vraie vie", "dans la rue" auprès de gens plus populaires. Au Chapitre III on a vu pour quelles raisons Hébert pouvait être bien préparée, par son milieu familial, à adopter la France. Dans cette déclaration on voit que c'est précisément ce qui s'est passé, après un temps d'adaptation ; il lui fallait en effet le temps de trouver non pas la France passéiste conforme à l'idéologie québécoise clérico-traditionnelle, mais la France quotidienne de son époque.

La déclaration ci-dessus révèle ainsi une correspondance marquée entre l'expérience qu'a faite Anne Hébert de la France et celle qu'en a faite Jean Rivière. Il se peut que l'expérience de l'une comme de l'autre trouvent à nouveau un écho dans le rejet par Julien d'une Camille Jouve aux allures d'hédoniste oisive, quelque peu décadente.

Un des liens entre d'une part, le fait de donner à ses œuvres un cadre français (forme de déplacement spatio-textuel par rapport à ses textes antérieurs) et d'autre part, son exil personnel, semblerait résider dans le fait qu'un tel geste chez Anne Hébert constituait un rejet partiel de son propre passé, de l'idéologie clérico-janséniste et bourgeoise dont il lui fallait se libérer. Situer ses œuvres en France, y résider : ces gestes chronologiquement contigus correspondent à un moment de libération dans la vie d'Anne Hébert qui n'est sans doute pas étranger à la libération qui se célèbre d'émouvante façon dans *Les Chambres de bois* et *Mystère de la Parole*. Un autre lien entre l'exil personnel et le fait de donner à ses œuvres un cadre français, ce fut sans doute que vivre loin du Québec donnait à Hébert le recul nécessaire pour mieux voir et jauger sa société natale ; de même, employer un cadre littéraire français pouvait lui permettre d'aborder avec une vigueur renouvelée des problèmes québécois, tout en continuant à aborder des problèmes de portée universelle et des problèmes d'écriture.

Les Chambres de bois et *Héloïse* abordent également des problèmes québécois, nonobstant leur cadre fictif français. La place et les significations de Paris dans ces romans ont été étudiées d'intéressante façon par A. R. Chadwick et V. Harger-Grinling dans "Anne Hébert métamorphoses lutétiennes". Ils y démontrent que dans les deux romans, Paris est le lieu du dysphorique. Dans le premier, Michel, à Paris, accule Catherine aux portes de la mort ; dans le deuxième, Christine est assassinée par un revenant vampire et Bernard par la compagne de celui-ci avec qui il part s'installer au royaume des morts (le métro parisien), de sorte que "Paris/Héloïse offre un nouveau pays, celui de la connaissance de la mort"[24].

Toutefois, Bernard ne voit dans Héloïse qu'un Paris souterrain, mortuaire, passé, qui reflète sa psyché troublée ; il exclut le Paris du plein air et du soleil, des jeunes et des cafés-terrasses qui plaît tant à sa jeune épouse Christine, danseuse à la chair et aux cheveux lumineux. Il est aveugle aux belles filles qui le remarquent, car obsédé par Héloïse-la-morte dont la maigreur ainsi que les vêtements et la chevelure noirs lui rappellent peut-être la mère morte (cf. H 14). Or, même exclusion de Paris chez Michel (*Les Chambres de bois*) qui est dans Paris sans y être, et qui interdit à Catherine de sortir pour connaître la ville comme il interdit à la ville de venir jusqu'à eux :

> *Michel et Catherine habitèrent encore longtemps ces deux*
> *seules pièces lambrissées de bois [...]*
>
> *La rumeur de la ville, avec ses marchés criards d'odeurs, ses*
> *jours humides, ses pavés raboteux, ses grandes places écla-*
> *tantes, ses paysages d'étain aux environs de l'eau et des ponts,*
> *ses voix humaines bien sonores, venait mourir, pareille à une*
> *vague, sous les hautes fenêtres closes. (CB 91)*

Ni Bernard ni Michel n'habitent Paris, mais bien plutôt leur songe passéiste, leur angoisse. Ils se sont exilés de Paris par leur repli sur leurs ténèbres intérieures. Loin de paraître le lieu de la mort, Paris apparaît dans ces deux romans comme l'espace de la vie dont jouit Christine et qui attire Catherine. Paris n'est donc point le lieu de l'exil dans ces romans dont les protagonistes masculins principaux apparaissent enfermés dans précisément le genre d'exil intérieur dont la critique littéraire québécoise a suivi le fil chez Nelligan, Saint-Denys Garneau et d'autres (voir ci-dessus, chapitre II), exil surtout par rapport au bonheur charnel et affectif. Or, ce lieu de l'exil semble bien être un certain Québec jansénisant qui ressentait la chair comme le mal. Michel, après avoir longtemps refusé de coucher avec Catherine, le fait enfin - pour lui dire aussitôt qu'elle est le diable (CB 76). Propos qui fait inévitablement penser à certaine phrase du *Journal* de Saint-Denys Garneau où celui-ci avouait souhaiter parfois que son corps s'arrêtât au niveau de la ceinture. Bernard est attiré par la minceur presque a-charnelle d'Héloïse. Ce refus de la chair est un des aspects d'une idéologie traditionnelle que dénonce les textes hébertiens. Dès

lors, Michel et Bernard semblent représenter le type même du
Québécois souffrant de l'exil psycho-spirituel qui caractérisait la société canadienne-française d'antan selon Le Grand, Hébert et tant
d'autres, exil collectif qui suscita celui, éditorial, qu'infligèrent à
Hébert les milieux éditoriaux canadiens-français il y a quatre décennies.

Harger-Grinling et Chadwick remarquent que Michel porte "le
poids d'une histoire seigneuriale"[25], et leurs propos sur le Paris
d'Héloïse pourraient s'appliquer au monde intérieur de Bernard,
monde que gouverne "un ancien système de valeurs où règnent la décadence et le mal [...]"[26]. Ces personnages sont donc proches de l'univers des notables de *La Mercière assassinée* qui figurait en même temps
une certaine France conservatrice et surtout le Québec clérico-traditio-
naliste que rejetait la pièce. Cette condamnation est tout aussi forte
dans *Les Chambres de bois* et *Héloïse*. De par les personnages de Michel
et Bernard, le Québec d'antan intériorisé apparaît toujours comme le
lieu de l'exil, et Paris (qu'excluent Michel et Bernard), le lieu d'un
non-exil possible.

Bien entendu, l'étape de la libération et de la renaissance à la
vie est absente d'*Héloïse*. Dans *Les Chambres de bois*, cette libération a
lieu dans une région méditerranéenne qui n'a guère la ressemblance
géographique avec le Québec qui marquait le pays de la première
partie. Catherine se liera en outre avec un homme que le roman décrit
comme s'il était de classe sociale plutôt populaire ("L'air de cet homme est lourd et buté, un vrai paysan" dira de lui la servante Aline, p.
154).

Ces faits signifient-ils, comme l'ont écrit Chadwick et Harger-
Grinling, que la libération ne peut avoir lieu que dans un ailleurs par
rapport au pays natal "au prix d'un départ et de la non-patrie de
l'exil" ?[27]. Cette position est à nuancer en tenant compte de la dimension *humaine* du pays d'origine de Catherine, d'une part, et, d'autre
part, du pays de la troisième partie. L'opposition principale entre les
deux pays semble relever moins de la géographie que du type d'habi-
tant que chaque "pays" abrite - et peut-être, *produit*. Les habitants
masculins de la première partie sont "frustes et mauvais", "au désir
avide", traits que le roman tend à lier implicitement au dur métier
qu'ils pratiquent (ils sont vraisemblablement mineurs ou ouvriers
dans l'industrie lourde). Le pays garderait une part de responsabilité,

moins toutefois de par sa géographie qu'en raison de son système économique. Le roman ne précise ni le métier ni la classe sociale de Bruno, protagoniste masculin de la troisième partie, mais on le voit faire un travail de céramique en plein air (travail qui réunit donc trois des quatre éléments fondamentaux, l'air, la terre, le feu [CB 154]), et de son métier on sait au moins qu'il unit le corps au quatrième grand élément fondamental, l'eau : "Catherine retint du métier de Bruno qu'à la force du poignet il faisait monter et descendre le niveau des eaux" (CB 181)[28].

En dévalorisant ainsi l'industrie au profit d'une activité indivi- duelle et manuelle, ou artisanale (travail de la terre/de céramique), *Les Chambres de bois* offre à la fois un écho (sans doute involontaire) du roman de la terre et une anticipation du mouvement écologique plus récent. La libération pourrait-elle avoir lieu au pays natal ? Dans *Les Chambres de bois*, le pays ambigu (québéco-français) de la première partie est d'abord l'espace de l'exil, pour Catherine, du bonheur et de la liberté, tandis que le pays français/méditerranéen de la troisième partie est celui de sa conquête de l'indépendance[29] et du bonheur. Dans la deuxième partie, Paris n'est pas le lieu de l'exil, ce lieu étant plutôt la psyché malade de Michel (dont les chambres de bois consti- tuent à la fois une métaphore et une synecdoque, une extension). On constate une inversion semblable à celle que recèle la vie d'Hébert : c'est seulement grâce à un exil spatial que Catherine réussit à mettre fin à son exil du bonheur et de l'auto-détermination. Dans *Héloïse*, le lieu d'exil n'est pas Paris mais la psyché troublée de Bernard qui fuit Paris pour le royaume souterrain des morts.

Deux des trois textes d'Anne Hébert ayant la France pour cadre datent de peu après son arrivée en France. La plupart de ses textes d'avant cette arrivée ou bien ne rattachent pas leur cadre à un pays réel du hors-texte, ou bien lui confère un lien explicite ténu avec le Québec. Néanmoins, tous ces textes, y compris ceux ayant pour cadre la France, traitent largement d'une problématique québécoise dont surtout l'exil psycho-spirituel. Dans ces textes, il n'est pas rare que le facteur déplacement/exil spatial ait une fonction positive d'antidote à l'exil psycho-spirituel, sexuel ou autre.

TEXTES À CADRE GÉOGRAPHIQUE QUÉBÉCOIS

Le Québec constitue le cadre explicite et fortement marqué de bon nombre de textes hébertiens, dont les grands romans parus depuis 1970. La majorité des textes à cadre explicitement et fortement québécois sont postérieurs à 1965, date à partir de laquelle Hébert a cessé d'habiter alternativement au Québec et en France pour résider dans celle-ci. Ces faits sont à rapprocher de déclarations d'Hébert soulignant son attachement à son pays natal et le rapport entre celui-ci et son écriture. Des Canadiens-français elle a déclaré :

> *La terre que nous habitons depuis trois cents ans est terre du Nord et terre d'Amérique : nous lui appartenons biologiquement comme la flore et la faune. Le climat et le paysage nous ont façonnés aussi bien que toutes les contingences historiques, culturelles, religieuses et linguistiques [...] Cette terre dont nous sommes matière vivante [...] la voyons-nous vraiment et prenons-nous conscience de notre être, enraciné dans un lieu particulier du monde, avec toutes ses contradictions existentielles ?*[30]

> *Mais voici que le songe accède à la parole. La parole faite chair. La possession du monde. La terre à saisir et à nommer. Quatre siècles et demi de racines*[31].

Quant à elle-même :

> *Le paysage, je l'ai vraiment en moi. J'ai besoin de me renouveler, de revenir me retremper. Mais je l'ai vraiment en moi, profondément*[32].

> *[au Québec] Je me retrouve [...] Il y a un noyau, quelque chose de très sûr qui ne change pas, qui ne bouge pas : toute mon expérience que j'ai eue de ce pays [...] J'ai été faite par ce pays-là [le Québec]*[33].

> *On est marqué surtout par son pays. Bien sûr, je suis marquée par la France parce que ma culture est française. Mais le pays qui m'a le plus marquée, mes plus profondes racines, c'est quand même ici [au Québec]. N'ayant pas vécu mon enfance et mon adolescence qui sont les âges les plus im-*

portants dans la vie, là-bas, je peux avoir un regard beaucoup
moins en profondeur sur ce qui se passe en France. [...] La
France n'a pas d'influence sur mon écriture. Tout ce qui me
vient naturellement se passe ici [...][34].

Trois points importants appartiennent en commun à ces deux
series de textes. L'un est l'accent mis sur la *terre québécoise* dans sa *matérialité* la plus géologique, géographique, climatique. Un autre, la notion d'un *rapport fusionnel*, et profondément *formateur, entre cette terre
concrète et les Québécois, dont Hébert.* Le troisième, l'importance du
temps dans l'établissement de ce rapport fusionnel - "trois cents ans",
"quatre siècles et demi de racines", "toute mon expérience que j'ai
eue de ce pays" - et l'insistance dans le dernier passage que les pre-
mieres époques d'une vie humaine doivent avoir eu pour cadre un
pays donné pour qu'un auteur puisse avoir sur ce pays un discours
profond et significatif. Un autre point ressort de la seule première série d'extraits : c'est le devoir des Québécois de posséder la terre et le
pays en les nommant (*cf.* "Poésie solitude rompue").

Ces citations posent aussi le problème de la double définition
du pays, le pays spatial, tellurique, d'une part, et d'autre part, le pays
humain. Les deux derniers passages cités évoquent vraisemblablement le pays dans ces deux sens, alors que les passages précedents
semblent ne porter que sur le pays tellurique. On verra que dans l'ensemble, Anne Hébert exprime un attachement au pays québécois spa-
tio-tellurique, et une hostilité envers le pays québécois humain tel
qu'elle l'a connu jusqu'à son départ pour la France. On verra aussi
que pour Murray Sachs, dans *Kamouraska* les caractéristiques du pays
physique sont la cause fondamentale de l'aliénation/exil des personnages. C'est peut-être l'ambiguïté des textes hébertiens envers le pays
tant physique qu'humain qui a fait écrire à Mario Pelletier que "La
plus grande part de l'œuvre poétique et romanesque d'Anne Hébert
est vouée à exorciser des lieux et des atmosphères qui ont marqué son
enfance"[35]. Un trait commun aux passages cités (hormis le premier)
comme aux principales œuvres littéraires hébertiennes à forte référence au Québec, *c'est d'être postérieurs à l'installation d'Anne Hébert en
France.* Dès lors, certaines fonctions de ces textes, dont la principale,
deviennent évidentes. L'intensité du sentiment d'appartenance au
Québec dont témoignent les déclarations citées est telle, qu'Anne
Hébert (malgré son appréciation chaleureuse de la France et de ses
habitants, et malgré les facteurs dans son enfance et sa jeunesse qui

ont fait que la France a pu revêtir pour elle une fonction d'anti-exil) a dû ressentir fortement, à un niveau profond de sa psyché, le manque du Québec, trouvant ainsi en France non seulement de l'anti-exil, mais aussi de l'exil - à l'instar de Catherine dans le pays méditerranéen de la troisième partie des *Chambres de bois*. Tout manque nous convie à le combler : une grande fonction de ces textes qui appartiennent si fortement et explicitement au Québec, c'est de combler le manque du pays natal qu'Hébert n'a pu que continuer à ressentir en France, c'est de *contrer le sentiment d'exil restant*. Sentiment d'exil dû au fait même que, comme l'a signalé Tahar ben Jelloun (lui-même un exilé à certains égards) à propos de l'écrivain gréco-français Vassilis Alexakis, "On a beau émigrer, faire tout ce qu'il faut pour s'intégrer dans la société et la culture du pays d'accueil [...], on ne peut annuler le bout de terre natale qu'on porte en soi"[36]. Pour Anne Hébert, il s'est agi d'augmenter fortement la présence explicite du Québec dans son écriture, ce qui voulait dire dans son quotidien. Dès lors, au lieu de se lire :

France = non-exil + exil

l'équation se lit :

France = non-exil + Québec écrit ;

et, puisque "*Québec écrit*" consitue un lieu, dans et pour l'imaginaire hébertien, du *non-exil*, cette dernière formule peut se réécrire :

France = non-exil + non-exil

(grâce à l'insertion, dans une vie quotidienne française, d'une importante présence du Québec sous la forme du cadre géographique comme des problématiques humaines des textes hébertiens). Le procédé semble avoir admirablement réussi, à en juger par cette déclaration de notre auteure: "On dirait que la France et le Québec se complètent, pour moi"[37].

Rappelons encore la fonction positive que pouvait avoir pour Anne Hébert en tant que scriptrice éprise du travail langagier et donc aux prises avec la problématique de l'inadéquation signifiant-signifié (*cf.* C. Kaplan), le fait d'écrire sur le Québec, choix qu'elle pouvait vivre comme rapprochant son langage scriptural de sa vérité intérieure formée tout entière (selon elle) par une enfance passée au Québec et rapprochant ainsi ses signifiants (son écrire) de ses signifiés.

Au niveau de l'œuvre, la présence du Québec dans les textes postérieurs à l'installation en France répondaient assurément à encore une exigence, cette fonction de "rendre visible ce qui est invisible" dont a parlé Anne Hébert, bref, lui permettre, et à ses lectrices et lecteurs avec elle, de procéder à une lecture critique de la société québécoise, une lecture apte à déconstruire certains mythes aliénants. Déconstruire ainsi, c'était s'attaquer à certains des principaux facteurs responsables de l'exil interne et éditorial qu'Anne Hébert avait subi au Québec. *La présence du Québec dans ses textes* (présence rendue possible dans une certaine mesure par le fait même de ne plus y habiter), *devenait l'instrument même de l'anti-exil*, le moyen de militer contre l'exil individuel et collectif (exil qu'Anne Hébert a dénoncé dans son commentaire d'un film sur Saint-Denys Garneau) *en sapant les mythes et institutions responsables de cet exil.*

Vraisemblablement, une autre fonction de cette présence accrue du Québec dans l'œuvre, c'est de répondre non seulement à un nouvel intérêt public pour le passé suscité par les préparatifs de la célébration du centenaire canadien en 1967, comme l'a écrit Russell[38], mais aussi de réagir à la montée du mouvement nationaliste et indépendantiste au Québec dans les années 1960 et 1970, montée qui affectait et interrogeait presque tout écrivain québécois. Hébert a avoué un certain déchirement face à cette problématique de l'identité nationale :

> [J.-P. Kaufmann] : - Vous dites "je suis Québécoise". Et Canadienne ?
>
> [Anne Hébert] : - Ce n'est pas de la lâcheté, mais je préfère ne pas parler de ces choses-là. Je suis très partagée.
>
> [J.-P. K.] : - Mais il est difficile actuellement de rester à l'écart. Tous les écrivains québécois se sentent concernés par le problème politique [i.e., la question de l'indépendance politique]
>
> [A.H.] : - Je sais. Peut-être n'ai-je pas une idée très claire sur la question. Je vis à l'écart de ces problèmes, puisque je vis en France. La situation m'échappe. Sur le Québec, je n'ai que des bribes d'information [...][39].

Anne Hébert a ajouté qu'elle allait rarement au Québec (alors que dans d'autres déclarations elle a souligné combien ses visites au Québec étaient fréquentes), et que lors de son plus récent séjour, ce qui l'y avait frappée fut (plutôt que la question nationale) le chômage. Ces hésitations suivent immédiatement la déclaration que voici :

> [A. H.] - Je suis Québécoise et le resterai toute ma vie. J'aime plus que tout mon pays. J'ai d'ailleurs beaucoup apprécié le moment, dans Kamouraska, où je parle de tous les villages du Québec. Les nommer, c'est pour moi comme un appel lancé à toutes ces vies ensevelies sous la neige. Quand j'ai écrit Kamouraska, c'était comme si je réveillais mon pays en les appelant les uns après les autres[40].

Cette déclaration confirme nos remarques sur la fonction principale (mais non point exclusive) des textes à forte présence explicite québécoise : faire vivre le pays dans la quotidienneté de l'écriture (et donc de l'auteure) afin de combler son absence même. Cette saisie compensatoire du pays porte et sur sa géographie et sur son histoire.

Le moyen que propose Hébert aux Québécois (dans ses entrevues et textes journalistiques comme dans "Poésie, solitude rompue") pour prendre possession du pays, et qu'elle pratique dans son œuvre littéraire, c'est surtout de nommer le pays. Les passages de *Kamouraska* dans lesquels Hébert nomme le pays étaient annoncés par des passages semblables dans "Le Québec, cette aventure démesurée" et dans *La Mercière assassinée*. Cette modalité de prise de possession est pertinente à la problématique des rapports entre le déplacement spatial dans l'œuvre, d'une part, et dans la biographie, d'autre part. C'est un mode d'appropriation plutôt abstrait, celui des poètes plutôt que des gens d'affaires ou des responsables politiques. Dans "Poésie, solitude rompue", Hébert avise ses concitoyens que

> La vie ici est à découvrir et à nommer; ce visage obscur que nous avons, ce cœur silencieux qui est le nôtre, tous ces paysages d'avant l'homme, qui attendent d'être habités et possédés par nous, et cette parole confuse qui s'ébauche dans la nuit, tout cela appelle le jour et la lumière (P 71).

Ce passage évoque une géographie double, physique et humaine. L'accent est mis sur le langage comme moyen de mettre fin à cet exil qui consiste dans l'aliénation du "nous" par rapport à tout ce qui (aux niveaux physique et humain) compose son espace. Cet accent sur le langage se renforce encore dans certains poèmes de *Mystère de la Parole* :

> *Que celui qui a reçu fonction de la parole vous prenne en charge comme un cœur ténébreux de surcroît, et n'ait de cesse que soient justifiés les vivants et les morts en un seul chant parmi l'aube et les herbes (P 75) ;*

> *La vie est remise en marche, l'eau se rompt comme du pain, roulent les flots, s'enluminent les morts et les augures, la marée se fend à l'horizon, se brise la distance entre nos sœurs et l'aurore debout sur son glaive.*

> *Incarnation, nos dieux tremblent avec nous ! La terre se fonde à nouveau, voici l'image habitable comme une ville et l'honneur du poète lui faisant face, sans aucune magie : dure passion (P 105).*

Dans le premier verset, "celui qui a reçu fonction de la parole" mettra fin à un état d'exil collectif ("vous"), grâce à sa poésie. Dans les deux autres versets, il semble clair que les *noces désexilantes de l'humain et de la vie* auront lieu dans le seul univers de la poésie : le poète parle de "l'image habitable comme une ville", et non point de l'inverse. La poésie elle-même est donc présentée comme l'espace du non-exil. Il en va ainsi dans "Couronne de félicité" :

> *Le jour recommence*
> *[...]*
> *L'aube toutes ailes déployées*
> *Illumine la terre*

> *La joie à bout de bras*
> *Le poème au sommet de la tête hissé*
> *Couronne de félicité (PNRL 153).*

Le poème apparaît ici comme à la fois le lieu et l'instrument d'une mise à mort de l'exil, un exil qui avait d'ailleurs une dimension spatiale marquée, puisque l'accession au non-exil comporte la notion camuso-hébertienne de noces lumineuses entre ciel et terre, entre terre et temps ("L'aube toutes ailes déployées/Illumine la terre").

Anne Hébert peut se permettre d'adopter un tel mode d'appropriation plutôt abstrait, purement langagier, de son pays natal en raison de la profondeur même de la présence du Québec en elle, ce caractère profondément enraciné, originel et prédominant de son vécu
québécois dans son économie psychique. Ou, si l'on veut inverser la
façon d'écrire les choses, en raison du fait que, même si de corps elle
réside en France, d'esprit elle réside pour une bonne part au Québec,
ce qui veut dire en même temps, dans le - et son - passé québécois.
Hébert n'a jamais cessé d'*habiter le Québec en elle*.

Mais dans le cadre de cette (ré)appropriation du pays natal, celui-ci n'est pas que nommé, il est décrit aussi. Surtout au physique,
comme si cette forme d'anti-exil que serait la réappropriation du
pays, c'était beaucoup plus la réappropriation du pays physique
qu'humain. Les textes journalistiques d'Hébert font souvent rayonner
la beauté du pays québécois et chantent le plaisir qu'elle y a connu,
enfant surtout, et à la campagne[41]. Dans ses œuvres à cadre québécois,
il arrive que les personnages - surtout enfantins ou adolescents -
connaissent des moments de contact euphorique avec la nature.

LA TERRE QUÉBÉCOISE : MÈRE OU MARÂTRE ?

Dans tous ces textes à cadre fortement québécois toutefois - entretiens, textes journalistiques, œuvres littéraires - un thème fréquent
est la *dureté du pays québécois*. Il faut confronter cette donnée à la problématique de l'exil hébertien ; ainsi qu'aux affirmations de Murray
Sachs dans "Love on the Rocks : Anne Hébert's *Kamouraska*. Pour
Sachs, le thème central du "Torrent" est "la douleur de grandir dans
une société autoritaire et dans un environnement naturel sauvage peu
soumis aux arts de la civilisation"[42]. *Le Temps sauvage* et *Kamouraska*
auraient pour thème important "les effets d'un environnement sauvage sur le comportement humain"[43], et Sachs appuie cette affirmation
sur une phrase d'Agnès, du *Temps sauvage* : "Qui est jamais tout à fait
un homme ou une femme dans ce pays d'avant la création du
monde ?" (TS 19). L'argumentation de Sachs, qui d'abord tenait
compte de facteurs sociaux ainsi que de l'environnement physique,
glisse donc vers une prise en compte prioritaire de celui-ci comme
cause fondamentale du mal qu'aurait le personnage hébertien à vivre
heureux. Ce même accent se retrouve dans son analyse de
Kamouraska : "La vie dure et primitive que leur impose l'environnement semble rendre les habitants durs et primitifs à leur tour [...] dans

cet environnement sauvage et rocheux ne sauraient s'épanouir ni une vie heureuse ni des sentiments tendres"[44]. Pour Sachs donc, *Kamouraska* signifie que cette impossibilité d'aimer et d'être heureux ne découle pas de l'environment physique du village de Kamouraska seul, mais de l'environnement physique hostile que consituerait tout le Québec :

> *Le village lui-même, représentatif de la colonisation française au Nouveau Monde, symbolise dans ce roman l'environne-ment primitif qui suscite des passions primitives. L'amour est-il possible dans un tel pays ? [...] La tragédie d'Elisabeth, ce n'est pas seulement que la société rigide, matriarcale et catho-lique du Canada francophone ait engendré des hommes de faible volonté incapables d'amour ; c'est aussi que ce pays rude et ce climat implacable rendent tous ceux qui y grandissent peu aptes, en quelque sorte, à satisfaire aux doux besoins de l'amour. La tragédie d'Elisabeth résulte en partie de son lieu de naissance[45].*

Cette affirmation selon laquelle la cause fondamentale de l'alié-nation des personnages hébertiens, de leur exil du bonheur, réside, non pas dans certains aspects de la culture québécoise mais dans l'en-vironnement physique du Québec, concerne la problématique de l'exil dans l'œuvre et peut-être aussi dans la vie d'Anne Hébert. Pierre-H. Lemieux a donné une analyse du "Torrent" analogue, dans sa vision de la nature, à celle que l'on vient de voir chez Sachs à pro-pos d'autres textes hébertiens. Lemieux souligne d'emblée l'impor-tance d'un exil apparemment fondamental, d'un "déterminisme fatal, fruit d'une «volonté antérieure»"[46] à celle de François. La suite de son article indique qu'au moins une des sources de ce déterminisme, de cette "«emprise»", de cette "«possession»", c'est la nature et tout d'abord le torrent éponyme : "il s'agit aussi d'une *domination par le paysage même. [...] Au-delà de la symbolisation, le paysage existe de façon autonome, le torrent joue véritablement le rôle d'un personnage, parce que sa fonction n'est pas seulement de réfléchir l'âme de François, mais d'être un protagoniste dominateur*"[47]. Dominateur et dysphorique au point d'être à la fois sirène et écueil pour François, un paysage funeste, donc.

Ce paysage funeste trouve un écho dans certaines déclarations d'Hébert qui font penser que la topographie rude et le climat dur du Québec ont pu contribuer à sa décision graduelle de s'installer en France. A propos du climat, on a pu lire que

> *Anne Hébert est un migrateur que les hivers ramènent tou-*
> *jours au bord de la Seine.*
>   *"Il fait si froid chez nous... L'an passé nous avons eu*
> *jusqu'à moins 40 degrés..."*
>   *Paris la retient de plus en plus longtemps chaque an-*
> *née, mais elle n'oublie jamais de retourner sur les rives du*
> *Saint-Laurent, des dernières neiges à l'été indien[48].*

Au sujet de la topographie, Hébert a répondu, à une écrivaine française qui s'extasiait face au caractère neuf de l'expérience canadienne,
que

> *Il y a là en effet, quelque chose de grisant : quelque chose de*
> *neuf, de vierge, d'inexploité. Mais c'est inquiétant aussi. [...]*
> *lorsque je suis revenue au Québec après mon premier voyage*
> *en France, [...] j'ai remonté le fleuve Saint-Laurent, et j'étais*
> *très émue parce que je revenais dans mon pays [...] Et je regar-*
> *dais ce paysage magnifique, ces arbres immenses, cette force*
> *incroyable de la nature, et je me disais que c'était un pays dans*
> *lequel l'homme était si peu de chose. C'est la nature, là-bas, qui*
> *est la plus forte. Et il y a cette tentation de vivre le plus près de*
> *la nature, en accord avec elle, de vivre comme un arbre, et de*
> *ne pas faire cet effort énorme d'imposer à cette nature si forte,*
> *si vigoureuse, une marque humaine. On se dit que c'est impos-*
> *sible, mais je crois que justement, une oeuvre d'art, cela se fait*
> *à partir d'un pari impossible[49].*

Cette réponse (surprenante à notre époque où la vulnérabilité de la
nature à l'action humaine n'a jamais été si cruellement évidente) fait
écho à des passages à l'effet que les paysages québécois datent
"d'avant l'homme," (P 71) (*cf.* Agnès sur "ce pays d'avant la création
du monde", TS 19), et que "La nature est tellement vaste que nous
avons été écrasés par elle"[50]. La relative dureté du climat et de la topographie québécois a pu contribuer à changer les séjours temporaires
en France en résidence permanente à partir de 1966.

    Anne Hébert a constaté un rapport mimétique entre l'*homo que-*
becensis et la nature :

> *Il est sûr que le paysage nous marque beaucoup au Québec. Il*
> *y a même un certain mimétisme entre l'homme et la nature.*

Quand l'amant d'Elisabeth d'Aulnières [dans Kamouraska*],*
le docteur Nelson, va voir sa soeur religieuse qui est mourante
à Québec, il marche dans la boue de l'automne. Il trouve qu'il
ressemble à cette boue et c'est pour cette raison qu'il accepte
son destin[51].

Anne Hébert intègre au "nous" québécois de son discours ici
un de ses personnages fictifs - et ce personnage est américain et anglophone. Mais pour en revenir à la problématique qui nous préoccu-
pe ici : les personnages du "Torrent" sont à l'image des rudes paysages déserts qui les entourent, dont tout d'abord le torrent du titre,
avec toute sa violence torturée et torturante. Dans *Kamouraska*,
Elisabeth Tassy, nouvelle mariée, semble vivre les "Canayens" (gens
du peuple) parmi lesquels son mari fait la fête lors de leur voyage de
noces, non pas comme des êtres humains mais comme des irritants
inhérents au pays, aussi rudes et désagréables que la nature environ-
nante, le long voyage sur des routes cahotantes, et la brutalité d'un
premier·rapport sexuel que lui inflige son nouveau mari. La même
Elisabeth, devenue Madame Rolland, voit sa belle-mère comme étant
aussi dure que le climat de l'espace qu'elle habite, ce climat de
Kamouraska où, dit Elisabeth, "Le vent me fait mourir." (K 76)
Elisabeth se représentera souvent tantôt son mari Antoine, tantôt son
amant George Nelson, comme étant d'une nature aussi violente que
ce pays de poudreries. Et dans *Les Fous de Bassan*, c'est tantôt le lubrique Révérend Nicolas Jones, tantôt son non moins lubrique neveu
Stevens Brown qui avertissent le lecteur du rapport mimétique entre
ce pays de tempêtes toujours soumis à un vent impitoyable et la violence qui habite les personnages : "Dans toute cette histoire il faudrait
tenir compte du vent [...] Le vent a toujours soufflé trop fort ici et ce
qui est arrivé n'a été possible qu'à cause du vent qui entête et rend
fou". (FB 26 ; *cf.* FB 246, "Dans toute cette histoire, je l'ai déjà dit, il
faut tenir compte du vent"). Si on lit le pays de la première partie des
Chambres de bois comme évocateur du Québec, l'on remarquera encore
ce rapport mimétique - et néfaste - entre un pays dur et ses habitants :

> *C'était au pays de Catherine, une ville de hauts four-*
> *neaux flambant sur le ciel, jour et nuit, comme de noirs palais*
> *d'Apocalypse.*
> *L'année de la mort de la mère, il y eut un été si chaud et*
> *si noir que la suie se glissait par tous les pores de la peau. Les*
> *hauts fourneaux rivalisaient d'ardeur avec le feu de l'été. Sous*

> *l'abondance d'un pain aussi dur, des femmes se plaignaient*
> *doucement contre la face noire des hommes au désir avide. (CB*
> *28-29)*

Ce genre de rapport mimétique négatif n'est pas limité aux personnages masculins. Un personnage féminin aliéné, Lia dans *Les*
Chambres de bois, peint des tableaux torturés évocateurs eux aussi des
paysages du/des pays de la première partie :

> *Lia ne se lassait pas de convoquer l'ocre rouge de la terre des*
> *seigneurs dévorée par le coeur noir des pins. Mais elle ne ter-*
> *minait jamais ses grandes toiles chaotiques, sanglantes et char-*
> *bonneuses. (CB 113)*

Dans un poème récent d'Anne Hébert, on trouve une des rares occur-
rences du mot "exil" dans son œuvre, exil spécifié comme spatial
(puisqu'il s'agit d'un "lieu d'exil"), exil et lieu peu attirants mais qui
n'empêchent pas le rayonnement secret de soleils-cœurs enfouis :

> *D'un lieu d'exil froid comme la lune*
> *Dans la cendre et la lave grise*
> *Ils émettent d'étranges rayons en secret*[52].

Néanmoins, il est clair dans des textes tels que "Quand il est
question de nommer la vie tout court nous ne pouvons que balbutier"
et "Le Québec, cette aventure démesurée", que pour Hébert les raisons fondamentales de l'aliénation québécoise sont d'ordre social, historique et culturel : pour elle le Québec est né comme un monde nouveau, Louis Hébert et Marie Rollet en était l'Adam et l'Eve (vision
typique des Nord-Américains d'origine européenne en ce qu'elle fait
abstraction de toute présence des Amérindiens ; *Le premier Jardin* té-
moignera d'une prise de conscience hébertienne de l'inexactitude de
cette vision euro-centrée, nous y reviendrons). Puis eut lieu la
Conquête (*cf.* l'expulsion du Paradis) qui favorisa la prédominance
d'une Eglise jansénisante et culpabilisante dans la société canadienne-
française. Ces deux événements ont fait, selon Anne Hébert, que dans
ce pays "l'homme n'est maître ni de soi, ni de sa terre, ni de sa langue,
ni de sa religion, ni de ses dons les plus authentiques"[53]. Toutefois, on
a la nette impression qu'une cause seconde importante de cette aliénation réside bien en ces paysages menacés par l'eau et la forêt, cette
nature qui peut écraser.

Un passage des *Enfants du Sabbat* suggère un co-fonctionnement exilant des forces sociales et telluriques du pays : "Nous sommes liés par les promesses et les interdictions. Nous sommes soumis à la dureté du climat et à la pauvreté de la terre. Nous sommes tenus par la crainte du péché et la peur de l'enfer." (ES 119)

L'œuvre dans son ensemble, tout comme les entrevues d'Anne Hébert, indiqueraient que Sachs a raison de penser que la nature contribue à l'aliénation/exil des personnages - mais il semble aussi que l'ordre de l'importance que Sachs accorde aux deux facteurs, le sociétal et le géographique, soit à inverser. Dans "Le Torrent", la raison pour laquelle François et sa mère vivent dans un "cadre physique sauvage", c'est l'attitude de la société envers les "filles-mères"(comme on disait à l'époque) ; d'où aussi le sentiment du péché chez Claudine. Quant au *Temps sauvage*, Hébert a précisé que "Ce huis clos étouffant, qui éclate peu à peu, représente [...] la condition d'une société canadienne-française que j'ai bien connue"[54]. Plus important encore que cet indice des intentions de l'auteure est le fait, textuel, que ce "huis clos" qu'est l'univers renfermé d'Agnès "éclate peu à peu," se transforme en "maison ouverte comme une gare, une loterie [...] une grande place où chacun prend ce que sa soif lui commande de prendre" (TS 78).

Par contre, *Kamouraska* (le roman qu'étudie Sachs) n'évoque pas que les duretés du pays québécois. Enfant, Elisabeth jouit de ses contacts avec le monde naturel, et ce rapport jouissif se manifeste encore lors de la partie de chasse où à l'âge de seize ans elle rencontre Antoine Tassy. Devenue Madame Rolland, Elisabeth se remémore favorablement son "paysage d'enfance" :

> *Le fleuve tout près coule entre des rives plates. Les longues prairies vertes, propriété de la commune, là où paissent les vaches, les chevaux, les moutons et les chèvres.*
> *La vie est paisible et lumineuse. Pas une âme qui vive. Je sens que je vais être heureuse dans cette lumière. Le fleuve lisse, la lisière des pâturages sur l'eau. Cette frise de bêtes placides broutant à l'infini. Je m'étire. Je soupire profondément. Est-ce l'innocence première qui m'est rendue d'un coup, dans un paysage d'enfance ? (K 50)*

En effet, tant que la mémoire de Madame Rolland réussira à tenir désert, "sans âme qui vive", ce paysage, il évoquera pour elle le bon-

heur. Pour elle, l'enfer c'est non pas le pays physique, mais les autres :
la société et la condition féminine qu'elle impose. La dureté géographique et climatique du Québec (évoquée par Mme Rolland à propos
du voyage de noce, du séjour d'Elisabeth à Kamouraska, et de l'expédition d'assassin de George) ont certes pour fonction signifiante d'exprimer ce qu'ont eu ces événements de dysphorique pour elle, dysphorie due d'abord et surtout à un contexte humain négatif
(comportement d'Antoine Tassy, le mari d'Elisabeth, et de sa mère,
crainte du jugement juridique et social). Ce serait donc le milieu humain plus que le milieu physique lui-même qui provoquerait une
perception négative de celui-ci. Interprétation confirmée par ce passage des *Enfants du Sabbat* qui consacre deux de ces trois phrases à la
problématique psycho-sociale, l'autre à la climato-géographique :

> *Nous sommes liés par les promesses et les interdictions.*
> *Nous sommes soumis à la dureté du climat et à la pauvreté de*
> *la terre. Nous sommes tenus par la crainte du péché et la peur*
> *de l'enfer. (ES 119)*

Un passage vers la fin des *Fous de Bassan* indique bien que c'est l'état
psychique de Stevens qui lui fait *imaginer* la tempête qui entoure le
viol d'Olivia et le meurtre des deux cousines (FB 248-9).

Sans doute la fonction littéraire principale de la topographie et
du climat québécois dans le texte littéraire hébertien est-elle de fonctionner comme *métaphore*, tantôt de la dureté de la chape idéologique
qui pèse sur eux, tantôt de la violence qui habite les personnages.
Cette violence leur aurait-il été inculquée par le milieu physique ?
Bien plutôt par la violence que la société fait peser sur eux : la violence de la révolte d'un François ("Le Torrent"), d'une Elisabeth, d'un
Stevens, est le pendant de la violence, de l'*exil à la fois interne et inté-*
rieur qu'on leur a fait subir - comme à la génération d'Anne Hébert aussi. Leur violence découlerait-elle plutôt de l'attitude négligente ou de
la dureté de leur mère, comme l'ont suggéré certains (nous y reviendrons) ? C'est possible, mais ce serait alors le résultat de l'exil caracté-
risant la condition féminine au Québec d'antan.

L'Ile de la Demoiselle, postérieure au "Torrent" et à *Kamouraska*
mais non aux *Fous de Bassan*, présente une vision assez différente de
cette problématique et soutient partiellement la thèse de Sachs (qui ne
la mentionne pas). Cette pièce évoque plusieurs espaces. Elle commence dans un port français. Au cours de la pièce, Marguerite de

Nontron et sa servante sont abandonnées par le chef de l'expédition - Roberval, oncle de Marguerite - dans l'Ile des Démons (*cf.* l'abandon par la France des Canadiens français sur ces "quelques arpents de neige" dont parlait Voltaire dans *Candide*) : l'espace français prend la forme - spatialement absente mais textuellement présente grâce à son nom et ses sons ("cloches", ID 76, "service des anges", ID 79) - du *Périgord* lors des deuils qui frappent les exilées, celles-ci y recourant pour y chercher réconfort. A la fin de la pièce, les pêcheurs vont ramener Marguerite "en France" (ID 92). L'espace québécois comporte lui aussi plus d'un élément dont le principal est la déserte Ile des Démons, dans le Golfe du Saint-Laurent, lieu de l'exil de Marguerite, Charlotte et Nicolas. Ce n'est pas la destination de l'expédition de Roberval, qui a pour mission "d'aller fonder une colonie très catholique, au pays de Saguenez et d'Ochelaga" (ID 12). Toutefois, ce drame radiophonique ne présente d'autre espace québécois que l'Ile des Démons ; d'ailleurs l'expédition Roberval, en 1542, s'est soldée par un échec en raison de la dureté de l'environnement.

Dès lors, l'Ile des Démons, rocher presque nu, sert de synecdoque symbolique du "Canada" tout entier - et oblige par là à tenir compte des propos de Murray Sachs. Toutefois, sur le plan du signifiant, la pièce nous fait assister à l'application littéraire la plus claire du principe, exprimé par Hébert dans divers textes théoriques, de la nomination du pays : "En votre honneur [dit un pêcheur à Marguerite de Nontron] nous appelerons desormais ce rocher : l'île de la Demoiselle" (ID 92). A ce propos il faut rappeler que Marquerite (et sa servante) furent exilées dans l'Ile des Démons par un homme et pour des raisons sexistes, puisque son mobile fut sa jalousie, son refus de laisser Margueurite choisir son propre amour. Dès lors, *le changement de nom* - une appellation féminine venant remplacer une appellation masculine - paraît répondre à deux versants de l'exil hébertien : la necessité de nommer le pays ; et de rejeter l'exil qu'est, dans cette œuvre, la condition féminine.

Remarquable est la ressemblance entre ce double processus scriptural et une déclaration qu'a faite Hébert vers la méme époque : "au Québec, s'exprimer comme une femme et faire parler un pays qui a été longtemps silencieux, ça fait deux bonnes raisons d'écrire"[55].

Ce double processus de nomination et de féminisation agit, incontournable, au niveau du signifiant. Il ne prive pas la position de Sachs (qui ne traite pas *L'Ile*) de toute pertinence à cette pièce. Aux

pêcheurs voulant la ramener en France, Marguerite répond d'abord :
"Ceux que j'aime reposent ici dans la pierre. Pierre je suis devenue et
je ne veux pas partir." (ID 92) Elle en est arrivée à ne plus voir l'Ile
des Démons comme lieu d'exil mais comme lieu auquel elle appartient ; cependant, que ceux qu'elle aime y "reposent" fait de l'Ile des
Démons un lieu de mort. Les pêcheurs comprennent l'erreur de
Marguerite, et insistent. Marguerite accepte alors de rentrer en France :
"Me voici, je viens, encombrante comme une ombre que l'on tire de la
nuit, au grand soleil". (ID 92) Rester dans l'Ile des Démons, ç'aurait
été choisir l'exil à deux niveaux : l'Ile des Démons fut indiscutablement le lieu de l'exil spatial de Marguerite auquel elle fut condamée
pour avoir choisi l'amour et l'indépendance ; l'Ile est également devenue le lieu de la mort pierreuse, et y rester, ce serait choisir l'exil dans
la mort à l'instar du Bernard d'*Héloïse* ou du Michel des *Chambres de
bois*. D'ailleurs, c'est en partie parce que Nicolas, mari de Marguerite,
éprouve la même obsession de la mort que tant d'autres jeunes
hommes dans le corpus hébertien, que l'Ile, où auraient pu régner
l'amour, s'est muée en lieu mortuaire. Marguerite a su triompher de
celle-ci, mais a failli sombrer malgré tout en restant dans cette "nuit".
Rentrer en France pour Marguerite, c'est choisir le non-exil par rapport à l'exil spatial et à l'exil dans la mort, c'est abandonner la "nuit"
pour le "grand soleil", cesser d'être "une ombre" pour redevenir une
femme vivante. Sur le plan du combat entre exil (spatial et psychique)
et non-exil, entre aliénation et libération, la ressemblance est frappante entre la fin de cette pièce et la fin du poème "Le tombeau des
Rois" ; à ces différences près, que la présence de la lumière (non-exil,
libération) est beaucoup plus marquée à la fin de L'*Ile de la Demoiselle*,
et que le processus de non-exil va explicitement de pair avec l'abandon du Canada et le retour en France.

Il reste que le processus de nomination et de féminisation a
bien eu lieu, et qu'il annonce peut-être la venue au monde d'un pays
possible, un peu comme *Mystère de la Parole*, voire comme *Les
Chambres de bois*, textes dans lesquels la libération en est à l'état inchoatif, annoncée, naissante, mais non encore solidement implantée
dans la durée ; pensons aussi à des phrases dans des textes tels que
"Quand il s'agit de nommer la vie...," "Le Québec, cette aventure démesurée," ou "Poésie, solitude rompue," dans lesquels, malgré l'insistance sur l'enracinement historique des Québécois en Amérique, le
caractère inchoatif, à peine naissant du pays est fortement souligné :
"Notre pays est à l'âge des premiers jours du monde" (P 71). On ne

saurait en conclure pour autant qu'Anne Hébert trouvait le milieu naturel québécois inapte à permettre à ses habitants d'accéder au bonheur et à l'amour : c'est aux artistes de rendre ce pays habitable, dit
Hébert à maintes reprises ; et dans cette tâche ce qui compte pour elle,
ce n'est pas la présence physique de l'artiste dans son pays, mais bien
plutôt : *l'œuvre artistique, œuvre qui témoigne largement de la présence du
pays dans l'artiste.*

L'étude du cadre des textes littéraires hébertiens fait donc ressortir un complexe jeu de rapports entre exil et non-exil. Des textes
(généralement du début de la carrière d'Hébert) à cadre peu ou non
déterminé géographiquement présentent néanmoins la thématique de
l'exil psycho-spirituel québécois. Quand l'œuvre "s'exile", prenant
pour cadre la France, celle-ci paraît le lieu possible de l'accès au non-
exil (libération) dans *Les Chambres de bois* ou à la fraternité (une forme
de non-exil) entre Québécois et Français populaires dans *La Mercière
assassinée*. Mais dans ces œuvres à cadre français, l'exil de l'œuvre
n'est pas totale, puisque la problématique fondamentale abordée reste
celle d'une lutte de libération contre une forme d'exil psychique liée à
l'ambiance culturelle québécoise jansénisante d'antan. Enfin, les
textes récents offrent le plus souvent de multiples références explicites qui confirment massivement le caractère québécois de leur
cadre. Cette intensification de la présence du Québec dans l'œuvre
semble avoir eu deux fonctions principales : compenser l'absence du
Québec dans la vie quotidienne de l'auteure (permettant ainsi
qu'émerge un cadre québécois écrit chaque fois qu'elle s'immerge
dans son univers fictif) et traduire une conscience accrue de la condition d'exil québécois, exil qui n'est pas seulement d'ordre psycho-spirituel, ne porte pas seulement sur l'être (Le Grand) mais (Hébert l'a
écrit) sur la terre, la langue et la religion aussi[56].

Rappelons qu'un texte qui annonçait les œuvres à forte localisation québécoise - "Le Québec, cette aventure démesurée" - pose, au
début de l'expérience québécoise, en les qualifiant de l'Eve et de
l'Adam de tout un peuple, Marie Rollet et Louis Hébert, ancêtres
d'Anne Hébert, deux Français (deux exilés volontaires). Ce texte
évoque en termes positifs l'expérience des colons de la Nouvelle-
France qui estimaient avoir à s'emparer d'un pays tout en le nommant, puis il évoque la Conquête qui a mis fin à cette exaltante aventure, pour enfin exhorter les Québécois à se libérer de l'emprise
clérico-janséniste (conséquence en partie de cette même Conquête), et

à reprendre la tâche initiale de la civilisation française en Amérique du Nord, mais désormais sur un plan plus psychique voire poétique, que géographique : posséder le pays en le nommant (c'est-à dire, en l'écrivant). Cette conception de la mission des "Français d'Amérique" diffère de celle qu'exprimaient bon nombre de religieux au dix-neuvième et même au vingtième siècle, celle selon laquelle la mission des francophones en Amérique du Nord était d'y répandre les valeurs du catholicisme (perçues comme identiques à celles des religieux en question). Dans ce texte-clef qu'est "Le Québec, cette aventure démesurée", Hébert appelle les Québécois à une libération qui consisterait en partie à renouer avec, en la transformant, l'expérience de la Nouvelle-France, des Français au Nouveau Monde. Dans la majorité des textes à forte localisation explicite québécoise - "La Maison de l'esplanade", "Un grand Mariage", *Kamouraska*, *Les Enfants du Sabbat*, *Le premier Jardin*, *L'Enfant chargé de songes* - ce Québec fictif se structure surtout en fonction de la ville de Québec, la vieille capitale de la Nouvelle-France.

La libération rarement réalisée mais dont il est souvent question dans l'œuvre hébertienne a une composante nationale, et sur ce plan-là il y a tendance dans cette œuvre, comme dans la pensée/rêverie d'Anne Hébert, à abolir autant les frontières de l'espace que du temps. Abolir les frontières du temps, remonter à l'expérience de la Nouvelle-France, c'est par là même abolir les frontières géographiques en réintégrant une époque où France et Nouvelle-France ne constituaient que deux composantes d'un même royaume et où l'on passait de l'un à l'autre, comme l'ont plus d'une fois fait justement, Louis Hébert - et Flora Fontanges (du *Premier Jardin*).

Nous pousserons plus avant l'exploration de cette question en fonction du texte hébertien où elle se pose de la façon la plus nette - *Le premier Jardin* ; voyons sa forte présence dans une nouvelle très rarement commentée par la critique hébertienne, "Un Dimanche à la campagne", parue dans la revue *Châtelaine* en 1966 (soit vers l'époque de l'installation d'Anne Hébert à Paris). Le pays-cadre s'annonce d'abord sans doute par la référence au lac vers lequel, dès la première page, s'avance la grande baie de la salle à manger de la maison familiale. (DC 38) Une page plus loin, le lecteur rencontre des chaussures qui ont pu être rongées par une souris - ou par un "castor perdu" (DC 125), indice d'appartenance nord-américaine tout comme "les joueurs de base-ball du village" (DC 127) ; plus tard, la référence du père à sa chaire à Laval et à son "cabinet légal" à Québec précise que nous sommes dans un Québec fictif. Cette nouvelle développe ensuite le thème bien hébertien de la remontée à la surface et à la conscience d'un refoulé, voire d'un atavisme, remontée qui concernera d'abord les origines sociales, et ensuite les origines nationales ou ethniques (françaises). Le principal personnage masculin, professeur d'université et avocat, pense d'abord à son futur gendre avec mépris pour le paysan qu'est celui-ci :

> Ce grand niais. Son rire agricole. Sa dent en or. Je suis sûr qu'il a une dent en or. L'arrière-ban de la société. Vaches, cochons, couvées. Quel fumier. Les bêtes qu'on engraisse. Qu'on égorge. Qu'on saigne. La terre. Noire, grasse. Qui s'attache aux vêtements et aux chaussures. (DC 127)

Et qui s'attache aussi, aurait pu ajouter ce personnage, aux lignées comme aux psychés : dans un processus semblable à cette mémoire involontaire qui impose quelquefois à d'autres personnages hébertiens - Augustin Berthelot, Elisabeth Tassy, Flora Fontanges - des souvenirs qu'ils auraient préféré refouler, ce "professeur de droit international à Laval. Etudes à Columbia et à Paris", poursuit ainsi sa rêverie sur la terre : "Le fin fond du passé qui nous saute au visage. Aïe ! Surtout ne pas réveiller ma grand-mère. Son odeur aigre de petite vieille jamais lavée" (DC 127). Et encore,

> Cette cabane à sucre abandonnée. [...] Le poêle à bois. Les chaudrons de fer rouillé. Tout le vieil attirail des ancêtres. Du folklore. Aïe ! Aïe ! Je ne puis éviter cette apparition qui me guettait dans l'ombre. Depuis un moment déjà. Ma grand-mère en tablier à carreaux me regarde. Son chignon dur comme une noix penche dans son cou. Bon, elle se retire en gloussant. Je respire mieux quand elle n'est pas là (DC 137).

Le glissement involontaire jusque dans le passé est déjà bien entamé, et se centre sur un personnage marqué aussi bien socialement (paysanne) que sexuellement (personnage féminin de la grand-mère). Bien entendu, si l'on poussait assez loin l'évocation du passé familial d'Antoine Tremblay, on aboutirait à des habitants de la Nouvelle-France et même de la Vieille. Remontée temporelle et généalogique qui ne manquera pas de se produire, et d'abord à l'aide de ce trait culturel par lequel les Québécois descendent le plus manifestement des

Français : la langue et plus précisément, un français bien paysan. Quand le père du futur gendre prendra la parole, la réaction ne tardera pas : "Cette voix assourdie, râpeuse. Antoine l'a reconnue tout de suite. On parle ainsi quelque part en lui. Dans une campagne reniée du bas du fleuve" (DC 142).

Reniement qui se muera en aveu quasi fière dans l'euphorie de l'accord, entre les deux familles, sur ce mariage qui assurera la *pérennité des deux* et donc *du peuple dont elles font partie* :

> *La séance est terminée. Les voici sur la galerie à présent. Les trois hommes s'épongent le front. Ils boivent du scotch avec beaucoup de glace. [...] Mon Dieu! quelle partie! Match nul. Tous champions. Tous vainqueurs. Antoine et Zoël [le futur gendre] se serrent la main en bons sportifs. Encore un peu Antoine avouerait sa grand-mère. [...] Pour que les Painchaud sachent à quoi s'en tenir. Elle mangeait avec son couteau, ma grand-mère. Elle ne savait ni lire ni écrire. Elle était rude et tendre à la fois. Une maîtresse femme. Une grande Eve royale dans un paradis féroce. Je l'aimais. Je la respectais. Bah! Pourquoi faire tant de manières. Tous parents. Tous frères. Tous paysans dans l'âme. La même source de terre et d'eau mélangée. Clôturée comme un jardin. Contre les Iroquois et les Anglais. Même Louise [épouse d'Antoine], si elle s'en donnait la peine, pourrait remonter jusque là. En cherchant bien dans les vieux pays... (DC 151)*

Si la grand-mère enterrée, qui revient hanter le fils, fait penser à la femme noire déterrée vers la fin de *Kamouraska*, cet extrait fait penser surtout au *Premier Jardin*, avec sa définition du pays comme un jardin et ses références à l'époque de la Nouvelle-France. Et si la présence du Québec dans plusieurs textes postérieurs à l'installation d'Anne Hébert à Paris fonctionne comme signe du Québec qui gît sous la surface de la vie quotidienne de l'auteure, dans cet extrait d'"Un Dimanche à la campagne" un paysan français, et métonymiquement donc, la France, se cache sous la surface apparemment toute québécoise du texte : "En cherchant bien dans les vieux pays". Nulle opposition ici entre "français" et "québécois", entre "Québec" et "France", mais bien plutôt fusion en une seule et même réalité transatlantique et trans-historique, un seul et même peuple répandu dans ce qu'Antoine appelle ailleurs dans la nouvelle "Les deux continents"

(DC 127). Fusion grâce à cette "même source de terre et d'eau [le Québec et la France ?] mélangée".

Cette fusion territoriale imaginaire, qui constitue une sorte d'abolition de la Conquête, répond vraisemblablement autant à l'expérience d'exil collectif instaurée par l'occupation militaire britannique, qu'au sentiment d'une certaine marginalisation individuelle provoquée par le caractère francophile de l'éducation de l'auteure.

Cette portée signifiante d'ordre transatlantique et trans-historique est donc bien réellement inscrite dans les textes hébertiens et relève de la problématique de l'exil tout autant que de celle de l'identité. Pour les personnages québécois, retrouver leurs racines françaises peut accuser la prise de conscience de l'exil collectif spatial qu'a engendré l'émigration des ancêtres français vers la Nouvelle-France, et de l'exil politico-historique qu'a provoqué la Conquête ; mais peut aussi offrir un antidote à l'exil en permettant aux personnages d'avoir une vision plus complète et plus juste de leur identité, et donc un sentiment mieux équilibré et plus harmonieux de celle-ci, de qui ils sont, d'où ils viennent et peut-être aussi, de leur évolution à venir. Assurément, les différences entre les trois types de cadres spatiaux (indéterminé, français, québécois) n'empêchent pas qu'il y ait entre eux interpénétration et interfécondation signifiantes, circulation incessante du sens et de l'imagination de l'un à l'autre, qui est toujours, au fond de l'h/Histoire (individuelle et collective) le même. Rien de contradictoire donc, entre le projet de s'approprier le pays québécois en en faisant l'objet de son écriture, et le fait d'habiter en France, d'autant plus que, grâce largement d'ailleurs à cette présence du Québec dans son œuvre, Anne Hébert reste présente dans l'institution littéraire québécoise, et conserve le statut d'écrivaine et de citoyenne illustres dans son pays d'origine.

En même temps, l'œuvre semble bien témoigner d'une tension interne entre d'une part, le constat de la dureté du pays géographique et social québécois et par conséquent la tentation de la "douce France", et d'autre part, l'aventure de rendre habitable le Québec. Une "France" et un "Québec" écrits, imaginaires, fictifs qu'il faut se garder de confondre avec les pays "réels" du hors-texte, comme Hébert l'a signalé :

> [Anne Hébert] je retourne au torrent chaque fois que je vais à Sainte-Catherine, c'est un endroit qui me fascine...

> [Gloria Escomel] Mais ne disiez-vous pas que les lieux où se déroulaient vos récits se fermaient pour vous dès que vous terminiez d'écrire ?

> [Anne Hébert] Pas les vrais lieux: je retourne au torrent, à Sorel, à Kamouraska... j'habiterais bien à Kamouraska, le pays réel, mais pas celui du roman; ce qui se ferme et où je ne voudrais pas vivre, ce sont les lieux tels que décrits, tels que recréés dans l'imaginaire des romans et qui sont finalement des pays imaginaires[57].

Cette importance de sa subjectivité, Hébert l'a confirmée tout en en laissant voir l'évolution :

> Oui, je crois qu'on appartient à un paysage, à une certaine terre, comme la faune, comme la flore. Je préfère beaucoup maintenant le bas du fleuve. Sainte-Catherine m'a marquée d'une façon bonne, mais aussi mauvaise, parce que c'est un paysage très fermé, austère, qui manque d'ouverture[58].

Une contradiction interne semblerait habiter cette déclaration, car l'"appartenance" à une terre n'empêche apparemment pas, pour Hébert, un *changement d'appartenance et d'allégeance* : pour reprendre ses images zoologiques et botaniques, elle - au niveau psychique, imaginaire - a su migrer, se transplanter, d'une région à une autre (toutes deux québécoises).

En outre, il serait légitime de recourir ici à ce propos de Rimbaud qu'Anne Hébert cite souvent, "Je est un autre": que la personne Anne Hébert aime retourner à certains endroits auxquels correspondent des endroits fictifs dysphoriques dans son œuvre n'est pas vraiment paradoxal : l'écrivaine met en texte des "pays imaginaires", pays subjectifs qu'elle voit, vit, et transcrit, recrée, transfigure, la plume à la main.

CHAPITRE V

EXILS ET EXILÉS DANS L'ŒUVRE D'ANNE HÉBERT

Quasi innombrables semblent les exils et exilés hébertiens. L'observation de Harger-Grinling et de Chadwick selon laquelle tous les personnages principaux de *Kamouraska* subissent l'exil pourrait s'appliquer à la majeure partie de l'œuvre[1]. Cela, en raison de la polyvalence définitionnelle et signifiante de l'exil, la diversité de ses formes et manifestations : à l'exil spatial se joignent plusieurs autres parmi lesquels ne cesse de croître en importance, l'exil féminin.

Pour éviter la répétition, on ne reviendra ici que dans la mesure du nécessaire sur certains cas d'exil dont l'étude a été entraînée par celle du cadre au chapitre précédent ou par celle de l'exil textuo-biographique au Chapitre III. Ne seront pas non plus étudiés dans le détail les cas d'orphelins et de demi-orphelins, personnages dont abonde l'œuvre hébertienne et dont le statut d'exilés, abordé au chapitre II, a déjà fait l'objet de la critique hébertienne[2].

Les poèmes des *Songes en équilibre* et du *Tombeau des Rois* évoquent quelquefois l'exil spatial cinétique, mais ils ont le plus souvent recours au motif de l'exil interne, de la claustration dans un lieu où

prédomine le dysphorique (le manque d'indépendance et de bonheur) sur les plans intellectuel, affectif et corporel :

> *Retourne sur tes pas ô ma vie*
> *Tu vois bien que la rue est fermée*
>
> *Vois la barricade face aux quatre saisons*
> *Touche du doigt la fine maçonnerie de nuit dressée sur l'horizon*
> *Rentre vite chez toi*
> *Découvre la plus étanche maison*
> *La plus creuse la plus profonde. ("Retourne sur tes pas", P 45)*

La critique a souvent affirmé - comme Anne Hébert elle-même
- que ce motif de la claustration dans la dysphorie et l'aliénation correspond bien à ce que pouvait être la vie pour bon nombre de
Canadiens-français avant la Révolution tranquille. On trouve en effet
dans les poèmes du *Tombeau des Rois* (le recueil, publié en 1954, re-
groupait des poèmes parus pour la plupart entre 1942 et 1953) et parfois dans ceux des *Songes en équilibre* (1942 ; rappelons "Jour de juin"
notamment) ce même "huis clos étouffant" qu'Hébert a signalé dans
Le Temps sauvage et dont elle a dit qu'il "représente [...] la condition
d'une société canadienne française que j'ai bien connue"[3]. Ce motif
traduit l'exil interne (ou perçu ainsi par les intéressés) hébertien et
québécois de l'époque. La claustration a une dimension spatiale, en ce
sens qu'elle traduit l'impossibilité de changer d'espace en en quittant
un dysphorique pour un autre, plus heureux ; la claustration rappelle
ainsi que dans la vie comme dans l'oeuvre hébertiennes, l'exil spatial
cinétique, né comme tout exil de facteurs dysphoriques, a pu paraître
un moindre mal, voire une solution. L'exil cinétique peut être imposé
(le plus souvent par une autorité politique) ou choisi ; dans ce dernier
cas l'"exil" constitue pour l'"exilé/e" une amélioration au moins relative par rapport à la situation dysphorique dans le pays d'origine - et
donc comme un facteur d'anti-exil.

Ce motif de la claustration prend nettement des allures d'exil
spatial lorsqu'il s'ecrit par la figure bouleversante de "L'Envers du
monde", pour citer le titre d'un poème du *Tombeau des Rois*. Dans ce
poème, les "filles bleues de l'été" découvrent qu'elles sont emprison-
nées dans un espace tellement dysphorique qu'il leur en apparaît
comme le contraire de la vie, "l'envers du monde" (p. 53). Les personnages hébertiens sont souvent coincés dans un espace dysphorique

qui ressemble plus à la mort qu'à la vie : c'est un monde autre, un an-ti-monde, une anti-vie. Les vers "Le monde est en ordre/Les morts dessous/Les vivants dessus" (dans "En guise de fête" comme dans *Héloïse* et ailleurs chez Anne Hébert) comportent une forte part d'iro-nie tragique, car le sujet locuteur du poème ajoute : "Les morts me vi-sitent" et "Les vivants me tuent" (p. 36) ! confirmant ainsi qu'il se trouve exilé de la vie, chassé au pays de la mort par des forces exté-rieures qu'il perçoit et comprend mal : "Qui donc nous a chassées de ce côté ?" demandent les filles de "L'Envers du monde" (p. 53). Ici il y a donc bien eu exil spatial *imposé* (*cf.* "chassées"), fait important, car il traduit une certaine prise de conscience que la dysphorie et l'aliéna-tion dont témoignent ces poèmes sont *spatialement et donc socialement déterminées*, les produits d'un pays, d'une société, donnés (ce qui rap-pelle aussi que l'espace est double : et physique, et humain, un paysa-ge, un peuple). Le type d'espace dans lequel les personnages poé-tiques, dramatiques et fictifs hébertiens se trouvent emprisonnés reflète la culpabilisation qu'imposait l'idéologie clérico-traditionnalis-te qui frappait surtout le corps et la sexualité. Le monde de l'exil hé-bertien, c'est souvent tout d'abord celui du corps sensoriel et sensuel *exclu*, celui d'une chair exilée hors de l'espace textuel comme l'est cel-le de la squelettique "fille maigre" réduite à ses seuls "beaux os" (p. 33). L'exil interne est parfois intérieur aussi, claustration dans un repli sur soi introspectif que le texte hébertien constate, dénonce, et appelle le sujet poétique à rejeter dans "Vie de château" :

> *C'est un château d'ancêtres*
> *Sans table ni feu*
> *Ni poussière ni tapis.*
>
> *L'enchantement pervers de ces lieux*
> *Est tout dans ses miroirs polis.*
>
> *La seule occupation possible ici*
> *Consiste à se mirer jour et nuit.*
>
> *Jette ton image aux fontaines dures*
> *Ta plus dure image sans ombre ni couleur.*
> *Vois, ces glaces sont profondes*
> *Comme des armoires*
> *Toujours quelque mort y habite sous le tain*
> *Et couvre aussitôt ton reflet*

> *Se colle à toi comme une algue*
> *S'ajuste à toi, mince et nu,*
> *Et simule l'amour en un lent frisson amer (P 54).*

C'est le rejet/exil de la chair qui fascine Bernard chez la maigre Héloïse et dont rêve Michel pour Catherine comme pour Lia ("Un jour, je le crois, elle redeviendra pure comme ses os", CB 189).

Si "L'Envers du monde" écrit l'exil spatial, celui-ci est lié à un sentiment d'exil *temporel* chez des personnages qui se trouvent exilés de leur enfance et de leur première adolescence (pendant lesquelles les contraintes sociales aliénantes ne s'étaient pas encore pleinement exercées) : la fille qui a fait la découverte de l'exil qu'elle subit avec ses compagnes "cherche en vain derrière elle / Un parfum, le sillage de son âge leger" (p. 53). Nulle part dans l'œuvre hébertienne, le sentiment d'un exil temporel ne se manifeste-t-il de plus émouvante façon que dans "Petit désespoir" :

> *La rivière a repris les îles que j'aimais*
> *Les clefs du silence sont perdues*
> *La rose trémière n'a pas tant d'odeur qu'on croyait*
> *L'eau autant de secrets qu'elle le chante*
>
> *Mon cœur est rompu*
> *L'instant ne le porte plus (P 23).*

Catherine (*Les Chambres de bois*) et Elisabeth (*Kamouraska*) auront la nostalgie de certains moments de leurs enfance et jeunesse quand elles avaient la possibilité de toucher au monde sensoriel, voire (dans le cas d'Elisabeth surtout) d'en jouir et de jouir de l'espace ouvert du monde extérieur. Les textes hébertiens qui évoquent la libération (*Mystère de la Parole*, *Les Chambres de bois*, "Et le jour fut") attachent à celle-ci une forte dimension spatiale : le personnage hébertien y (re)trouve notamment un espace ouvert et sensoriellement riche :

> *Le jardin sera très grand, sous de hautes maîtrises d'eaux et de forêts, bien en terre, bien en souffle, et toutes feuilles lisibles dans le vent. (PNRL 151)*

S'ébauche ainsi une double problématique de l'exil spatial. D'une part, le personnage hébertien subit un exil (*cf.* "Qui donc nous a chassées de ce côté ?") consistant dans sa claustration dans un anti-monde stérile ; d'autre part, apparaît ainsi la figure possible d'un déplacement spatial qui lui permettrait de quitter cet espace dysphorique pour un autre, plus heureux - bref, la figure possible d'un "exil" libérateur. Justement, *Poèmes* montre aussi que, comme tant de thèmes chez Hébert, l'exil peut inverser sa signification pour revêtir un sens positif ; il peut devenir l'espace de la libération et de la renaissance. Ne relève-t-elle pas de l'exil spatial, cette descente au pays des morts qu'effectue la "je" du "Tombeau des Rois", pays où elle tue la mort et entrevoit la lumière d'une vie nouvelle, d'une sortie de l'exil, d'une remontée jusqu'au pays des vivants ? (p. 59-61) Et "Hors les murs chassée" (exil spatial ; mais aussi exil social) l'héroïne de "La Ville tuée" découvre son identité, son autonomie, dans le bonheur, "son propre tendre visage éclatant" (p. 94- 96). Souvent la libération qu'écrit *Mystère de la Parole* prend la forme de noces fusionnelles entre le moi, son cœur, son corps, sa parole, les autres, et la terre ; les noces avec la terre ont une dimension à la fois sensorielle et spatiale (cette terre est celle des espaces ouverts de la nature).

Un semblable jeu de rapports entre exil psychique et exil spatial se manifeste dans *Les Chambres de bois* ; et à nouveau l'exil spatial se révèle apte à revêtir un fonctionnement signifiant positif. Au "pays de Catherine", celle-ci est déjà exilée du bonheur et de l'épanouissement personnel ; elle y réagit en s'évadant, s'exilant dans le songe ou l'enfance, pratiquant ainsi cette absence au réel que dénonce Hébert ailleurs. Cet exil volontaire psychique ne semble guère offrir de solution à l'exil de Catherine, sauf indirectement, dans la mesure où sa fuite dans le pays du rêve l'amène tout naturellement à accepter de se réfugier dans le conte de fées que semble être le mariage avec ce "jeune seigneur oisif et beau", ce "prince ténébreux" qu'elle voit en Michel. Mariage qui la fera s'exiler spatialement en se rendant d'abord dans le "pays de Michel et de Lia", ensuite à Paris, exils spatiaux nécessaires pour qu'un jour elle s'exile spatialement une troisième fois, cette fois-ci dans une région méditerranéenne, exil libérateur puisqu'il lui permettra d'échapper à l'exil psycho-social qu'elle subissait dans son pays et sa société d'origine comme chez Michel. Un chassé-croisé de l'exil spatial cinétique et de l'exil spatial de claustration marque le parcours de Catherine. Pour mieux fuir son réel (son pays) dysphorique, Catherine s'exile dans un mariage qui se traduit par un double exil spatial : à Paris en apparence, mais en réalité dans l'espace clos des chambres. Là, sa dysphorie sera telle, que Catherine sera tentée par l'exil définitif au funèbre pays de la mère morte (CB 135) où voudrait l'envoyer Michel (CB 141). Mais, tout comme la "je" du "Tombeau des Rois", descendue au royaume des morts, y trouve le sursaut vital de tuer ces morts et renaître, le corps même de Catherine, aux portes de la mort, puise la pulsion de vie qui lui fait repousser Michel et partir des chambres-cercueil pour retrouver la vie (CB 141). Ce départ, ce deplacement spatial sera un bel exemple d'exil spatial mélioratif.

L'exil spatial comporte rarement ce versant optimiste chez Anne Hébert. Dans "Le Printemps de Catherine", l'exil qu'impose la guerre ravit l'héroïne qui en attend la libération: "«Ah! que tombe toutes les grilles et les murailles et que je m'échappe aussi !» [...] La délivrance est assurée." (T 131) Le sentiment d'exil est tellement fort qu'un personnage dit: "«Nous sommes précipités pêle-mêle hors de la planète humaine»[...]" (T 140). Mais après que l'exil a procuré à Catherine une certaine liberté spatiale et sexuelle (il lui a permis de connaître l'homme pour la première fois), elle décide de tuer le soldat endormi - trop soûl, la veille, pour prêter attention à sa laideur - afin qu'il ne la voie point, ni ne la rejette (l'exile). La conséquence de ce meurtre est un exil encore plus grand, qui confirme définitivement celui qui semble hanter Catherine depuis toujours :

> Elle enfonce le couteau [...] un oeil bleu [...] s'est ouvert, étonné plus que terrifié. Un œil d'enfant si bleu. [...] Dans cet œil bleu qui se fige pour toujours, un instant elle a vu luire je ne sais quelle enfance, jardin d'où elle demeure à tout jamais chassée. (T 143).

Ici, l'exil prend deux formes : celui, initial, par lequel Catherine "la Puce" fut "chassée" du "jardin" (exil métaphoriquement spatial mais en réalité temporel) ; et celui (et spatial, et moral) provoqué par la guerre. Celui-ci ne réussit pas à apporter la libération que l'héroïne en escomptait. Celui-là sert explicitement de symbole d'une perte originelle de l'enfance/innocence. La répression que Catherine subit depuis toujours de la part du monde adulte paraît analogue au sentiment de culpabilité originelle qu'un monde adulte répressif fait peser sur le personnage hébertien dans d'autres textes. Cette situation dysphorique fondamentale aussi bien que l'espoir d'une libération s'écrivent à l'aide de la figure de l'exil spatial, qui confirme ainsi sa pertinence pour l'analyse du texte hébertien.

Délia, l'héroïne métisse d'"Un grand Mariage", fut obligée de
quitter son pays nordique où un homme, après avoir promis de
l'épouser, l'avait abandonnée ; elle retrouve cet homme à Québec.
Délia y vit un cruel exil, en partie en raison des enseignements de
l'Eglise ; Québec devient le lieu de son exil spatial et moral. Cette ville
est aussi, à certains égards, un lieu d'exil pour Augustin qui a réussi à
se hisser jusqu'à la Haute-Ville (quartier bourgeois) mais au prix d'un
exil du Bien, car pour réussir il a basculé définitivement dans l'égoïs-
me, l'arrivisme, le mal, s'est livré corps et âme au "Dieu noir dans son
cœur" (T 207).

Augustin connaît pourtant l'exil depuis longtemps. Cet exil fut
d'abord spatio-social, et vertical : originaire de la Basse-Ville (quartier
populaire), fils de cordonnier, il s'y sentait en exil par rapport et à la
Haute-Ville et à la bourgeoisie (T 196). L'exil de dix ans qu'il s'imposa
dans le Grand Nord, il l'a vécu comme anti-exil ! instrument pour accéder à la bourgeoisie et à la Haute-Ville. Cela lui a réussi apparemment ; mais en accédant au non-exil spatio-social, Augustin est tombé
dans l'exil moral. Et on a l'impression que, tant pour Délia que pour
Augustin, la seule solution à leur l'exil moral à Québec serait l'*ailleurs*,
un nouvel exil spatial désexilant, un nouveau départ, littéralement: le
retour dans le Grand Nord. Dans "Un grand Mariage", l'exil est *spatio-social* car il résulte du désir d'une bourgeoisie québécoise de protéger sa situation (spatialement et socialement) dans la hiérarchie sociale, bourgeoisie qui dans ce but va jusqu'à employer l'Eglise pour
obtenir la soumission des humbles.

Dans certains textes hébertiens, l'exil spatial et social résulte
d'une transgression, par le personnage, du code moral de la société
québécoise bien-pensante. Dans "La Maison de l'Esplanade", Charles,
frère de la vieille bourgeoise Stéphanie de Bichette, fut obligé de quitter la Haute-Ville après son mariage avec une fille d'origine populaire
avec qui il doit désormais habiter la Basse-Ville. Comme dans "Un
grand Mariage", on découvre l'existence, dans l'œuvre hébertienne,
d'un *spatio-social vertical* ; mais dans "La Maison de l'Esplanade", le
parcours du personnage est l'inverse de celui d'Augustin. Malgré cette inversion du sens de l'exil spatio-social vertical, le point d'arrivée
est le même : l'exil *moral*. Car Charles (comme sa femme) n'a qu'un
désir: la mort de sa propre sœur, Stéphanie ; celle-ci, qui leur inflige
cet exil (ou du moins sa dimension spatio-sociale), paraît vivre dans
un exil *affectif* total.

Encore une fois Québec, en raison de la dichotomie Haute-Ville/Basse-Ville, bourgeoisie/peuple, exclusion-exil de celui-ci par celle-là, parait le lieu d'un exil moral omniprésent (dans la Haute-Ville) qui va de pair avec l'exil spatio-social vertical (dans la Basse-Ville). Cette vision négative de la ville de Québec comme lieu de l'exil se retrouvera un demi-siècle plus tard environ dans *Le premier Jardin*, on y reviendra au Chapitre VII.

Dans "La Mort de Stella", un curé ("poussé par quelque dame patronnesse") demande à Stella et à son mari s'ils sont bien mariés : "La réponse d'Etienne [...] décida de leur départ du village" (T 242). L'exil apparemment moral mais en réalité social dans lequel se trouvent les pauvres entraîne ici leur exil spatial, celui-ci non seulement symbolisant mais matérialisant celui-là. Mais le véritable exil moral est celui de la "dame patronnesse" et du curé, cruels envers les humbles de la terre et en contradiction flagrante avec les principes du christianisme (l'on pourrait ainsi étudier les rapports de l'imaginaire hébertien avec le catholicisme, depuis l'adhésion exprimée dans un texte tel que "Trois petits garçons dans Bethléem" [1937], dans certains poèmes de *Songes en équilibre* [1942] et dans "L'Annonce faite à Marie" [1945] jusqu'à la véhémente dénonciation du catholicisme et des catholiques dans "Le Torrent" [1945], dans *Kamouraska* [1970], et surtout dans *Les Enfants du Sabbat* [1975], en passant par les doutes et hésitations exprimés dans des textes tels que *Le Temps sauvage* [1963]).

Claudine Perrault, dans "Le Torrent", fut obligée de s'exiler loin dans la forêt sauvage de par son statut de fille-mère ; son exil s'accompagne de l'exil absolu de son fils : "J'étais un enfant dépossédé du monde. Par le décret d'une volonté antérieure à la mienne, je devais renoncer à toute possession en cette vie", déclare François (T 9). Le puritanisme social fut donc à l'origine de cette dépossession qui s'est d'abord traduite, chez Claudine, par l'exil spatial. Claudine a vécu cet exil comme expérience fort dysphorique ; mais il fut la conséquence d'une situation dysphorique initiale (rejet social et moral) se confondant avec la condition féminine. L'exil spatial de Claudine (et par conséquent de François) fut donc la conséquence et la manifestation d'un exil social féminin naguère occulté. Il est probable aussi que Claudine voyait, dans son exil spatial, l'espace d'une libération possible puisque c'est là qu'elle espérait se racheter grâce à l'accession de son fils à la prêtrise. Il n'en sera rien.

Plus que tout autre texte hébertien, la critique a lu "Le Torrent" comme admirablement mimétique, parfait reflet d'un exil canadien-français collectif d'ordre psycho-spirituel. Ainsi, pour Gilles Marcotte,

> *Cette fable terrible et belle est l'expression la plus juste qui nous ait été donnée du drame spirituel du Canada français. Sa portée sociale est explosive - sans même que les données sociales y apparaissent expressément. "Le Torrent" est, dans notre littérature, le plus haut exemple d'une littérature profondément, totalement engagée[4].*

Sans doute ; encore qu'Adrien Thério ait écrit en 1971 que

> *Je ne vois rien dans l'oeuvre romanesque d'Anne Hébert qui puisse me faire croire que le pays qu'elle explore ressemble d'une façon ou d'une autre au Canada français que nous avons connu ou que nous connaissons encore. Il s'agit pour moi d'une aventure de création tout à fait personnelle qu'il m'est impossible d'ajuster sur l'aventure collective des gens d'ici[5].*

Anne Hébert elle-même a souvent nié toute valeur à certaines lectures sociologisantes du "Torrent", celles qui tendent à lire François comme symbole du Québec[6]. Quiconque lit "Le Torrent" aujourd'hui toutefois, ne peut qu'être frappé par la racine du mal, la source première de ce que Marcotte nommait "drame spirituel", racine ou source que fut la condition féminine qui provoqua l'exil initial de Claudine. Comme l'a écrit Robert Harvey, "Une certaine `faute', celle de la mère, Claudine Perreault, paraît motiver toutes les actions des personnages du drame"[7] : or, cette "faute", ce fut, aux yeux de la société et selon Claudine elle-même qui s'est fortement introjecté ce jugement, le "péché" d'être devenue "fille-mère", comme on disait naguère. Par cette dimension du "Torrent", Hébert était en avance sur son temps (et l'on peut en dire autant pour ce qui en est de la conscience pro-féminine manifestée dans plusieurs autres des premiers textes hébertiens ; il a fallu attendre l'époque de *Kamouraska* pour que le discours social fasse un large écho à semblable conscience). Toutefois, cette dimension concrètement féministe du "Torrent" fut occultée par la critique presque exclusivement masculine de son époque.

"Le Torrent" comporte l'une des plus fortes manifestations de ce genre d'exil que, dans notre Introduction, nous appelions *psychanaly-*

tique : Gilles Houde, dans son étude "Les symboles et la structure mythique du *Torrent*", voit dans ce texte la manifestation du refoulement
(exil) généralisé de l'inconscient[8] - ce qui n'empêche pas les lectures sociologisantes et féministes de ce texte d'avoir leur (large) part de vérité.
Dans une grande mesure, "Pour un nouveau *Torrent*" de Robert Harvey
poursuit et approfondit cette approche psychanalysante.

Il semblerait bien, comme Russell l'a remarqué, que l'Elisabeth
de *L'Arche de Midi* fut fille-mère et dut s'exiler en raison d'un comportement sexuel rejeté par sa société[9]. Sa fille Marie, tout comme
François dans "Le Torrent", subit un exil spatial et socio-moral en raison d'une faute sociale commise par sa mère. Dans *Le Temps Sauvage*
aussi, l'exil spatial des jeunes leur est imposé par l'adulte, car Agnès a
décidé de s'exiler loin dans la montagne pour éviter à ses enfants l'influence corruptrice de la réalité humaine (la société) :

> [*Agnès*] - *Une seule chose est claire : c'est ma volonté de vous*
> *garder tous ici, dans la montagne, le plus longtemps possible, à*
> *l'abri du monde entier, dans une longue enfance sauvage et*
> *pure (TS 11).*

L'exil spatio-moral et affectif de l'enfant en raison des fautes des
parents se retrouve fortement dans *Les Enfants du Sabbat*. D'une part,
les parents diaboliques de Julie furent souvent obligés de déménager
(s'exiler) en raison de leurs transgressions sociales, de sorte que leur
vie et celle de leurs enfants fut une errance perpétuelle, un exil sans fin.
D'autre part, Julie s'exile du monde de la cabane pour s'enfermer au
couvent, lieu encore plus dysphorique, dans l'espoir que cet exil interne sacrificiel - cette concession aux lois de l'Eglise et de la bourgeoisie -
amènera Dieu à protéger la vie de son frère Joseph, militaire en Europe.
Elle ne pourra supporter cet exil ; la fin du roman est richement polysémique, car on ne sait si Julie réussit à s'évader de cet exil pour regagner
l'espace originel (où alternaient et se confondaient dysphorie et liberté)
ou si elle sombre dans l'exil de la folie, voire l'exil du suicide[10]. Sa vie
au couvent est, avec le poème "Et le jour fut", la plus virulente dénonciation de l'Eglise québécoise dans l'œuvre hébertienne.

*Kamouraska, Les Fous de Bassan, L'Ile de la Demoiselle, Le premier
Jardin* et *La Cage* ont pour cadre référentiel principal le Québec, et présentent tous des cas d'exil spatial et autre.

George Nelson a subi l'exil dès l'enfance ; Elisabeth, sa maîtresse nous l'apprend :

> *La pitié ouverte comme une blessure. [...] Vous combattez le mal, la maladie et les sorcières, avec une passion égale. D'où vient donc, qu'en dépit de votre bonté, on ne vous aime guère [...] On vous craint [...] Comme si, au fond de votre trop visible charité, se cachait une redoutable identité... Plus loin que le protestantisme, plus loin que la langue anglaise, la faute originelle... Cherchez bien. Ce n'est pas un péché, docteur Nelson, c'est un grand chagrin.*

> *Chassé, votre père vous a chassé de la maison paternelle [...] avec votre frère et votre soeur, comme des voleurs. Trois petits enfants innocents, traités comme des voleurs. Votre mère pleure contre la vitre. A Montpellier, Vermont.*

> *L'indépendance américaine est inacceptable pour de vrais loyalistes. N'est-il pas préférable d'expédier les enfants au Canada, avant qu'ils ne soient contaminés par l'esprit nouveau ? Qu'ils se convertissent à la religion catholique romaine. Qu'ils apprennent la langue française s'il le faut. Tout, pourvu qu'ils demeurent fidèles à la courounne britannique (K 128).*

Passage donc d'un pays à l'autre, pour des raisons d'ordre politique. Mais si les parents (ou du moins le père, le *pater*) de Georges souscrivaient à ces raisons politiques, ce furent leurs enfants qui en furent exilés ! Trop jeunes pour faire leurs ces raisons politiques, ces "trois enfants innocents" ne pouvaient que vivre cet exil comme un rejet parental. A l'instar d'autres personnages hébertiens, ils ont dû se sentir exilés non seulement dans l'espace, non seulement de leur pays, mais en même temps de l'innocence, de l'enfance, et du bonheur. Georges souffre d'une angoisse qui naît d'un sentiment de culpabilité provoqué par l'exil que lui infligèrent ses parents. Se sentant rejeté par eux, il n'a pu que se croire puni ainsi de quelque horrible méfait, d'où ses tentatives de rachat à travers la pratique médicale.

La "redoutable identité" de Georges est donc son identité d'*exilé* pour raison de culpabilité (culpabilité accusée assurément par le rejet paternel ayant éloigné le petit garçon de sa *mère* : geste patriarcal que l'enfant aura vécu comme acte castrateur venant punir un désir oedipien). Identité de *coupable exilé, coupable parce qu'exilé, exilé parce que coupable* : voilà peut-être le noyau psychique, identitaire, fondamental de ce personnage. Et ceux qui l'entourent, au Québec, ne cessent de le confirmer dans ce sentiment de culpabilité en lui criant, dès son enfance, que "Tous les Protestants sont des damnés" (K 125). Le climat religieux évoqué dans le roman est bien celui, culpabilisant, que la critique a repéré dans *Poèmes*, "Le Torrent", et "Le Temps sauvage". Ainsi, les premières paroles dont Elisabeth semble se souvenir sont "Quelle petite fille malfaisante !" Et Elisabeth d'ajouter, "Est-ce là la première voix du monde qui parvient à mes oreilles ?" (K 51) "Voix du monde" : ce jugement culpabilisant résume l'ambiance de toute une société. Elisabeth, comme George Nelson, est exilé du bonheur enfantin par l'influence culpabilisante de la société adulte. S'il n'y a pas, dans le cas d'Elisabeth enfant, d'expulsion d'un "pays" à un autre, son exil de l'enfance libre vers l'univers des contraintes croissantes s'accompagne d'un déplacement spatial subi lorsque sa mère décide de quitter la maison natale d'Elisabeth, rue George, à Sorel, pour la maison des tantes Lanouette, rue Augusta. (K 50-55)

Elisabeth vivra comme un exil son séjour à Kamouraska. Autre déplacement spatial qui, pour minuscule qu'il soit, est vécu comme un exil par Elisabeth : au début du roman, empêchée de rester au chevet de son mari, envoyée plutôt se reposer dans une autre chambre, Elisabeth emploie le même langage que pour évoquer l'exil enfantin de George Nelson - "Chassée ! Je suis chassée de la chambre conjugale. Chassée de mon lit." (K 30) Enfin, elle vit comme un exil tantôt le fait de devoir réintégrer et habiter le monde de Madame Rolland, tantôt celui de ne pouvoir s'évader des souvenirs culpabilisants de sa vie comme Madame Tassy. Sa réaction envers son séjour au pays du rêve-souvenir varie selon l'intensité du sentiment de culpabilité que ce pays lui inspire.

Chez George et Elisabeth, comme chez d'autres personnages étudiés ci-dessus, l'exil est lié à une expérience précoce, enfantine, du sentiment de culpabilité ; chez Elisabeth, la mort du père pendant sa gestation a pu être vécue plus tard par la petite fille comme rejet paternel culpabilisant, rejet comparable à celui qu'a subi George de la part de son propre père. L'exil spatial de ces deux personnages écrit leur exil moral, leur sentiment de culpabilité mais aussi leur exil social.

Il importe de voir non seulement les formes de l'exil chez ces deux personnages mais aussi celles de l'anti-exil, dussent-elles s'avérer illusoires. Pour George, que l'exil a dépossédé de tout - innocence, mère, terre natale - l'anti-exil semble devoir passer par Elisabeth et donc, par le meurtre d'Antoine : "La recherche éperdue de la possession du monde. Posséder cette femme. Posséder la terre" (K 129). Illusion, car cet acte lui imposera de se rééxiler aux Etats-Unis, exil spatial qui figure l'exil moral absolu dans lequel le plonge le meurtre : "George [...] a franchi les frontières humaines. Il s'enfonce dans une désolation infinie" (K 197). Espace de "désolation" qui est en même temps ce "désert du monde" que redoute Elisabeth (K 160). La rêverie de George - "la recherche éperdue de la possession du monde. Posséder cette femme. Posséder la terre" - est une rêverie d'appartenance à deux sens (rêverie d'un ensemble monde-femme-terre qui lui appartiendrait et où il appartiendrait ; *cf.* Stevens Brown, "j'ai pris racine dans le ventre d'une femme", FB 69). Rêverie d'un non-exil spatial, social, psychique, sexuel.

Chez Elisabeth, mettre fin au sentiment d'exil consiste tantôt à réintégrer son enfance, tantôt à réintégrer son histoire d'amour avec George, tantôt encore à réintégrer son présent, sa vie comme Madame Rolland. Elle finit par opter pour cette dernière solution, seul rempart contre la forme d'exil qu'elle redoute le plus, l'exil social qu'elle appelle "Le désert du monde. Le pire qui pourrait encore m'arriver, c'est d'être condamnée au désert du monde" (K 160). Afin d'eviter cet exil-là (lié au meurtre commis à Kamouraska) Elisabeth, à l'aide d'un langage explicitement tiré de la double problématique exiliaire/identitaire, exile même George : "je me défends de donner droit d'asile et permis d'identité à cet étranger [...] non, je ne le ferai pas [...] Non, non" (K 209).

La dernière page de *Kamouraska* dépeint et dénonce l'exil spatio-social meurtrier de la "femme noire", enterrée vive, confinée sous terre "depuis des siècles", (premier exil) puis déterrée avec toute sa "faim de vivre" (K 250) - pour se herter à un deuxième exil impitoyable :

> *Mais lorsque la femme se présente dans la ville courant et implorant, le tocsin se met à sonner. Elle ne trouve que des portes fermées et le désert de terre battue dont sont faites les rues. Il ne lui reste sans doute plus qu'à mourir de faim et de solitude. (K 250)* (deuxième exil)

Comme l'a écrit Karen McPherson, "à cause de sa faim de vivre, cette «étrangère» horrible est à jamais exilée, proscrite"[11]. Le rejet qu'impose à ce personnage féminin une ville (qui rappelle celle de "La Ville tuée"), c'est bien une condamnation à l'exil de la femme désireuse de se choisir dans son comportement comme dans son désir, de vivre libre. Ce (double) exil spatial à la fois traduit, actualise et symbolise la condition féminine. L'exil que subit toute femme dans une société patriarcale est assurément l'une des grandes significations que peut revêtir la figure de l'exil spatial, comme nous l'avons vu au Chapitre I. L'exil spatial se révèle ainsi un signifiant apte à enrichir le texte hébertien (voire tout texte littéraire) de plusieurs signifiés.

Kamouraska évoque, mais sur le mode de l'inaccessible ou du moins du non-réalisé, et pour la femme seulement, la possibilité de l'exil positif et libérateur comme celui que choisit Catherine dans la troisième partie des Chambres de bois. Retourner aux Etats-Unis pour George n'est qu'un nouvel exil négatif l'éloignant de son amour et de son fils. Elisabeth déclare à propos de George : "Qu'il retourne donc, anathème, dans son pays natal. Après treize ans d'absence. Désormais banni dans son propre pays. Etranger partout à jamais" (K 248, nous soulignons). Par contre Elisabeth, après le meurtre, a tenté de rejoindre son amant aux Etats-Unis : elle se dirigeait à toute allure vers la frontière quand la police l'a prise. Bref, elle a voulu s'exiler aux Etats-Unis, au pays de son amour, afin d'y trouver plus de bonheur et de liberté.

Et au cœur de ce pays d'enfance de George, pays fictif renvoyant à un certain niveau aux Etats-Unis d'Amérique, deux signifiants, dans un passage déjà étudié, viennent inscrire, enlacées, France et Nouvelle-France, vieille France et France d'Amérique :

> Trois petits enfants innocents, traités comme des voleurs.
> Votre mère pleure contre la vitre. A Montpellier, Vermont. (K
> 128)

Dans ce passage qui évoque l'exil enfantin de George, le texte précise bien que sa ville s'appelait "Montpellier" - écrit d'ailleurs ici à la française avec deux "l" (cf. la ville française réelle) plutôt qu'avec un seul "l" (comme la ville américane réelle). Orthographe voulue ? ou simple erreur comme celle qu'Anne Hébert a reconnue à propos du toponyme "Griffin Creek" dans Les Fous de Bassan (qui évoque "Montpelier" - un seul "l" - comme ville d'origine des Loyalistes dont les descendants peuplent Griffin Creek) :

> *[Anne Hébert] [...] dans Les Fous de Bassan, comme il s'agis-*
> *sait d'un lieu imaginaire et que mon anglais est approximatif,*
> *j'avais écrit Griffin Creeck. Avec un c ! On m'a dit: ce n'est*
> *pas possible, ça s'écrit CREEK! J'ai cédé, et il a fallu enlever*
> *un C trois cents fois sur les épreuves*[12].

Fort vraisemblablement donc, l'orthographe "Montpellier" dans *Kamouraska* résulte d'une erreur de l'auteure - et que son éditeur n'a pas su corriger. L'orthographe est toutefois constitutive du signifiant dans un texte imprimé et a donc un effet de sens. Que cet effet de sens fût voulu ou non par l'auteure, au niveau de la réception ce signifiant impose au lecteur et le signifié "France" et le référent à l'esprit lisant ; bien entendu, même écrit avec un seul "l", le toponyme "Montpelier" évoque la France (effet de sens qui est simplement renforcé par l'orthographe française). En outre, l'Etat du Vermont doit son nom au Français Samuel de Champlain - dont le nom plus que tout autre symbolise la Nouvelle-France. En tentant de s'exiler aux Etats-Unis, Elisabeth (indépendamment de l'intentionalité du personnage ou de l'auteure) retourne *vers l'amont* temporel et actualise le concept : gagner la France, ou encore (ce qui est, selon Gilles Marcotte, une chose fort voisine dans l'imaginaire hébertien[13]) la Nouvelle-France, le Canada d'avant la Conquête.

Si la France/Nouvelle-France représente ici l'espace-temps du non-exil, que représente le Québec du dix-neuvième siècle qui sert de cadre à *Kamouraska* ? Elisabeth décrit le monde de Madame Rolland et le monde de l'amour-passion comme étant des mondes/ou "côtés du monde") opposés, irréconciliables : "mon amour m'appelle de l'autre côté de la frontière, de l'autre côté du monde" (K 218) ; l'un est l'envers du monde de l'autre. On se rappellera que le poème "l'Envers du monde", dans *Le Tombeau des Rois*, utilise cette expression pour désigner le lieu de l'exil, l'espace du dysphorique et de l'aliénation. Elisabeth, vingt ans après le meurtre de son premier mari, n'a sans doute guère le choix. Ou bien elle réintègre sa vie conventionnelle, ou bien elle reste à jamais dans son rêve-souvenir, son amour passé, et devient folle aux yeux de la société.

Tout porte à croire que l'"'envers du monde", l'espace de l'aliénation d'Elisabeth, c'est le monde de Madame Rolland et de la rue du Parloir, ce Québec catholique, bourgeois, conservateur du dix-neuvième siècle. L'espace de la liberté et de l'amour serait au pays de l'amour-passion, le pays de Georges, ces Etats-Unis au sein desquels, à l'origine même de la vie de Georges, se trouvent des signifiants qui renvoient à la France/Nouvelle-France. Bref, l'exil vers cet ailleurs au centre duquel se trouve cette référence à la France/Nouvelle-France serait un anti-exil - tout comme semble l'avoir été l'installation en France pour Anne Hébert, auteure qui avait été victime de la censure moralisatrice des éditeurs québécois. Entre le Québec fictif et dix-neu-vièmiste de *Kamouraska* et le Québec qui refusa de publier *Le Torrent* et *Le Tombeau des Rois* il y a une sorte de continuté dans l'obscurantis-me, dans l'aliénation, et dans l'exil intérieur, frappant tous trois deux femmes : l'une réelle, et l'autre sa création fictive.

L'exil hante *Kamouraska* au niveau de son écriture même, com-me on peut le voir en se rappelant que l'aliénation mentale est l'une des formes de l'exil, et en lisant une phrase fort juste d'Anthony Purdy selon laquelle ce roman présente une sorte de "schizophrénie narrative", "deux facettes ou deux modes narratifs d'une personnalité en guerre contre elle-même"[14].

Quant à *L'Ile de la Demoiselle*, si M. de Roberval "s'en va-t-en Canada" (ID 12), c'est un voyage qui a des rapports avec l'exil ; en effet,

> *Condamné à l'exil pour son hérésie, M. de Roberval a été aus-sitôt rappelé par le Roi qui l'a forcé d'abjurer et lui a confié le commandement de cette expédition, très catholique, afin d'affi-cher sa conversion aux yeux de tous. (ID 13-14)*

Ce voyage est-ce donc pour Roberval un anti-exil ? Sans doute, mais en même temps c'est la conséquence, la prolongation métamorphosée de l'exil initial. Pour certains passagers, cet exil sera positif, le moyen d'échapper à ses créanciers (ou à sa bigamie) et peut-être même de s'enrichir. Mais quand un des personnages change d'avis sur l'oppor-tunité de cet exil, il lui est interdit de quitter le navire. L'autoritaire Roberval, pour se soustraire à son propre désir, interdit que sa nièce étale ses beaux cheveux (ID 25) et va jusqu'à la faire enfermer (ID 30). Sa nièce, Marguerite de Nontron, est donc emprisonnée (placée en exil interne) : à bord même du bateau se produit ainsi un déplace-ment spatial qui exile Marguerite d'autrui.

Roberval, offensé que Marguerite en aime un autre, la condam-ne "à être déportée, en compagnie de [s]a servante et complice,

Charlotte Lemire [...] sur l'Ile des Démons, située sur la côte nord du Saint-Laurent" (ID 57). Voici l'exil, la déportation, où les deux femmes seront rejointes par Nicolas qui, amoureux de Marguerite, y vient volontairement. Dans cette situation d'exil, Nicolas vit comme un crime le fait d'avoir fait un enfant à Marguerite dans un milieu aussi cruel, et ne tarde pas à sombrer dans l'angoisse qui happe tant de jeunes hommes dans l'univers hébertien, et qui aboutit à la mort.

Dans l'immense dénuement de cet exil et de ce deuil, Marguerite et Charlotte recourent au souvenir du *pays natal* :

MARGUERITE
Pense aux cloches de notre paroisse, là-bas, en France. Penses-y très fort, Charlotte, en même temps que moi. Il faut que des cloches sonnent le glas de Nicolas, sur cette île déserte. [...] Il faut qu'elles viennent jusqu'ici sonner le glas de Nicolas [...]

CHARLOTTE
dans une sorte d'incantation

J'appelle les cloches de ma paroisse en Périgord pour qu'elles sonnent le glas de Nicolas (ID 76).

Charlotte a déjà aménagé une grotte en disant qu'on y serait "chez nous comme en Périgord" (ID 65). A la mort de l'enfant se produira à nouveau le recours au Périgord : "Quelques mesures du service des anges sont chantées par les chantres du Périgord" (ID 79).

Marguerite se révolte même contre Dieu, ce Dieu qui a osé changer son "fils vivant en ange du ciel" et elle crie "non miséricorde, mais justice ! Justice !" (ID 80). Dès lors, l'exil spatial inscrit l'exil de l'être humain assoiffé de justice dans un univers cruel qui la lui refuse. L'exil spatial apparaît ainsi comme une métaphore de l'exil qui caractériserait la condition humaine. Marguerite ne recourra plus aux seules cloches du Périgord mais, dit-elle,

J'appelle toutes les cloches du monde. [...] Je leur ferai sonner la douleur et la fureur du monde, ici même, sur cette île déserte où je fus exilée, en pleine mer comme une criminelle, parmi des oiseaux sauvages aux cris rauques (ID 81).

Marguerite tiendra bon : ayant rejeté Dieu, elle refuse de céder à la mort et finit par être sauvée par des pêcheurs. Apprenant la mort de Roberval, elle se réconcilie avec Dieu et sa justice (ID 92). Tentée un instant par le séjour définitif dans l'exil et la mort (*cf.* notre étude du cadre des textes hébertiens), Marguerite finit par choisir la vie, le soleil, la France : phénomènes que ce texte, comme d'autres textes hébertiens, présente comme constitutifs du non-exil.

Et Julie Labrosse/Sœur Julie de la Trinité ? Serait-elle plus aliénée/exilée que tout autre personnage de l'œuvre hébertienne ? Pas plus sans doute que Bernard dans *Héloïse* : les deux personnages vivent des expériences qui semblent littéralement impossibles au regard de la science telle que celle-ci lit le monde, ce qui fait qu'on qualifierait volontiers ces personnages de "fous", tentant ainsi d'expliquer l'apparemment inexplicable par une science du monde intérieur : la psychiatrie. La critique littéraire a la ressource de lire autrement encore de telles manifestations du scientifiquement inexplicable lorsqu'elles se présentent dans une œuvre littéraire : elles seraient les marques du genre fantastique. Puisque nous avons traité l'exil dans *Héloïse* en conjonction avec *Les Chambres de bois*, et que nous reviendrons largement à *Héloïse* plus tard, nous nous pencherons ici sur les cas d'exil, spatial et autres, dans ce roman véhément qu'est *Les Enfants du Sabbat*.

Deux mondes, deux "pays" se partagent l'univers des *Enfants du Sabbat*, le monde de la cabane diabolique de la montagne de B..., et celui du couvent des dames du Précieux Sang dans la ville de Québec. La critique a surtout traité du couple spatial cabane-couvent, mais assez peu du couple spatial campagne-ville. Dans le pays de la campagne, Julie et son frère Joseph connaissent quelques moments de bonheur, reçoivent parfois des "caresses", et éprouvent ainsi des moments d'"amour béat" (ES 86) - mais y subissent aussi le malheur. Les deux personnages enfantins tantôt gèlent et tantôt brûlent dans une "maison" mal chauffée et sans isolation où ils subissent aussi la malnutrition ("Patates à l'eau et mélasse ! C'est toute ce qu'y faut pour les petits baptêmes de maudits ! Le lard, c'est pour les grandes personnes" [ES 86]) ; "jamais peignés, pleins de poux et tout crottés" (ES 8), Julie et Joseph y sont les victimes d'abus physiques et sexuels multiples. Tous deux sont battus ; Julie est brûlée lors de son initiation comme sorcière (ES 67-68) ; petite fille, elle fut déjà violée par son père, comme elle le sera maintes fois ensuite :

*la petite fille fut réveillée par quelqu'un qui la poussait du
pied, assez rudement, dans le dos et sur les jambes. [...] L'homme dit tout d'abord à la petite fille qu'il la tuerait si elle criait.
Il avait un couteau attaché par une ficelle autour du cou.
L'homme ajouta qu'il était le diable et qu'il fallait qu'il prenne
la petite fille. [...] Puis il mordit la petite fille très fort à l'épaule, afin de la marquer à jamais comme sa possession. Sa peau
était visqueuse et sentait mauvais. Il prit dans sa main son
sexe tout gonflé et le mit de force dans le petit sexe de la fillette
qui hurla de douleur. Le diable, de ses mains velues, étouffa les
cris de la petite fille. [...] Comme la petite fille saignait beaucoup, le diable, en la quittant, lui dit que c'était le sang du petit cochon égorgé qui lui coulait entre les cuisses et non son
propre sang. (ES 44-45)*

Joseph, devenu pubère, subira une tentative de viol de la part de sa
mère.

Le *pays* autour de la cabane offrirait-il de quoi consoler Julie et
Joseph de ce qui se passe dans celle-ci ? En fait, hors de comme dans
la cabane, le monde est intense, extrême, monde aux rares moments
de bonheur mais ou prédomine la souffrance. Même pendant l'évocation d'un moment apparemment heureux - celui où la petite fille ad-
mire son frère qui "pisse très haut" (ES 7), le corps enfantin sale, négligé, blessé avertit le lecteur de la dureté de la vie dans ce pays : Julie
est "criblée de piqûres de maringouins" et arbore "une tignasse pleine
de paille, d'herbe et d'aiguilles de pin." (ES 7) Même hors de la cabane, le pays de la montagne de B... s'écrit à l'aide d'une thématique de
la claustration en espace clos. C'est un pays dont l'emprisonnement
spatial est un aspect inhérent, vu le climat qui des jours durant interdit toute sortie de la cabane (ES 84). La forêt de la montagne de B... est
une "inextricable broussaille" hérissée de "ronces", de "racines à fleur
de terre" et de "chicots secs et pointus", une forêt qui ne cesse de
blesser le corps et d'entraver sa mobilité - "La respiration oppressée
de Julie, ses pieds, ses jambes, ses bras, son visage égratignés, son petit cri plaintif" (ES 121) - forêt qui renforce donc l'isotopie de la claustration, de l'exil interne. Pays-piège, cette montagne de B..., puisque et
les deux enfants et leurs parents y sont en permanence traqués comme des bêtes. (ES 84) La claustration est telle, que l'exil-enfermement
dans l'espace clos tend à se muer en cercueil lors d'un sabbat qui se
passe dans un ravin - "Le couvercle est complètement tiré au-dessus

de nos têtes. Nous voici enfermés dans ce ravin, dans [...] la terre. Expérience profonde que nous n'aurons plus à envier aux défunts." (ES 43-44)

Le pays de la cabane, ce pays de la montagne de B..., apparaît donc comme l'espace même de l'exil sous de multiples formes : condition féminine, condition enfantine, exil psychique, exil social... Or, ce pays de la montagne de B... semble aussi être symbolique de la nature québécoise (et tend ainsi à confirmer les thèses de Murray Sachs sur le caractère fondamentalement exilant du pays québécois dans la vision hébertienne).

Qu'en sera-t-il en *ville* ? Hélas, en quittant la montagne de B... pour entrer au couvent, Julie entre dans un monde où s'accuse toujours davantage la thématique du corps blessé ou souffrant et celle de la clôture spatiale, un monde encore plus exilant à de multiples égards que ne l'était celui de la montagne de B.... Le couvent clos est compartimenté en d'autres volumes toujours plus exigus, pour aboutir à la minuscule pharmacie où Julie est emprisonnée et dont les murs blancs traduisent l'appauvrissement sensoriel. Le corps est d'autant plus emprisonné dans ce monde clos, que le costume rigide des dames du Précieux Sang emprisonne le corps et traduit l'emprisonnement des religieuses dans les valeurs qui leur sont imposées (ES 15). Le thème du vêtement se muera même en celui du *lien*, Julie étant attachée de force dans son lit. Au couvent, l'on cherche à amputer le corps féminin de sa sexualité, voire à le priver de presque tout l'univers des sens, le supprimant ainsi en tant que chair sensuelle et désirante. Comme elle le fut dans la montagne de B..., au couvent Julie est parfois privée de nourriture, parfois liée, quelquefois droguée, et enfin longuement torturée par les aiguilles de l'aumônier et de la mère supérieure à la recherche du "stigma diaboli".

Que Julie soit aussi exilée au pays du couvent que dans la montagne de B..., c'est ce que confirment certains étonnants exemples du mal que lui inflige, au sein même du couvent, l'univers de la cabane, comme lorsque Sœur Julie de la Trinité est blessée au point que "seule une fuite éperdue à travers la forêt de la montagne de B... pouvait aussi profondément griffer les gens, de par tout le corps" (ES 126). Remarquable exemple du fantastique dans ce roman.

La critique s'est penchée sur la paire "cabane-couvent" dans *Les Enfants du Sabbat*, mais guère sur la paire "campagne-ville". La raison de ce manque d'attention est simple : comme religieuse, Julie est dans la ville de Québec sans y être, à l'instar de Michel (*Les Chambres de bois*) et de Bernard (*Héloïse*) "dans" Paris, car Julie n'a guère la possibilité de sortir du couvent-prison pour découvrir la ville (à la différence, cette fois-ci, d'avec Michel et Bernard qui ont la possibilité objective de goûter à Paris mais non pas la capacité subjective).

Dans *Kamouraska*, l'exil d'Elisabeth semblait incontournable ; comme l'a dit Anne Hébert elle-même, "c'est sans issue"[15]. Par contre, la fin des *Enfants du Sabbat* est richement ambiguë, car il est possible d'y lire aussi bien le récit d'une évasion vers l'espace ouvert que certains éléments d'un suicide par pendaison, ou encore, dans un esprit en proie à l'aliénation (l'exil) mentale, le fantasme d'une évasion. Même une lecture de la fin du roman qui y verrait Julie s'évader de l'univers exilant du couvent pourrait difficilement se lire comme la fin de son exil, puisqu'elle reste aussi asservie que jamais au diable, à l'homme : "Mission accomplie. Mon maître sera content. Il m'attend dehors", se dit Sœur Julie ; et en effet, "Un jeune homme, grand et sec, vêtu d'un long manteau noir, étriqué, un feutre enfoncé sur les yeux, attend sœur Julie, dans la rue" (ES 87). Comme *Kamouraska* et la majorité des textes hébertiens, *Les Enfants du Sabbat* présente une vision pessimiste de la problématique de l'exil et du non-exil. L'exil dans ce roman semble même lié à la condition humaine, ou encore à la condition féminine, puisque Sœur Julie descend d'une longue lignée de sorcières, lignée que le texte remonte jusqu'à Barbe Hallé, première à quitter la France pour la Nouvelle-France (ES 103-104) mais qui, selon la logique du texte, devait descendre d'une infinie série de devancières. Lignée dont un diable masculin proclame d'une voix de stentor qu'elle sont "Mes créatures, toutes mes créatures superbes, mes femmes et mes filles, depuis trois siècles..." (ES 104).

Les Enfants du Sabbat va jusqu'à lier l'exil fondamental ou originel à la condition québécoise, et suggère ainsi que cet exil a pour cause non pas la condition humaine elle-même, mais le fait d'être Québécois/e ; il s'en ensuivrait que l'exil spatio-politique et culturel des Québécois étudié au Chapitre II serait la cause véritable d'un exil apparemment fondamental ou originel que les textes hébertiens semblent parfois attribuer à la condition humaine, mais qui serait en fait lié à "un pays précis du monde", à la contingence donc :

Le mal, une fois lâché, est impossible à retenir. Il faut qu'il laisse échapper tout son venin et qu'il fasse son temps. Après, seulement après, nous nous abîmerons dans une vie de pénitence. Ayant eu la révélation du péché, l'ayant commis pour notre propre compte, nous n'aurons plus qu'à l'expier, en toute connaissance de cause, jusqu'à la mort. Nous paierons notre dette à Dieu, ou au diable, peut-être même l'avons-nous payée d'avance ? Tant de prières et de sacrifices, depuis le commencement des temps, et l'obscure faute originelle à racheter et le seul fait d'être au monde, dans un pays précis du monde ? *Notre pénitence sera sans fin (ES 185, nous soulignons).*

Paragraphe richement ambigu. Et qui impose un "nous" désignant les personnages québécois fictifs qui symbolisent inévitablement les Québécois du hors-texte de l'époque.

Dans *Les Fous de Bassan*, la problématique de l'exil spatial et de ses rapports avec l'aliénation s'agence d'abord en fonction de la structure métaphorique fondamentale du roman : Griffin Creek, et les Anglo-Protestants isolés, entourés du Québec franco-catholique, se laissent lire comme métaphores du Québec et des Québécois en Amérique du Nord. Cet effet de métaphore, voire de mise en abyme inversée, est effectivement fort opératoire dans *Les Fous de Bassan*. Ces Anglo-Protestants descendent des Loyalistes (comme George Nelson dans *Kamouraska*) et sont donc, des coupés-de-la-*mère*-patrie (comme le symbolisait la mère de George pleurant derrière la vitre en regardant partir ses enfants à cause d'une défaite militaire et d'une décision paternelle, patriarcale, patriotique [loyaliste]). La société de Griffin Creek - patriarcale, dominé par un religieux autoritaire, toute repliée sur elle-même - ressemble fort à celle du Québec d'entre l'écrasement des Patriotes en 1838 et la Révolution tranquille des années 1960.

Ce survol des cas d'exil ou de personnages d'exilés dans *Les Fous de Bassan* doit tenir compte de ceux qui vont ailleurs. Certains parents de Nora Atkins traverse l'Atlantique grâce à leurs emplois à bord du navire *Empress of Britain* (FB 112). Toutefois, dans ce merveilleux début du "Livre de Nora Atkins", l'essentiel est cette rêverie de la jeune fille de partir à l'instar de *Johnny Appleseed*, héros légendaire américain qui parcourut son pays en y plantant d'innombrables pommiers : " J'attrape une pomme sur la table de la cuisine, je la croque en plein vent et je crache les pépins dans toutes les directions. Des vergers naîtront un peu partout sur mon passage, dans la campagne" (FB 112). Rêverie de la fécondité certes, mais aussi de l'errance, du déplacement spatial, de l'exil spatial transformé en phénomène positif par le fait d'y planter un jardin qui prendra des allures d'Eden grâce aux pommiers (et ce jardin/Eden qui en reste à l'état de rêverie chez Nora Atkins deviendra, dans la rêverie hébertienne, fait historique chaque fois qu'elle évoquera, dans *Le premier Jardin* et ailleurs, le premier jardin planté en Nouvelle-France par Louis Hébert et Marie Rollet).

Autre personnage qui est parti, et non des moindres : Stevens Brown lui-même, de son propre aveu double assassin. Comment cerner le/s fonction/s du voyage et du séjour de Stevens Brown en Floride ? Ce voyage semble avoir été l'occasion de l'une des trois seules relations humaines positives que Stevens ait réussi à avoir, celle avec le Noir qu'il appelle "Old Mick" les autres étant celle qui l'attache à son frère handicapé mental, Perceval ; et celle qui l'attache à sa grand-mère, Felicity). Que ce voyage ait ainsi permis le développement d'une relation positive le transforme en exil mélioratif. L'erreur de Stevens a peut-être été de revenir dans son pays, d'y prendre "racine dans le ventre d'une femme" (FB 69) (même s'il déclare son intention de repartir bientôt de Griffin Creek), car métonymiquement Américain, il ramène des Etats-Unis le viol et le meurtre. En même temps, le fait que deux des trois seules relations positives que Stevens réussit à avoir avec autrui se font, l'une avec un doublement étranger (Américain et noir), l'autre avec un de ces exilés internes que sont les hadicapés mentaux (Perceval) traduit une capacité chez Stevens de vivre positivement l'hétérogène. Il constitue lui-même toutefois un élément hétérogène à Griffin Creek, hétérogénéité qu'il n'arrive à insérer dans cette mini-société que de façon destructrice. Son prochain déplacement à l'étranger sera un exil cruellement négatif même si, initialement, il l'accueille volontiers parce que ce nouvel exil spatial semble l'éloigner de Griffin Creek et de tout ce qui s'y est produit : il deviendra militaire et combattra en Europe lors de la deuxième guerre mondiale. Cet exil servira à aliéner définitivement Stevens, qui passera le reste de sa vie dans un hôpital pour anciens combattants jusqu'à ce qu'il s'en évade pour rédiger une dernière lettre, et puis se suicider, dans une chambre d'hôtel minable à Montréal. Se suicider : exil définitif (auquel a succombé Bernard dans *Héloïse* et peut-être aussi Julie dans *Les Enfants du Sabbat*). Ce qui n'empêche pas Stevens

Brown de rêver d'une mise à fin de cet exil grâce à l'intervention de son frère Perceval qui, si les vœux de Stevens se réalisent, l'accueillera "en Paradis"(FB 249). Ce vœu de pardon grâce à l'effet désexilant de l'intervention d'un pur, d'un saint, donne une coloration assez religieuse ou si l'on veut fondamentale à l'exil dans *Les Fous de Bassan*.

Le vœu de Stevens de mettre fin à l'exil, de gagner le paradis grâce à Perceval, donne à la problématique de l'exil dans *Les Fous de Bassan* une coloration tant affective que temporelle, puisque Stevens recourt ici au souvenir de son frère lorsque ce dernier était encore "enfant". Le retour au passé se révèle dans *Les Fous de Bassan* un instrument d'anti-exil aussi aléatoire que dans *Kamouraska* et *Le premier Jardin*. Certes, les "livres" de Stevens Brown peuvent être vus comme une confession impliquant le retour sur le passé inhérent à toute confession, ce qui signifie que Stevens espère mettre fin à son exil multiple grâce à un déplacement temporel et mémoriel (qui, dans son imaginaire, comportera aussi du déplacement spatial, puisque retourner à l'été 1936, c'est aussi retourner à Griffin Creek). Et certes, tout ce retour-confession débouche sur le souvenir d'un "innocent", Perceval, clé du Paradis. Par contre, pour d'autres personnages, voire pour Stevens par moments, l'horreur de l'été 1936 suscite une barrière qui fait que l'on déploie maints efforts pour ne pas laisser la mémoire y retourner, ne pas laisser ces souvenirs sanguinaires remonter jusqu'à la conscience (*cf.* la réticence parfois de Madame Rolland, dans *Kamouraska*, et de Flora Fontanges, dans *Le premier Jardin*, de revivre leur passé).

Force est de reconnaître aussi que le déplacement spatial n'a pas d'effets spécialement positifs : dans *Les Fous de Bassan* comme dans *Kamouraska*, le sexe et surtout le meurtre viennent avec l'"'Américain" (Georges, et métonymiquement Stevens après son retour du sud). Vocation de tueur que Stevens partira perfectionner dans l'Europe en guerre avant de la retourner contre lui-même (suite à encore un déplacement spatial : son évasion de l'hôpital pour anciens combattants).

Pas plus que *Kamouraska* (1970) ou que *Les Enfants du Sabbat* (1975) donc - et moins que *L'Ile de la Demoiselle* (qui porte la mention 1977-78) - *Les Fous de Bassan* n'offre d'espoir d'une issue à l'exil. Les aubes chantantes et ensoleillées des *Chambres de bois* et de *Mystère de la Parole* sembleraient bien oubliées. Et pourtant, tous ces trois romans

- *Kamouraska, Les Enfants du Sabbat*, et *Les Fous de Bassan* - par l'acte même d'écrire cet exil, et surtout l'exil de la condition féminine, sembleraient exprimer ainsi le sentiment et la foi que l'on peut y faire quelque chose, que l'exil peut être combattu grâce à l'écriture[16] ; voilà aussi pourquoi Karen Gould, à propos des *Fous de Bassan*, parle des "inscriptions féminines d'Anne Hébert pour un monde nouveau"[17].

Si l'exil féminin est d'une présence particulièrement évidente dans *Les Fous de Bassan*, il est clair aussi que ce roman aborde de façon angoissée l'autre grand type d'exil qui ne cesse de hanter l'imaginaire et les textes hébertiens, l'exil national. Cela par le biais de la métaphore "Griffin Creek et ses habitants = le Québec et les Québécois" (et peut-être la perturbation de l'équilibre mental qui frappe certains personnages du roman n'est-elle pas sans parenté avec la "folie" où sombre Menaud à la fin de *Menaud maître-draveur*, roman nationaliste de Félix-Antoine Savard). C'est ainsi que Brigitte Morissette a eu une formule admirable dans sa vérité et sa concision, pour qualifier *Les Fous de Bassan* de "chef d'oeuvre de québécité et de féminitude !"[18]. En effet, ce roman convoquera à nouveau notre attention au Chapitre VI, consacré en bonne partie à l'étude de l'exil féminin dans l'œuvre hébertienne.

Les textes littéraires et autres d'Anne Hébert semblent traduire une diversité de positions face à la notion d'un exil fondamental, peut-être en raison des fluctuations de la foi chez l'auteure. Foi bien évidente dans *Les Songes en équilibre* et dans des contes de Noël comme "Trois petits garçons dans Bethléem". Plus tard, Hébert s'est décrite comme "profondément religieuse, mais non pratiquante"; ailleurs encore elle a déclaré

> *Je ne sais pas, mais je ne crois pas. J'ai peut-être la nostalgie d'une certaine croyance qui donnait un sens à la vie, parce qu'autrement, il faut chercher un sens à la vie tous les jours... Ce sens de la vie qui est donné une bonne fois pour toutes par une croyance religieuse. J'admire ceux qui l'ont, mais pour le moment je ne pourrais pas*[19].

Cette déclaration datant de 1988 exprimerait l'agnosticisme, tout comme, déjà, l'abbé du *Temps sauvage* (portée à la scène en 1966). A Lucie, qui voudrait "tout" apprendre de l'abbé, celui-ci ne répond d'abord que par des questions ; quand elle le presse de lui donner "de vraies

réponses de curé : pan pan !, sans réfléchir, du tac au tac, la bonne réponse qui va avec la bonne question, comme pour la table de multi-
plication", il ne trouve d'autre preuve de l'existence de Dieu que la
soif que l'on en a (TS 53-54). L'abbé avoue à Lucie et à sa mère,
Agnès, que devant elles il ne retrouve "plus aucune parole de certitu-
de, aucun masque de paix" (TS 75). Si quelques heures plus tôt il a pu
promettre la vie éternelle à un mourant sans être sûr au fond de lui de
l'existence de celle-ci, il n'arrive plus à parler à Agnès au nom du
Christ, mais seulement au nom de ces instances bien humaines que
sont Lucie, les voisins, et lui-même (ES 75-76). Toutefois, cette pièce,
loin d'exprimer un désespoir née de la perte des certitudes de la foi,
semble puiser de l'optimisme dans une foi d'une autre sorte, une foi
en l'être humain, justement.

AUTOCHTONES, IRLANDAIS, CANADIENS FRANÇAIS

Ce chapitre a signalé le cas de la métisse Délia. Il reste toutefois
à mieux voir le statut des personnages d'origine amérindienne, notamment dans un film fort négligé, La Canne à pêche ; et aussi - puisqu'on a déjà largement évoqué les anglophones protestants, descendants des Loyalistes (Georges Nelson ; les habitants de Griffin
Creek) - celui de ces anglophones bien particuliers que sont les
Irlandais dans une nouvelle passionnante - texte important dans
l'évolution de la pensée exiliaire hébertienne et pourtant peu commenté - "Shannon". Autochtones, Irlandais : il faudra aussi dégager
les rapports de ces personnages avec les Canadiens français dans les
textes et l'imaginaire hébertiens.

La métisse Délia dans "Un grand Mariage" est exilée de plusieurs façons : *spatiale*, puisqu'elle a dû quitter sa région nordique
pour venir à Québec, et puisqu'elle se trouve, dans la maison de son
maître et amant, exilée dans un grenier ; *morale*, puisqu'elle se trouve
confinée dans un comportement qui contredit ce catholicisme auquel
elle croit ; *culturelle*, en raison de ce même catholicisme de Blancs venu prendre la place des croyances amérindiennes traditionnelles
(mais sur ce point il faudrait nuancer, précisément parce que Délia est
métisse et non pas Améridienne : le catholicisme fut vraisemblablement la religion de son père) ; *sexuelle*, puisqu'elle n'est que le jouet
du désir d'Augustin Berthelot (de nos jours, l'on verrait dans Délia le
type même de la (co-)dépendante, Augustin faisant chez elle l'objet

d'une véritable addiction dont elle ne sait se libérer pour accéder à l'autonomie). "Un grand Mariage" tend fortement à suggérer que cet état d'exil multiple chez Délia résulte pour une bonne part de ce qu'elle est métisse - c'est-à-dire, à moitié indigène. En effet, elle conserve une pureté et une naïveté qui doivent asurément quelque chose au mythe du "bon sauvage".

La Canne à pêche, film datant de 1959, est d'une remarquable richesse, nonobstant sa concision (il ne dure qu'une demi-heure, et le texte narratif ou "commentaire" d'Anne Hébert occupe à peine trois pages). Le générique le présente comme l'illustration d'un "conte" d'Anne Hébert à qui il attribue également le scénario : le texte littéraire n'a donc rien de secondaire par rapport aux autres aspects du film, au contraire. Une jeune métisse de condition modeste passe une journée à la campagne, où elle emporte la canne à pêche que lui a donnée son père amérindien ; à son retour, ce père d'habitude peu loquace retrouve une parole abondante pour évoquer amoureusement la nature. Ce passage de la non-parole à la parole est un beau leitmotiv hébertien, surtout vers l'époque de La Canne à pêche (1959 ; que l'on songe à Mystère de la Parole, qui date de 1960). Mais l'intérêt de La Canne à pêche réside ailleurs aussi.

Le personnage principal, c'est ce père dont la narratrice (la jeune métisse) souligne d'emblée l'indianité ainsi que l'exil spatial et social (voire racial) :

> Le sang indien coulait dans les veines de mon père, mais cela ne semblait pas devoir lui apporter rien de bon sur cette terre. Ma mère craignait la campagne plus que tout au monde. Pour elle mon père avait quitté son village natal de Lorette et les bois environnants tout pleins de souvenirs de chasse et de pêche. Il était devenu boulanger. On le payait mal et dans son dos on l'appelait "le Sauvage". Il ne paraissait s'apercevoir de rien. Mais peu à peu sa fierté s'était ternie comme une vieille monnaie. (CP 1)

Notons la crainte que ce passage attribue au personnage de la mère : plus loin dans le texte, on apprend que la jeune narratrice, influencée sans doute par la vision négative de la nature que lui a inculquée sa mère, voit tout d'abord comme "presque maléfique" la canne à pêche que le père amène à la maison ; d'ailleurs, la mère a "toujours parlé de la campagne comme d'un lieu d'ennui et de malheur" (CP 1) ; et puis,

> *Ce pays sauvage dont parlait son mari ne contenait-il pas tout les mauvais génies de la terre mêlés aux bons ? Et comment une pauvre femme comme elle arriverait-elle jamais à les dé-partager si par malheur ils survenaient dans sa maison ? (CP 2).*

Dans *La Canne à pêche* aussi donc, le fantastique n'est pas loin ; il est intéressant d'y trouver déjà le thème de la coexistence (et implicite-ment, de la rivalité) des divinités féminines bonnes et mauvaises, thè-me réactivé dans *Kamouraska* et fort important dans *La Cage*. Le fan-tastique positif est du reste évoqué dans *La Canne à pêche* par le biais de l'"enchantement" qui s'empare de la narratrice en même temps que l'été lui "entrait doucement dans le cœur" ; positif mêlé d'un ver-sant plus obscur toutefois, car cet "enchantement", dit la narratrice, "me tenait lieu de tout et faillit même me faire oublier mes amis et la partie de pêche !" (CP 2). Or, on sait le jugement que portent certains textes hébertiens sur l'excès de songe, sur son "enchantement per-vers" en ce sens qu'il suscite ou renforce un divorce entre le sujet et la réalité (voir "Vie de château" dans *Poèmes*).

Polyvalent donc comme tout texte hébertien, *La Canne à pêche* finit sur une note optimiste. D'une part, le père devient "intarissable" et "racont[e]", accession subite à la parole qui semble témoigner d'un processus libérateur né largement du retour de son "sang" (incarné dans sa fille) dans l'univers euphorisant du monde naturel ; d'autre part, la narratrice conclut ainsi :

> *Je crois même que ce soir-là j'emportai dans mes songes l'étrange impression que la terre entière, avec ses campagnes, ses bois et ses eaux, serait un jour à ma disposition et que mon père me la donnerait en guise d'héritage (CP 3).*

Rêverie de possession de la terre qui est aussi et surtout rêverie de "noces avec la nature". Le personnage paternel remplit dans une cer-taine mesure, dans *La Canne à pêche*, les fonctions traditionnellement dévolues au "bon sauvage" dans la littérature occidentale : pureté de cœur, noblesse des intentions, courage stoïque face à l'oppression,

(r)établissement du rapport fusionnel avec la nature. Mais directement relié à la problématique de l'exil est le fait que qui dit "terre entière" ne dit pas forcément "Terre entière" : l'absence de majuscule à
"terre" laisse penser que l'adjectif "entière" conserve sa valeur d'insistance sans priver "terre" de la possibilité de signifier "une terre",
"la terre entière qui est mienne/nôtre", "*toute ma/notre terre*". Cette
terre "avec ses campagnes, ses bois et ses eaux" évoque fortement le
Québec.

Or, fait capital, la narra*trice* elle-même résume en sa personne
les deux "races", l'amérindienne et la canadienne-française. Elle a certainement du "sang" amérindien de par son père (dont le texte ne
mentionne d'autre ascendance que l'amérindienne), et est sans doute
canadienne-française par sa mère. Son statut amérindien est d'ailleurs
souligné par le fait qu'"On" l'appelle "La Sauvage" (dans le texte dac-
tylographié; dans le film, cet "On", ce sont d'autres enfants qui traitent l'héroïne de "sauvagesse" pour la "faire enrager", geste agressif
adressé à une métisse par une instance qui ne peut que représenter,
au niveau de l'imagination du spectateur, une collectivité canadienne
francophone). Toutefois, pour ce même imaginaire lisant, cette narratrice, qui manie à merveille ce code qu'est la prose poétique de langue
française, est surtout francophone, d'autant plus que l'on tend à
s'identifier à l'héroïne d'un tel texte, celui-ci présentant celle-là de façon constamment favorable.

Dès lors, tout se passe, dans le paragraphe cité, comme si la
narratrice elle-même constituait une *descendante francophone légitime* -
légitimisée par le texte même de *La Canne à pêche* - des premiers habitants amérindiens du Québec ; et comme si, en recevant de ceux-ci la
leçon de l'amour dû au pays, elle (et donc d'autres francophones)
pouvait devenir les propriétaires-héritiers de celui-ci. Certes, cet optimisme est nuancé par le caractère onirique ("songes") de cette transmission d'un héritage comme par les mots "en guise de" qui qualifient ou même déréalisent quelque peu cette transmission. Le texte
hébertien cède rarement aux sirènes de l'euphorie ou de l'optimisme,
et ne cesse de reprendre d'une main ce qu'il donne de l'autre.
Néanmoins, *La Canne à pêche* offre à trois problèmes étroitement liés
une solution d'ordre euphorique, fût-elle quelque peu illusoire. Les
trois problèmes, la triple problématique, c'est d'abord l'exil collectif
des Canadiens français, exil qui, on l'a vu au chapitre II, découle aussi
bien de l'éloignement par rapport à la France que de la Conquête an-

glaise ; c'est ensuite, l'exil des Amérindiens par ces mêmes Canadiens français qui leur ont pris la majeure partie de leurs terres ; c'est enfin, le problème de trouver une justification morale à l'occupation du territoire par les Canadiens français. La solution qu'offre *La Canne à pêche* à ce faisceau de problèmes réside en le rapport de *parenté à la fois biologique et tellurique entre héros amérindien et héroïne métisse* ; et réside aussi en la fin heureuse (quoique optative) du texte. Si le texte insiste sur l'indianité du père, il tend à présenter l'héroïne-narratrice comme blanche et francophone, coupée de l'univers du père jusqu'à ce qu'elle entre dans le genre de rapport fusionnel, voire *magique* avec la terre qui la ramène dans l'univers du père et donc de la "terre paternelle" dont elle s'imagine l'héritière désormais légitime.

Le caractère francophone de la narratrice s'affirme non seulement par le fait qu'elle narre en français, mais aussi par les allusions quasi-métalinguistiques qui soulignent la présence et l'emploi du code linguistique français: "Je crus entendre le mot «robe» et «coton bleu» et «coudre», «coudre» qui revenait souvent" (CP 1). Dès lors tout se passe comme si un peuple-fille francophone prenait bien légitimement la relève d'un peuple ancestral amérindien sur cette terre Québec "avec ses campagnes, ses bois et ses eaux" - à condition d'aimer cette terre du même amour magiquement intense et fusionnel que le père (et métonymiquement donc, les peuples amérindiens). Ainsi *La Canne à pêche* résout-il les problèmes de l'exil (non-appartenance) des Canadiens français dans cette terre d'Amérique et de la légitimité de leur prise de possession du territoire. Quant au problème de l'exil des Amérindiens par les Canadiens-français, il trouve ici une triple solution : d'une part, dans le lien biologique entre père amérindien et fille francophone (lien qui fait écho à la très réelle contribution génétique des Amérindiens à la collectivité canadienne-française, plusieurs écrivains québécois valorisant fortement d'ailleurs leurs ascendances amérindiennes) ; d'autre part, dans la transmission d'une valeur amérindienne fondamentale - le rapport amoureux fusionnel avec la terre et la nature - au peuple-fille ; et enfin, l'accession du père à l'euphorie et à la parole (française, toutefois).

Bref, dans cette rêverie hébertienne, le "jus solis" se trouve renforcé par le "jus sanguinis" - *à condition que le sang amérindien se traduise, chez les Québécois francophones, par un rapport au sol/terre/nature plus proche du modèle amérindien.*

Solutions littéraires donc aux exils canadien-français et amérindien comme au problème moral posé par l'éviction des autochtones par les Canadiens français - mais solutions qu'il faut situer dans l'évolution de la pensée sur les rapports entre authochtones et blancs au Québec et au Canada. La solution au problème des rapports entre ces deux groupes que propose *La Canne à pêche* représente certainement un progrès par rapport à la prise de possession par les explorateurs européens du "nouveau monde" au nom de leurs rois et en "légitimant" leur mainmise par l'appartenance chrétienne de ceux-ci. Mais par contre, cette solution proposée en 1959 paraît bien insatisfaisante dans les années 1990 : loin de se voir restaurer une existence autonome, une dignité, et une/des terre/s dont ils n'auraient jamais dû être privés, loin même de bénéficier d'une compensation adéquate, les Amérindiens tels que représentés par le personnage du père dans *La Canne à pêche* se trouvent évacués de l'Histoire et surtout de l'avenir, ce dernier devant appartenir au peuple-fille, peuple différent même si le texte insiste sur les liens biologiques et axiologiques entre Amérindiens et Québécois.

L'insuffisance de cette solution, *Le premier Jardin* l'avouera sur ce mode mineur qui consiste à reconnaître le problème sans pour autant y trouver de remède. Certes, la figure de l'Amérindien/nne habite d'autres textes hébertiens : le texte de *Kamouraska* rapproche plus d'une fois Aurélie Caron de l'Amérindienne aussi bien par son apparence physique que par ses dons magiques ; et dans *Les Enfants du Sabbat*, l'existence nomade, forestière et chamanique d'Adélard comme de Philomène les rapproche du mode de vie traditionnel de bon nombre de peuples amérindiens. Mais seul *Le premier Jardin* revient réellement à la triple problématique de l'exil des Canadiens français, de l'exil par ceux-ci des Amérindiens, et des rapports entre les deux peuples (expression d'ailleurs insatisfaisante, car elle masque le fait que l'un des "deux peuples" consistait et consiste encore en de nombreux peuples, de nombreuses "premières nations" ; elle tait aussi le fait que les Québécois francophones d'aujourd'hui sont ethniquement pluriels). Ce retour à notre triple problématique n'est toutefois qu'allusif et, nous le disions tantôt, comme triste, démuni, dépourvu de solution au problème qu'il constate. En effet, *Le premier Jardin* est hanté par le problème de l'exil collectif et national canadien-français et tente d'y proposer diverses solutions fictives dont la rêverie sur la Nouvelle-France constitue l'élément-clef. Mais cette rêverie d'une appartenance garantie par ce lien spatio-temporel que constituerait la

Nouvelle-France entre France d'antan et Québec d'aujourd'hui, est mis profondément en doute par une simple allusion au fait que cette terre québécoise avait appartenu à d'autres avant même de devenir terre de Nouvelle-France, nouvelle terre de France :

> *Le soir, à la veillée, Céleste a pris un air offensé pour déclarer que toute cette histoire inventée par Raphaël et Flora Fontanges au sujet des fondateurs de la ville était fausse et tendancieuse.*
>
> *- Le premier homme et la première femme de ce pays avaient le teint cuivré et des plumes dans les cheveux. Quant au premier jardin, il n'avait ni queue ni tête, il y poussait en vrac du blé d'Inde et des patates. Le premier regard humain posé sur le monde, c'était un regard d'Amérindien, et c'est ainsi qu'il a vu venir les Blancs sur le fleuve, sur de grands bateaux, gréés de voiles blanches et bourrés de fusils, de canons, d'eau bénite et d'eau-de-vie. (PJ 79)*

Le roman ne reviendra plus guère à cette problématique ; et Céleste finira par être évincée de la vie de Raphaël au profit de Maud - mais cette allusion passagère à la possession originelle de la terre par les Amérindiens, ainsi que l'allusion aux moyens par lesquels les Européens ont dépouillé les Amérindiens de leur *héritage* (pour reprendre le dernier mot de *La Canne à pêche*) tellurique et spirituel, moyens qui sont les armes à feu, le christianisme et l'alcool, ne cesseront de résonner dans tout le texte et de mettre sérieusement en question toute la rêverie d'une appartenance et d'un non-exil québécois qu'exprime le reste du *Premier Jardin* et qui s'est rêvé aussi, d'une façon à la fois plus confiante, plus heureuse et plus naïve dans *La Canne à pêche*.

"Shannon" est le titre d'une nouvelle qu'Anne Hébert fit paraître en 1960 ; c'est aussi le nom du cadre principal de l'histoire, même pas un village, une campagne "au bord de la rivière Jacques Cartier, en retrait de tout village, là où quelques Irlandais solitaires s'étaient établis à bonne distance les uns des autres." (SH 77) Situation qui se retrouve dans *L'Enfant chargé de songes*, dont Hébert a dit que la "rivière Duchesnay" était "en réalité" la Jacques Cartier[20] ; et c'est une "petite maison" appartenant à un "Irlandais nommé Pat Karl" que loue la famille Vallières (ECS 33). Or, à Shannon, l'héroïne et son amie sont d'abord reçues - fort fraîchement - par une vieille dame qui ne leur parlera qu'anglais et qui a transformé le nom de sa fille Mary Audet en "Mary O'Dell" (SH 84). Voilà qui rappelle que, traditionnellement, même au Québec, les mariages mixtes ont le plus souvent abouti à la prédominance de l'anglais ; le personnage de la grand-mère représente ainsi le spectre de l'assimilation qui ronge l'imaginaire québécois. Son unilinguisme agressif, joint à l'existence même de cette campagne (ce "pays" dans un des sens du mot) anglophone en plein cœur du Québec signale aussi que, si le Québec est un pays dans un pays, à l'intérieur même du Québec il y a des "pays", un surtout, représenté ici par l'espace et surtout par une population, où les Québécois francophones, majoritaires au Québec, peuvent se retrouver minoritaires, voire niés : ce sont l'héroïne et son amie qui doivent s'adapter à la langue de la minorité anglophone lors de leur arrivée à la maison Grogan. Peut-être que l'une des fonctions de la France, dans l'œuvre hébertienne, est de répondre à cet exil très particulier que subissaient les francophones, même au Québec, en raison de la présence d'un autre peuple (et donc, d'un autre pays) prédominant à l'intérieur comme à l'extérieur du Québec. Les Québécois francophones, face à la minorité anglophone, se heurtaient à un autre "pays" puisque le groupe anglophone, économiquement dominant, apprenait peu le français et obligeait le groupe francophone à utiliser l'anglais. Dès lors, la France peut être, dans l'imaginaire hébertien, ce pays où l'Autre (étant francophone et descendant du même peuple ancestral que les Québécois francophones) est aussi, à un certain niveau, le Même. De sorte que, paradoxalement, le Québécois francophone n'aurait pas à y rencontrer le même genre d'exil interne que celui qu'il subissait au Québec dans ses contacts avec les régions/pays ou la population anglophones.

"Shannon" pose donc avec acuité le problème de l'exil national des Canadiens français ; mais cette nouvelle négligée n'est pas moins importante pour l'étude de cette autre forme majeure de l'exil hébertien qu'est l'exil des femmes : nous y reviendrons au Chapitre VI.

Ce chapitre aura laissé entrevoir la richesse signifiante des quatre composantes d'une extraordinaire constellation thématique - marginalité, transgression, fantastique et féminisme - ainsi que celle de leur interaction et de leurs rapports avec l'exil. Thèmes et interaction dont il serait fort utile, vu leur importance dans l'œuvre hébertienne - la contribution aussi de leur très riche jeu à sa beauté - de tenter une lecture d'ensemble, d'où le chapitre suivant.

CHAPITRE VI

MARGINALITÉ, TRANSGRESSION, FANTASTIQUE ET FÉMINISME

La Cage (1990) est une pièce de théâtre : par là, l'œuvre d'Anne Hébert renouait avec un genre qui a présidé à ses origines et n'a cessé de participer, ne serait-ce qu'en filigrane, comme thème ou procédé dans les romans et nouvelles, à son évolution. Cette pièce imprime un développement passionnant à plusieurs éléments textuels abordés dans l'oeuvre antérieure. Parmi les *thématiques exiliaires* qui habitent et que (re)travaille *La Cage*, quatre nous semblent d'une importance particulière et en même temps exiger une mise au point qui tiendra compte de leur présence tant dans cette pièce que dans l'œuvre antérieure. Ces thématiques ont nom : *marginalité, transgression, fantastique*, et *féminisme*, et hantent depuis de longues décennies l'oeuvre d'Anne Hébert.

LA MARGINALITÉ

Pour V. Harger-Grinling et A. R. Chadwick comme pour Lukács, le thème principal du genre romanesque, depuis la fin du dix-septième siècle jusqu'à l'avènement du "Nouveau Roman", fut l'étude du comportement des individus problématiques dans la société[1] ; ils ont du reste consacré plusieurs travaux à la marginalité ou aux personnages de marginaux ou "problématiques" dans l'œuvre d'Anne Hébert. Nous ne saurions dresser ici le répertoire complet de ces personnages presque omniprésents chez notre auteure et dont les chapitres précédents ont fourni maints échantillons : que l'on se rappelle, parmi d'autres, la petite ouvrière Emilie ("La Robe corail") la servante Catherine ("Le Printemps de Catherine"), la "sauvagesse" Délia ("Un grand Mariage"), la jeune handicapée Dominique ("L'Ange de Dominique"), Claudine et François Perrault dans "Le Torrent", Stella et toute sa famille dans "La Mort de Stella", la plupart des personnages principaux des principaux romans - la diabolique famille Labrosse des *Enfants du Sabbat* bien sûr, et aussi le vampirique couple Héloïse-Bottereau dans *Héloïse* ; mais, en outre, ces privilégiés malheureux, vivant tantôt en marge du "pays de Catherine" dans leur sombre manoir, tantôt en marge de la vie parisienne dans leurs hermétiques chambres de bois, que sont Michel et Lia ; il y a encore l'héroïne de *Kamouraska* ainsi que son amant, toute la population de Griffin Creek dans *Les Fous de Bassan* (personnages linguistiquement, culturellement et géographiquement marginaux) ; et même Flora Fontanges, de père et mère inconnus, ainsi que Maud, sa fille fugueuse. Du côté du théâtre, le cadre isolé qu'habitent les personnages de *L'Arche de Midi* est en lui-même un facteur les marginalisant - l'isolement et l'exil spatiaux impliquent par définition une situation en marge et confirment que la marginalité est l'une des formes de l'exil. Même isolement spatial dans *Les Invités au procès*, à en croire l'insistance, dès la première réplique de la pièce, sur le fait que "Les chemins sont effacés" (TS 159), ce qui suggère la difficulté des transports et donc des communications (dans tous les sens du terme) aussi bien dans le village qu'entre celui-ci et le monde extérieur. Salin subit la marginalité de l'assassin qu'il est ; et son affirmation que ses deux filles sont sans importance aucune, des sous-humains, constitue une tentative de les rejeter - et avec elles, les femmes et le féminin, comme l'a noté D. W. Russell[2] - dans une marginalité, un exil absolu (TS 161-162). Le sentiment d'exil moral et social, de marginalité donc est tel, que Ba demandera à Aude, "Qu'est-ce qui rend la vie d'ici si lourde ? Pourquoi sommes-nous punis ?" (TS 159) Agnès, du *Temps sauvage*, a choisi (à l'instar de "la grande Claudine" du "Torrent") de vivre à l'écart de la société et d'imposer cette marginalité spatio-sociale à mari et enfants ; l'assassin assassiné, feue la mercière Adélaïde, a passé sa vie dans la marginalité : d'abord celle, sociale, de son statut social humble (ses parents, "méchants", "pauvres comme la gale", "crasseux", sentant mauvais, qui arrivaient on ne sait d'où et repartaient de même, occupés entre temps à d'obscures tâches sales, voire à la "cochonnerie", ne préfigurent-ils pas à merveille Adélard et Philomène Labrosse ?) Adélaïde subira ensuite la marginalité exiliaire, sociale et morale de son statut d'assassin à répétition ; marginal est son assassin aussi, et avec lui la vieillotte élite de la "petite ville", Marquise de Beau-Bassin en tête, avec ses nostalgies d'Ancien Régime (et d'ailleurs, tout le village, de par son statut provincial, son manque d'importance voire d'identité - la pièce ne lui confère aucun nom - n'est-il pas par là frappé de marginalité ?).

Les enfants dans tout cela... Plusieurs figurent dans la liste ci-dessus. Fort souvent, les personnages enfantins hébertiens sont les proies d'une marginalité cruelle, fortement exiliaire. Il en va ainsi des innombrables orphelins et demi-orphelins des contes et romans, car le statut d'orphelin a déjà quelque chose de marginal par rapport à cette norme sociale mythique qu'est la famille. En outre, ces personnages subissent souvent une infériorisation socio-économique (en témoigne leur pauvreté) et "politique", en ce sens qu'ils sont privés de pouvoir et subissent le pouvoir d'autrui : Madeleine et Jacques, dans "La boutique de Monsieur Grinsec", sont les victimes d'abus scandaleux de la part du personnage éponyme ; les personnages enfantins de "La Part de Suzanne" seront tués sur ordre d'Hérode ; le petit Georges Nelson, avec sa sœur et son frère, est envoyé en exil sur ordre paternel ; Julie et Joseph sont battus et violés par père et mère ; et nous en passons ! *Le Temps sauvage*, c'est pour une bonne part le spectacle de la révolte d'adolescents contre la marginalité dans laquelle a voulu les tenir une femme adulte ; Catherine, dans *Les Chambres de bois*, subit la marginalité de la pauvreté, de l'exploitation du travail féminin et enfantin :

> *Les petites firent toutes les courses pour l'oncle qui les avait invitées pour cela (CB 28) ;*

> *Catherine penchait un visage d'innocente sur la tâche quotidienne. Tout se passait fort simplement comme si deux servantes puissantes au bout de ses bras d'enfant eussent à lutter seules, interminablement, en leur vie rêche, contre le noir du pays (CB 33-34).*

Plus tard, Michel tentera d'obliger Catherine à partager sa marginalité dans les chambres de bois : le roman est pour une large part le récit de la *révolte* de Catherine contre ces diverses formes de marginalité.

Multiples sont donc les marginaux et marginalités de l'œuvre hébertienne, cela jusque dans des textes non-littéraires tels que "Quand il est question de nommer la vie tout court, nous ne pouvons que balbutier" et "Le Québec, cette aventure démésurée" qui tous deux décrivent comme des marginaux, des exclus (en raison de la Conquête et de la semi-théocratie qui s'en est suivie) les Canadiens français :

> *Et puis nous avons été livrés au temps. [...] Tour à tour secoués ou endormis par le temps. [...] Nous coulions. Une défaite sur le coeur. Un chapelet entre les doigts. Pareils aux morts. Ruminant le songe de Lazare*[3].

Que l'on se rappelle aussi, dans le commentaire d'Anne Hébert qui accompagne le film *Saint-Denys Garneau*, ses propos sur "notre difficulté d'être et de vivre en ce coin de pays qui est le nôtre et où l'homme n'est maître ni de soi, ni de sa terre, ni de sa langue, ni de sa religion, ni de ses dons les plus authentiques". Cette liste des formes de marginalité et des personnages de marginaux, encore que partielle seulement, révèle à quel point ces marginalités relèvent de l'exil et comportent même une part d'exil spatial.

Subie, dans la plupart des cas que nous venons d'évoquer, la marginalité résulte parfois d'un choix - par exemple, Jacques et Marie, dans "La boutique de monsieur Grinsec", choisissent de s'enfuir et élisent ainsi l'état marginal de l'enfant fugueur. Certes, même alors *l'acte marginalisant* - autrement dit, *l'acte de transgression*, *l'acte exiliaire* - résulte lui-même de la marginalité déjà subie. Le geste de Marie et de Jacques constitue leur façon de réagir à l'oppression qu'ils subissent de la part du personnage éponyme, elle-même le fruit de leur statut apparent (et marginalisant) d'orphelins. Toutefois, le fait que l'on soit poussé, acculé jusqu'à un sursaut de révolte, jusqu'à un acte transgressif (pensons encore au geste de Catherine qui repousse son mari en le frappant des deux mains en pleine poitrine, dans *Les Chambres de bois*) n'empêche pas que la transgression peut avoir une signification puissante en tant que geste contestataire de l'exil, instrument dé-marginalisant, d'anti-exil.

LA TRANSGRESSION

De nombreux critiques ont souligné l'importance de la *transgression* dans l'œuvre d'Anne Hébert. Transgresser, c'est se mettre en marge ; mais en marge de quoi ? Il peut y avoir transgression méliorative de règles sociales oppressives, transgression valorisée en tant que fait d'un sujet individuel en révolte contre un contexte social maléfique ; que l'on se rappelle Catherine des *Chambres de bois* et Flora Fontanges dans *Le premier Jardin* qui transgressent les règles de comportement prescrites par les autorités jusqu'alors régnant sur elles (Michel ; famille Eventurel) pour sortir de leur "prison" et s'épanouir (la transgression étant suivie, dans les deux cas, d'un déplacement spatial désexilant qui constitue lui-même un acte transgressif libérateur.

La présente étude a déjà insisté sur la forte thématique hébertienne de la transgression sexuelle[4]. Rappelons encore la contestation par divers personnages hébertiens, le plus souvent féminins, des normes socio-sexuelles en matière d'expression verbale, axiologique, kinétique, comportementale (*cf.* Elisabeth la jeune chasseresse, dans *Kamouraska*). Ces diverses formes de transgression s'inscrivent dans une problématique de l'exil et de l'anti-exil de la femme.

Cependant, il peut aussi y avoir transgression négative, voire destructrice, en témoigne le comportement sexiste et meurtrier de Stevens Brown dans *Les Fous de Bassan*. Comportement que ce roman présente comme immoral, voire marginal par rapport aux valeurs que la société *prétend* défendre, mais en conformité secrète avec les valeurs sexistes réelles d'une société patriarcale et machiste comme le prouverait l'observation par laquelle se termine le roman : Stevens a été acquitté (FB 249).

Il faut donc signaler les limites de la transgression. D'une part, une transgression ne bénéficiant qu'aux femmes paraîtrait d'une valeur discutable, car les personnages féminins ne sont pas seuls à subir l'aliénation et l'exil dans l'œuvre hébertienne (qui se montre beaucoup plus sensible à l'exil des femmes qu'à celui des hommes, peut-être parce qu'elle perçoit les hommes victimes comme étant les victimes de l'ordre patriarcal - et donc en quelque sorte responsables dans une certaine mesure de leur propre malchance ? Ce serait cependant procéder par amalgame, juger et condamner par association, voire par biologie, dans une démarche aussi sexiste que celle qu'elle dénonce). D'autre part, la transgression ne réussit pas toujours et même, réussit peut-être de moins en moins souvent dans le corpus hébertien, encore que le parcours de deux récentes héroïnes hébertiennes se solde, l'un par une victoire imparfaite mais indiscutable (Flora Fontanges renoue avec elle-même comme femme active et créatrice, même si elle en perd et sa fille, et son rêve d'une identité nationale retrouvée), l'autre par une victoire complète (celle de Ludivine Corriveau qui va sans doute d'ailleurs permettre la libération de Rosalinde Crebessa).

Enfin, la principale limite de la transgression méliorative, c'est la présence de sa sœur sombre, la transgression négative, tout comme les maléfiques fées noires font obstacle aux fées blanches dans *La Cage*. En témoigne la transgressivité tragiquement négative de Stevens Brown ; pensons aussi aux avances que fait le pasteur Nicolas Jones à sa nièce Nora. Dans ce deuxième cas aussi, la transgression des valeurs sociales officielles, loin d'être punie par la société, aboutit au châtiment de ses victimes : sentiment de culpabilité chez Nora (qui ne sait repousser les injustes accusations du pasteur selon qui ce qui est arrivé était de sa faute à elle, et que c'est par elle que le péché est entré à Griffin Creek, FB 129 ; suicide d'Irène Jones, épouse du pasteur, en apprenant le comportement de son mari envers leur nièce, FB 129-130). Le texte hébertien fait siennes ici les affirmations féministes et autres selon lesquelles les victimes d'abus sexuels - le plus souvent femmes et enfants - sont doublement victimes, puisqu'elles tendent à s'en sentir coupables, sans doute en raison des valeurs qu'une société patriarcale leur a inculquées. Encore une fois *La Cage* s'avère fort originale, car si tout une mini-société est d'accord pour dénoncer Ludivine Corriveau devant le tribunal, une autre, composée de personnes démunies, rejetées, donc marginales, la défend ; laissée à ses propres forces toutefois, ce deuxième groupe serait trop faible pour obtenir l'acquittement et la libération de Ludivine, d'où l'importance de la "divine surprise" qu'est la crise cardiaque fatale de John Crebassa. "Divine" bien littéralement, car décidée par ces fées noires (agents surnaturels) ayant infligé à John Crebessa enfant un "cœur pourri" (C 31). Le fait que la transgression positive et libérante dépende pour réussir d'une intervention surnaturelle constitue encore une limite à la transgression méliorative comme à la lecture euphorique que l'on est parfois trop tenté de faire de la transgression dans l'œuvre hébertienne.

LE FANTASTIQUE

Le fantastique, le merveilleux et la magie imprégnaient l'ambiance *textuelle* (*cf.* "contes" ci-dessous) dans laquelle a grandi Anne Hébert, rappelons-le :

> J'ai été élevée là-dedans : l'inexplicable, les choses dont le sens
> nous échappe. Ce qui se trame dans un autre monde. Toute
> mon enfance, j'ai baigné dans les contes de fées et de sorcières.
> Les bonnes et les mauvaises fées. Ça devenait le Bien et le Mal.
> La religion catholique accentuait ça beaucoup. C'était dans
> l'air, voyez-vous. Il y avait aussi la vie des Saints, le curé
> d'Ars, certains Bernanos. Tous ces combats avec le Diable fai-
> saient partie d'une mythologie populaire bien vivante. [...]
> Quand j'ai commencé, pour mon roman [Les Enfants du
> Sabbat] à lire sur la sorcellerie, ça m'a rappelé l'atmosphère de
> mon enfance. Le Moyen Age me paraissait proche de la vie que
> j'avais connue au Québec. [...] La première fois qu'un avion a
> fait de la publicité dans le ciel [...] j'étais à l'école. On est
> toutes sorties dehors pour voir ça et la bonne soeur pensait que
> c'était un miracle. C'était dans l'air voyez-vous...[5]

Le fantastique hébertien a été abordé par plusieurs critiques : Maurice Emond, Franca Marcato Falzoni, Mary Jean Green, Virginia Harger-Grinling, Lucille Roy, Edward C. Rathé et Adrien Thério, parmi d'autres. Nous avons ailleurs lu *Les Enfants du Sabbat* comme manifestation de l'épanouissement libérateur d'une écriture dans un genre lui convenant tout particulièrement, le genre fantastique[6]. Harger-Grinling et Chadwick affirment un lien entre l'état d'exil social et le fantastique quand ils écrivent que l'oeuvre d'Hébert inscrit une "transformation d'être exilé mais toujours humain, en être pleinement fantastique"[7], le fantastique constituant pour ces chercheurs un lieu de refuge mais aussi de révélation et de contestation de l'aliénation subie dans l'univers "réel" tant des personnages que de l'auteure[8]. Franca Marcato Falzoni lut de la même façon ce même roman :

> L'univers narratif d'Anne Hébert s'ouvre sur "des puissantes
> mâchoires et des lèvres qui prononçaient ... les mots de châti-
> ments, justice de Dieu, damnation, enfer, discipline, péché ori-

> *ginel", et se ferme sur le renversement de cette conception du*
> *monde dans le triomphe fantastique d'un "enfant du sabbat",*
> *où "fantastique" ne qualifie pas uniquement le triomphe lui-*
> *même, mais plutôt le genre auquel appartient le récit qui le*
> *narre. [...] le fantastique, terminus ultime et seul totalement li-*
> *bérateur[9]*

Marcato Falzoni voit l'écriture fantastique comme l'aboutissement logique d'une écriture narrative qui bien avant *Les Enfants du Sabbat* recourait à la fable, aux démons et au songe. La fonction du fantastique hébertien, pour Marcato Falzoni, fut celle dévolue au surnaturel dans la théorie du fantastique élaborée par T. Todorov dans son *Introduction à la littérature fantastique* : "la fonction du surnaturel est de soustraire le texte à l'action de la loi et par là même de la transgresser"[10]. Dans la théorie todorovienne du fantastique, celui-ci résulte de l'hésitation chez le lecteur entre une explication naturelle et une explication surnaturelle d'événements étranges, ce qui implique la présence obligatoire, dans le texte fantastique, d'éléments surnaturels ou paraissant l'être pendant une partie au moins du récit. "Soustraire le texte à l'action de la loi" : autant dire, rendre possible - grâce à une transgression - ce qui ne semblait guère l'être, geste qui multiplie le champ du possible ouvert au texte et permet ainsi de voir dans le genre fantastique un champ de libération s'ouvrant au déploiement de l'écriture hébertienne dans toutes ses possibilités.

Mais au niveau de la libération du personnage, il s'agirait plutôt d'un champ d'illusions, puisque chercher la libération du personnage grâce à des éléments fantastiques ou merveilleux, c'est la rechercher dans l'aire de l'irréel, en témoignent les pauvres gens qui participent aux sabbats d'Adélard et de Philomène et qui, après les visions apparemment libératrices que leur procurent on ne sait quel breuvage, quelles drogues, n'en restent pas moins pris dans leurs exils.

Maurice Emond a suggéré, dans "L'Imaginaire fantastique d'Anne Hébert", que le fantastique constitue un des "traits fondamentaux", une des "caractéristiques essentielles" de la littérature québécoise[11]. Emond démontre que le fantastique (qu'il définit en fonction des travaux de Gaston Bachelard, de Louis Vax, d'Irène Bessière et de Gilbert Durand plutôt que de Todorov) est présent dans l'œuvre hébertienne dès "Le Torrent", puisque

> *La peur du péché et la crainte de l'enfer nourrissent un vertige*
> *sans fin depuis Claudine dans* le Torrent *jusqu'au révérend*
> *Jones des* Fous de Bassan. *A l'harmonie des songes initiaux,*
> *des* Songes en équilibre, *comme le dit si bien le titre du re-*
> *cueil publié en 1942, a vite succédé le vertige des profondeurs*
> *du* Tombeau des rois *et de gouffres successifs. [...] Le poème*
> *"le Tombeau des rois" illustre de façon exemplaire un imagi-*
> *naire fantastique qui trouve dès le début des années 1950 ses*
> *composantes essentielles*[12].

Emond ajoute à juste titre que, "Plus de vingt ans avant le roman *les Enfants du Sabbat* Anne Hébert subvertit déjà le sacré, pactise avec le mal, nous donne un avant-goût des rituels orgiaques et des messes noires de la montagne de B..."[13], formes du fantastique qu'Emond dépiste dans les autres textes hébertiens. Deux faits s'imposent dans cette analyse. L'un, c'est l'importance d'un érotisme bien particulier, sous forme de nécrophilie et de vampirisme, dans cet imaginaire fantastique hébertien (*cf.* nos remarques ci-dessus sur l'importance de comportements sexuels non-conventionnels ou socialement réprouvés dans la marginalité/transgression hébertienne : marginalité, transgression et fantastique sont ainsi étroitement liés chez Anne Hébert, celui-ci offrant nombre d'exemples de celles-là, largement par le biais de cet érotisme déviant). L'autre fait frappant qu'a su dégager Maurice Emond, c'est l'importance du "regard fantastique" : "Règne en souverain, dans l'univers d'Anne Hébert, un regard étranger omniprésent qui épie, juge et condamne irrémédiablement"[14]. Bref, un regard qui *exile*, car il s'érige ainsi comme regard, non plus étranger, mais normal et normalisant, un regard qui, jugeant, rend ainsi étranger son objet qu'il condamne, expulse, exile. Ces deux faits frappants - érotisme vampirisant/nécrophile ; et "regard fantastique" - constituent un fastastique qui écrit l'exil de certains personnages hébertiens de tout bonheur, de toute vie, leur chute vers le sombre royaume de la mort, comme le démontre Emond.

Ce critique a raison d'étendre la définition du fantastique au-delà des perspectives de Todorov (qui classerait sans doute comme manifestations du "merveilleux" certains phénomènes qu'Emond et les critiques dont il s'inspire - Bachelard, Durand, Vax, Bessière - considèrent comme exemples du fantastique). Il est en effet sage d'avoir une définition de travail du fantastique plus large que celle que permettrait l'application stricte des critères todoroviens, défini-

tion conforme néanmoins à l'esprit de sa théorie. Todorov limite sévè-
rement le champ du fantastique, celui-ci n'existant, selon lui, que tant
que le lecteur hésite entre explications surnaturelle et naturelle d'événements donnés, tant donc que le texte hésite entre le genre merveilleux et le genre étrange - mais cette définition signifie qu'un texte
peut être partiellement fantastique, fantastique dans celles de ces parties qui suscitent cette hésitation chez le lecteur. Or, si un texte peut
être partiellement fantastique, plus ou moins fantastique, c'est que le
fantastique pur est une possibilité théorique avec laquelle ces textes
littéraires sont dans un rapport asymptotique, s'en rapprochant sans
l'atteindre tout à fait.

Voilà pourquoi nous sommes porté à voir des indices du fantastique dès les premiers textes hébertiens, textes qui recourent au
merveilleux : songeons par exemple, à ces deux poupées qui soudain
prennent vie dans "La boutique de Monsieur Grinsec" ; à la "forêt /
De Mélisande" dans "Soir" pour ne citer qu'un exemple parmi plusieurs dans *Songes en équilibre* ; à "l'ange"-lutin dans "L'Ange de
Dominique", parmi bien d'autres.

Merveilleux parfois mélioratif, parfois négatif, parfois les deux
à la fois - ou serait-ce ni l'un ni l'autre ? Polyvalence qui est celle du
fantastique hébertien lui-même :

> *Si l'imaginaire fantastique et l'œuvre d'Anne Hébert*
> *exercent une telle fascination, c'est peut-être qu'ils savent bien*
> *nous mettre en "situation d'effroi". Comme tous les grands*
> *fantastiqueurs, Anne Hébert sait placer "le rêve avant la réali-*
> *té, le cauchemar avant le drame, la terreur avant le monstre, la*
> *nausée avant la chute". Ce sont alors nos propres visions, nos*
> *propres cauchemars qui sont subitement réanimés*[15].

Polyvalence du fantastique hébertien qui a ses causes dans un des
grands processus de l'imaginaire et que Jean-Pierre Richard a appelé
le "régime d'ambivalence propre à tous les grands thèmes personnels"[16]. Chez Anne Hébert, tout thème ou presque semble pouvoir
fonctionner en deux sens, positif ou négatif. L'un des plus remar-
quables cas de fantastique dans l'œuvre c'est, dans "La boutique de
Monsieur Grinsec", la transformation des poupées fabriquées par
Jacques et Madeleine (deux enfants apparemment orphelins) en deux
êtres surnaturels, fée et lutin, la princesse Violette et le prince

Turbulent. Conformément aux conventions de représentation des sexes courantes à l'époque (1941), la princesse Violette est toute douceur, alors qu'initialement le prince Turbulent paraît destructeur (présentation des sexes qui tendra à se répéter quarante-et-un ans plus tard, dans *Les Fous de Bassan*, même si Nora tend à évoluer vers une certaine violence, surtout verbale, juste avant que Stevens ne la tue). Toutefois, le prince Turbulent ne tardera pas à révéler une fonction positive aussi, car sa destructivité - et donc la magie, le fantastique dont il émane - peuvent revêtir une fonction méliorative révolutionnaire :

> *[Turbulent] A mon tour! Regardez-moi bien! Tout est à moi, et je puis tout casser si ça me plaît ! Que voulez-vous que je détruise, la boutique ou le monde ? [...]*
> *[Madeleine] (bas, à son frère.) C'est là ton œuvre, Jacques. Tu aurais dû ménager les grains de bruit et de révolution en lui créant la cervelle! (BMG, 2ᵉ tableau, 4).*

La destructivité du prince Turbulent pourrait se muer en créativité sous forme de "révolution", notion à laquelle Madeleine se montre encore ici bien réticente. Plus tard, sans d'ailleurs exprimer des positions politiquement révolutionnaires, Anne Hébert a senti ce que pouvait avoir de positif une "révolution culturelle" qui, pour le Canada français, consisterait à ne plus tenter de gommer, en vue d'atteindre un faux angélisme, le versant violent ou sombre des choses :

> *Mais voici que le songe accède à la parole. La parole faite chair. La possession du monde. La terre à saisir et à nommer. Quatre siècles et demi de racines. L'arbre, non plus souterrain. Mais avoué dans la lumière. Debout. Face au monde. L'Arbre de la Connaissance. Non pas au centre du jardin. Ces douces limbes prénatales. Hors du paradis. En pleine terre maudite. A l'heure de la naissance. Porte ouverte sur la terre ronde et totale. ("Le Québec, cette aventure démesurée").*

Passage qui suggère le surnaturel par l'adjectif "maudite" qui évoque la chute, le sombre, le fantastique maléfique. Or, ici l'imaginaire hébertien voit ce magique/fantastique sombre comme étant en même temps lumière, connaissance, positivité. Le rapport avec la problématique de l'exil est particulièrement évident dans ce passage grâce à la métaphorisation spatiale ("jardin", "terre", ce dernier terme étant à

prendre dans un sens littéral aussi : terre du Québec, et toute la planète Terre). Accepter, embrasser le maudit, le fantastique, c'est s'ouvrir
à la terre/vie entière, et c'est ouvrir celle-ci à soi comme lieu d'une
appartenance mutuelle, terre devenue espace où l'on appartient et qui
vous appartient.

Dans *Les Enfants du Sabbat*, le tableau est moins optimiste
puisque Julie, tout comme les autres personnages du roman, resterait
à jamais l'esclave du diable, comme l'a signalé Falzoni[17] ; dans *Héloïse*,
c'est la négativité du fantastique qui occupe tout le terrain puisque
dans ce roman, le fantastique prend exclusivement les formes du sa-
disme, du viol, du vampirisme, de la nécrophilie et du meurtre. *Le
premier Jardin* constitue un cas à part, puisque la capacité qu'a Flora
Fontanges de recréer voire de créer des personnes imaginaires ou
mortes depuis des siècles, pour "magique" qu'on serait tenté de la
qualifier tant elle suscite l'admiration, est bien plutôt le résultat de
son talent et de sa passion (tout comme Hébert refuse depuis longtemps l'application des termes "magie" et "magique" à la création
poétique qui doit être "sans aucune magie" (P 105)). Dans *La Cage*,
l'élément surnaturel/magique/fantastique retrouve son ambivalence,
les fées noires étant maléfiques, les blanches bienfaisantes ; ce sont
celles-ci qui gagnent à la fin.

Marginalité, transgression, fantastique : tous trois se chevau-
chent, s'interpénètrent, se nourrissent les uns les autres - et peuvent
se lire comme formes d'exil (d'autant plus que "marginalité" comporte explicitement le sème de spatialité, et que le fantastique dépend de
la présence dans le texte du surnaturel - terme qui lui aussi comporte
un sème de spatialité : sur [au-dessus de] la nature). Comme les
autres formes d'exil dans l'œuvre d'Anne Hébert, la marginalité, la
transgression et le fantastique ont un fonctionnement signifiant polyvalent puisqu'ils peuvent tantôt renforcer l'exil des personnages hébertiens, tantôt le contrecarrer, amenant ainsi ces personnages vers le
non-exil, la libération, un rapport d'appartenance mutuelle entre sujet
et monde. Sur le plan non plus thématique mais scripturale, il reste
possible de lire marginalité, transgression et fantastique comme espaces qui conviennent à merveille à l'écriture hébertienne, espaces
donc d'appartenance et du non-exil d'une écriture (*cf.* les remarques
de J. Paterson sur l'immense valeur de l'irréel comme aire de l'écriture hébertienne ; et le rejet explicite par Hébert elle-même du
réalisme)[18].

Le Féminisme

"[L]'agent privilégié des incursions hors du réel [vers le fantastique, donc] est la femme. [...] c'est toujours un personnage féminin qui accède, grâce à un pouvoir magique, au domaine de l'étrange, de l'insaisissable"[19] : comme le signale cette phrase de Daphni Baudoin dans "L'Echappée hors du réel : une constante dans l'univers romanesque d'Anne Hébert", le fantastique hébertien a partie liée avec les personnages féminins de cette œuvre. En témoigne encore, parmi bien d'autres exemples, l'étude de Mary Jean Green, "The Witch and the Princess : the Feminine Fantastic in the Fiction of Anne Hébert". Ce lien entre le fantastique, que nous venons d'étudier, et le féminin hébertien peut conduire à une tentative de synthèse à propos du *féminisme* du texte hébertien.

Le fantastique hébertien se caractérise donc, comme l'œuvre dans son ensemble, par la prépondérance des personnages féminins. Nul exil ne hante plus intensément cette œuvre pourtant riche d'exils de toutes sortes, que l'exil féminin. Et si Harger-Grinling a raison de mentionner que certains personnages masculins sont aussi marginaux que les personnages féminins[20], et (avec Chadwick) que la marginalité n'est pas dans cette oeuvre "l'apanage des femmes"[21], on ne saurait souscrire sans nuances à l'affirmation selon laquelle "Le personnage féminin [hébertien] alors n'est pas tant représentative d'une quelconque situation de la femme au Québec ou ailleurs, qu'il est symbolique de la marginalité individuelle, sociétale, voire nationale"[22]. Certes, le personnage féminin est symbolique de ces diverses formes de marginalité et d'exil ; mais il est aussi et avant tout personnage *sexué*, inscription d'un destin d'exil sexuel tant individuel que collectif, destin subi mais contesté tant par les personnages que par les textes et leur auteure (qui ne cessent d'exprimer une idéologie explicitement féministe qui prend la préséance dans *La Cage* sur toute revendication sociale ou nationale).

Depuis près d'un demi-siècle, l'œuvre d'Anne Hébert se montre sensible à la condition féminine, cela à travers une multitude de personnages, que l'on se rappelle par exemple la jeune paralysée de "L'Ange de Dominique" (1938-1944) dont la paralysie signifie bien cet exil interne qu'était la condition féminine traditionnelle. Même les personnages féminins de condition aisée souffrent d'une aliénation inhérente à la condition féminine dans les sociétés qui sont leurs, le personnage d'Elisabeth, dans *Kamouraska*, en fournit une illustration éloquente ; et tout comme le cas d'Elisabeth d'Aulnières, celui de Marguerite de Nontron confirme que même la particule ne met pas la femme à l'abri de la tyrannie phallocrate. La pièce dont Marguerite de Nontron est l'héroïne témoigne éloquemment de la préoccupation d'Anne Hébert avec la condition féminine : D. W. Russell a bien démontré que, parmi diverses adaptations de la "légende canadienne" de l'exil de Marguerite de Nontron, celle d'Anne Hébert - *L'Ile de la demoiselle* - se signale par l'accent mis sur la condition féminine[23]. De même, si maintes adaptations ont été faites de la légende de la Corriveau, celle qu'offre Anne Hébert dans *La Cage* se démarque en promouvant au premier rang la thématique féministe. La quasi omniprésence de cette problématique chez Anne Hébert nous a amené à voir en la condition féminine l'une des principales formes que prend l'exil dans son oeuvre, peut-être bien *la* principale.

Transgression et féminisme vont de pair chez Anne Hébert. Les raisons rendant possible l'équivalence "transgression = contestation de l'exil" ont été fort bien exposées par Patricia Smart dans *Ecrire dans la maison du père. L'émergence du féminin dans la tradition littéraire du Québec*. La "maison du père" est cette métaphore frappante par laquelle Smart désigne la société patriarcale traditionnelle qui enfermait la femme dans un exil et interne et intérieur, et psychique et social, et encore sexuel, intellectuel, axiologique, moral. Métaphore déjà largement présente chez Hébert, Smart le démontre, grâce aux motifs de la maison fermée, de l'enfermement dans la maison, de l'espace/volume clos dans ses formes innombrables : "Confinée à la maison, cette femme [hébertienne] vit un profond déchirement physique et psychique, cependant que la voix d'un surmoi aussi vieux que le monde patriarcal lui interdit la liberté"[24]. Surmoi qui peut expliquer pourquoi, dans quelques textes hébertiens, c'est la femme qui redoute l'espace ouvert et l'homme qui le prise (c'est le cas dans *La Canne à pêche*, en raison en partie sans doute du fait que la femme est de souche européenne, alors que l'homme est amérindien). Cet exil est d'autant plus écrasant, que la femme hébertienne "a été trahie par ses précurseurs féminins, matriarches puissantes qui perpétuent le règne de la mort en prêchant la douceur et la perte de soi"[25].

La sortie de cet état d'exil reste possible grâce d'abord aux forces vitales de la femme : "la possibilité d'un renouvellement vient de la femme, qui possède en elle le secret des origines et du désir"[26] ;

"Hébert, étant femme, connaît à fond l'emprisonnement dans la maison, et en explore les contours jusqu'à ce qu'il cède sous la pression de son désir"[27]. L'œuvre hébertienne présente le désir (qu'il faut entendre d'abord et surtout comme désir sexuel, mais aussi dans un sens plus vaste qui englobe un désir du monde, en particulier du monde naturel et de l'espace ouvert, désir qui anime un corps et un esprit désirants, actifs, jouissifs et jouissants), le désir comme force libératrice (chez la femme surtout, encore que la fonction du désir dans l'état de dépendance que subit Lia envers son amant dans *Les Chambres de bois* inscrit une exception à cette tendance). Smart utilise le terme "exil" pour nommer l'état d'aliénation qu'est la condition féminine dans l'oeuvre hébertienne avant la libération ; et précise encore que (comme nous l'avons signalé à propos de l'avant-dernier verset de *Mystère de la Parole*), cette libération peut être collective grâce à la solidarité entre femmes : "Contrairement au cheminement d'un Saint-Denys Garneau, qui dans sa tentative de diagnostiquer le mal collectif n'avait qu'un «traître frère» pour compagnon, celui d'Hébert amène vers la reconnaissance par ces figures-sœurs que son exil est un sort partagé. Ensemble, elles cherchent une issue [...]"[28]. Cette "issue" sera souvent cherchée dans le désir, le droit au désir, l'expression du désir féminin et la recherche active, transgressive, de son assouvissement : le corpus hébertien en offre de nombreux exemples, dont l'adultère auquel se livrent Catherine (*Les Chambres de bois*) et surtout Elisabeth (*Kamouraska*).

Si l'œuvre hébertienne inscrit ainsi des cas de sexualité transgressive comme manifestations d'un désir contestataire de l'exil et potentiellement libérateur, au niveau de l'écriture plus frappante encore, comme modalité d'inscription de la trangression à but libérateur, est la transformation transgressive du *mythe d'Eve* (mais des personnages comme Claudine Perrault, Elisabeth Tassy, Philomène, et d'autres transgressent et contestent le grand mythe canadien-français de la mère : la transgression/subversion des mythes prend donc de multiples formes chez Anne Hébert). P. Smart fait remarquer que dans le poème "Eve" de *Mystère de la Parole*, "Inversant l'interprétation du mythe qui voit en Eve la première pécheresse, Hébert voit dans le désir et la transgression de la première femme un modèle positif pour ses filles"[29]. En outre, un autre poème intitulé "Eve" avait déjà paru dans "Les Songes en équilibre". Dans une étude comparative de ces deux "Eve" - "From the First «Eve» to the New «Eve» : Anne Hébert's Rehabilitation of the Malevolent Female Archetype" -

Kathleen Kells a démontré que l'"Eve" des *Songes en équilibre* était déjà fortement contestataire du mythe phallocratique de l'Eve biblique
(ainsi, le poème n'évoque aucun des deux principaux personnages
masculins du mythe biblique - Dieu et Adam - ni la chute de l'"homme" ; Eve n'est pas la première pécheresse et tentatrice, mais une femme d'une sensualité valorisée)[30] ; en outre, le deuxième poème, ne se
contentant plus de passer sous silence les personnages masculins pa-
triarcaux, dénonce "le discours, les mythes et les icônes du code symbolique d'origine masculine qui n'ont cessé de tenter de réprimer le
désir féminin porteur de vie"[31]. Kells montre en particulier que le
deuxième poème utilise une voix et une perspective clairement féminines[32] et subvertit surtout le mythe des origines patriarcal le plus directement opposé à celui d'Eve, le mythe de Marie[33]. En revalorisant
Eve et en contestant Marie, l'écriture d'Anne Hébert non seulement
transgresse mais envoie sens dessus dessous le discours et les valeurs
masculins traditionnels.

Nous ne saurions ici retracer tout le parcours (déjà largement
évoqué au cours des chapitres précédents) de la problématique féminine dans l'œuvre d'Anne Hébert, ni refaire le trajet fort riche de la
critique hébertienne féministe (trajet passé en revue dans A. Hayward
et A. Whitfield [dir.], *Littérature et critique québécoise*). Plutôt, cet effort
de synthèse évoquera la place d'une visée féministe dans l'ensemble
de la problématique hébertienne de l'exil, les rapports entre féminisme, marginalité, transgression et fantastique - et surtout, l'*évolution* de
la vision de la femme et de la visée féministe du texte hébertien. Le
rapport d'inclusion mutuelle entre condition féminine et exil est
l'exact pendant du rapport d'exclusion inhérent, on s'en souviendra,
à la définition de l'exil. L'exil, d'abord d'ordre spatio-politique,
consiste dans le fait d'être exclu ou de devoir s'exclure d'un certain
territoire; ou encore d'être ou de se sentir exclu à l'intérieur d'un territoire. Toute problématique de l'exil met en jeu une problématique de
l'appartenance et de la non-appartenance. Bannir quelqu'un d'un espace, c'est prétendre qu'il n'y appartient pas, et que point ne lui appartient cet espace ; se sentir obligé de s'exclure soi-même d'un espace, ou encore s'y sentir en exil interne, c'est avoir ce même sentiment
de non-appartenance entre soi-même et un espace. Ces mêmes critères
d'exclusion et de non-appartenance gouvernent les autres sortes d'exil :
l'exil social, par exemple, consiste à subir une exclusion, un rapport de
non-appartenance, par rapport à une classe sociale donnée. Il n'en va
guère autrement en matière d'exil sexuel. Les personnages féminins

hébertiens victimes de la condition féminine subissent de multiples exclusions sociales et autres. Claudine Perrault, en tant que fille-mère, a été exclue de son entité spatio-sociale initiale, tout comme (sans doute) Elisabeth-la-Complaisante dans *L'Arche de midi* le fut pour avoir tenté de vivre librement son désir. L'exclusion de l'accès aux rapports sexuels, la privation du sexe, constitue l'une des plus fréquentes dimensions de l'exil féminin chez Anne Hébert, en témoignent encore Emilie dans "La Robe corail", la Catherine du "Printemps de Catherine" comme celle des *Chambres de bois*, parmi d'autres. Ailleurs, la condition féminine comporte l'obligation pour la femme de subir des rapports sexuels non voulus : c'est le sort de Délia dans "Un grand Mariage", d'Aline dans *Les Chambres de bois*, d'Elisabeth dans *Kamouraska* de la part d'Antoine Tassy comme de Jérôme Rolland, de Julie dans *Les Enfants du Sabbat* (où le viol se charge d'autant plus d'horreur, que c'est une enfant qui le subit, et de la part de son père), les violées Nora et Olivia dans *Les Fous de Bassan*, et d'autres encore.

Dans les deux cas de figure - la privation du rapport sexuel ou son imposition - cette *dysphorie sexuelle* résulte de ce que la femme n'a guère de pouvoir décisionnel en la matière. *Tantôt exclue, tantôt victime de la pratique sexuelle, la femme hébertienne est d'abord et surtout exclue, exilée du pouvoir*, et d'abord du pouvoir sur elle-même, sur son propre corps, comme si elle ne s'appartenait en aucune façon. Eloquent à ce propos est "Un Dimanche à la campagne", car ce sont trois hommes - le père de la jeune fille, le soupirant et son père qui discutent pour savoir si le premier donnera sa fille au deuxième ; la mère de la fille est présente mais exclue de la discussion ; la jeune fille elle-mème attend dans une cabane à bateaux que les trois mâles décident de son sort. Hébert affirme que "Mes personnages traduisent physiquement leur douleur. La révolte est tellement obscure, tellement lointaine, tellement forte, que c'est le corps qui la prend. Chez mes femmes, le corps est la parole"[34]. Que la condition féminine ait un rapport étroit avec l'exil hébertien au point de s'y confondre, c'est ce que confirme une lucide remarque de Paule Lebrun : "«Je» est un autre, dit Rimbaud. Dans le cas de la femme vraiment féminine, «je» est ailleurs. Exilé. Enterré sous les rôles. Inaccessible et peu dangereux"[35].

Exclusion de la femme qui repousse donc celle-ci dans les marges du pouvoir et de l'appartenance. D'où l'étroite parenté entre exil féminin et marginalité chez Anne Hébert. Il y a même une certaine marginalité de la femme comme personnage dans quelques textes de la jeune Anne Hébert : ce sont bien "trois petits *garçons*" qui viennent voir un quatrième "petit *garçon*" dans un conte de Noël qu'Anne Hébert fit paraître en 1937, alors qu'elle avait vingt-et-un ans (nos italiques). Le héros de "L'Oiseau du poète" est un homme (SE 151-156), tout comme le poète inaugural de *Mystère de la Parole*, "celui qui a reçu fonction de la parole" (p. 75) (mais plusieurs autres poèmes de ce recueil, dont notamment les deux derniers, "Eve" et "Des dieux captifs", mettent la femme au premier plan). Dans certains autres textes, il y a sensiblement égalité entre l'importance des personnages masculins et féminins ; à mesure que se déploiera l'œuvre, les personnages féminins deviendront de plus en plus importants, et les personnages masculins tendront à devenir négatifs. Déjà, dans "La boutique de Monsieur Grinsec" (1941), s'il y a égalité numérique entre filles et garçons chez les personnages enfantins, le personnage adulte, Monsieur Grinsec, est à la fois masculin et fort négatif. Dans *Héloïse*, il y a équilibre entre les sexes parmi les quatre personnages principaux ; le seul personnage positif est féminin (Christine). Le plus souvent cependant, les personnages et la voix de la femme prédominent tant dans l'oeuvre poétique que dramatique, nouvellistique et romanesque.

Cette vision hébertienne de la femme et du féminin n'a donc pas surgi d'un seul coup et toute faite. Elle semble avoir évolué avec le temps, passant d'une vision comportant des éléments mixtes, positifs et négatifs, presque en équilibre, à une vision où prédominent les éléments positifs. Il importe de marquer les diverses étapes de cette évolution. Sans doute que, dans "L'oiseau du poète", la vision de la femme est positive, mais cette positivité reste plutôt implicite. La femme, presque exclue du texte, y est donc d'une présence marginale et ne se voit attribuer aucune fonction positive - mais au moins le héros du poème est précisément, explicitement, un homme *féminisé*, l'artiste cantonné lui aussi en marge de la société :

> *Cependant les gens au dehors s'agitent*
> *Et jettent des pierres contre les vitres.*
> *"Que fait cet homme agenouillé, immobile,*
> *Quand l'ennemi est aux portes de la ville ?*
> *C'est des soldats qu'il nous faut,*
> *Et non cette espèce d'enfant*
> *Qui fait sa vie à l'envers !*
> *Qu'on le sorte !*

> *Qu'on lui donne des armes !*
> *Quoi, c'est ça l'homme ?*
> *Qu'il est chétif avec son air d'être ailleurs !*
> *Qu'il reste où il est !*
> *Il ne saurait marcher comme les autres*
> *Au son d'une musique militaire...*
> *Qu'il reste là,*
> *Avec les femmes,*
> *Puisqu'il est inutile !"*
> *On le méprise.*
> *Et pourtant que ferait-on*
> *Sans lui ?*
> *Qui garderait le feu*
> *Sans la Vestale au temple ?*
> *Il accepte l'injure.*
> *Pour son pays il sera*
> *L'offrande recueillie*
> *D'une âme qui prie. (SE 154-155)*

Ecrit manifestement à la lourde ombre de la guerre (le recueil parut en 1942), ce poème identifie explicitement la masse des hommes, des "vrais" selon la société, comme étant ceux qui font la guerre ; ne la font pas, restent donc en marge de la société définie par "les gens", les femmes d'une part ; et d'autre part, ce poète qui, puisqu'il opte pour la réflexion, la rêverie, la sensibilité, sera rejeté dans la marginalité de l'"inutile" - avec les femmes et les enfants. Le poème prend bien entendu une position à l'inverse de celle des "gens" en prétendant que l'activité du poète - il "prie", c'est-à-dire : *produit des textes -* est indispensable ; et cette activité indispensable est explicitement féminisée, identifiée à celle des vierges Vestales dans l'histoire romaine. Certes, on ne saurait parler de féminisme ici : la femme en tant que Vestale, et identifiée à la passivité, reste cantonée par l'idéologie du poème dans un rôle traditionnel. Toutefois, en suggérant que les femmes (et quelques hommes artistes) ont comme trait distictif et comme indice de supériorité morale le fait de ne pas faire la guerre, ce poème annonce certains propos tenus des décennies plus tard par une Anne Hébert devenue explicitement féministe :

> [Gloria Escomel] *Je veux savoir ce qui la [Anne Hébert] déses-*
> *père le plus dans le monde moderne.*

[Anne Hébert] Toutes les bêtises que les hommes font.

[G. Escomel] Quand vous parlez des hommes, parlez-vous de l'humanité en général ou... ?

[A. Hébert] Je parle des hommes, au masculin, puisque ce sont eux qui ont le pouvoir jusqu'à présent.

[G. Escomel] A quelles "bêtises" pensez-vous plus particuliè-rement ?
[A. Hébert] A ce qui se passe en Iran, par exemple. C'est effrayant d'y penser.[36]

Publiés en septembre 1980, ces propos font vraisemblablement allusion tant aux troubles politiques qui avaient ensanglanté l'Iran lors du passage du régime du chah à celui de l'ayatollah Khomeiny (guerre civile) qu'au début de la guerre Iran-Irak (guerre internationale).

Toutefois, plusieurs textes hébertiens comportent une vision mixte de la femme, celle-ci pouvant y apparaître comme négative aussi bien que positive. Claudine Perrault, dans "Le Torrent", est bien plus explicitement présentée comme bourreau que comme victime : cette dernière dimension du personnage ressort surtout des lectures récentes marquées par la concientisation pro-féministe des lecteurs des deux sexes. Les agents de l'exil social sont parfois des femmes identifiées plus ou moins explicitement comme bourgeoises et présentées avec fort peu de sympathie par le texte hébertien, en témoignent Stéphanie-Hortense-Sophie de Bichette dans "La Maison de l'Esplanade", qui tient en exil spatio-social ses frère et belle-sœur, ou encore la "dame patronnesse" qui, dans "La Mort de Stella", pousse un jeune curé à vérifier le statut conjugal de Stella et d'Etienne, question qui aboutit à leur expulsion du village (T 242). Dans *La Canne à pêche*, l'image de la femme n'est pas reluisante : elle y craint le monde et prive l'homme de sa liberté comme de son espace : elle est la cause même de l'exil de son homme ! Et elle cherchera à transmettre avant tout à sa fille : sa peur. Le personnage de la mère rejoint donc cette image négative de la femme qui, devenue progressivement beaucoup moins présente dans l'œuvre hébertienne depuis 1960, y était largement présente auparavant. Anne Hébert a fourni une explication de ce phénomène de l'ambivalence féminine dès 1976, particulièrement à propos des attitudes et comportements ambivalents de certaines femmes envers d'autres femmes :

> *Le christianisme chez nous avait amené une sorte de refoule-*
> *ment de la vie. Ce refoulement se vivait surtout au féminin.*
> *Les femmes n'avaient qu'une mince zone d'expression. [...]*
> *C'est aberrant ce refoulement du féminin dans l'Histoire [...]*
> *La vie des femmes d'ici était à ce point irréelle et inexistante,*
> *qu'elles étaient à la fois fascinées et horrifiés par les femmes qui*
> *laissaient monter en elles les forces de la vie. Nos mères*
> *avaient des ventouses pour manger la vie des autres.*[37]

Mère-à-ventouses, mère-pieuvre, mère maléfique : l'archétype de la mère mauvaise participe assurément à cette ambiguïté du personnage féminin hébertien ; et cela dès *Les Songes en équilibre*, comme on l'a vu au Chapitre III en référence aux rapports dysphoriques entre le sujet locuteur et l'instance maternelle. La mère mauvaise est à nouveau largement présente dans le plus récent texte hébertien sous les traits de Pauline Vallières (née Lacoste), qui aime ses enfants à les en étouffer et qui serait capable (selon Lydie) d'imiter la renarde qui, voyant ses petis menacés, les dévorerait - littéralement - afin de mieux les protéger... Toutefois, les origines de cet archétype dans ses manifestations québécoises sont d'ordre social pour Anne Hébert, comme le prouve la déclaration que l'on vient de lire ainsi qu'une autre qu'a utilement signalé Paul Raymond Côté à propos

> *[...] du rôle contraignant de certaines mères dans la société ca-*
> *nadienne-française : «Figée dans son rôle de mère, exclue de la*
> *société, elle a, en accord avec la morale figée de l'époque, trop*
> *souvent exercé un pouvoir destructeur sur les enfants, sur les*
> *futures femmes et sur elle-même.»*[38]

Les pièces *L'Arche de midi* et *Le Temps sauvage* comportent des personnages féminins négatifs aussi bien que d'autres, positifs (Agnès, dans *Le Temps sauvage*, est une geôlière tyrannique). Dans *Les Chambres de bois*, certains personnages sont tout à fait négatifs (Michel, le père de Catherine...), et d'autres sont positifs (Catherine, Bruno). Dans ce roman toutefois, apparaît le personnage intermédiaire, bivalent, de Lia. Celle-ci est empreinte de sensualité (qualité positive dont la survie chez Catherine favorisera sa révolte contre l'univers anti-sensuel et anti-sensoriel de Michel et permettra sa libération dans la troisième partie du roman). Mais en même temps, Lia est trop dépendante pour savoir réaliser l'harmonie entre corps, coeur et esprit, entre amour et autonomie. La servante Aline aussi est un personnage bivalent : négative par sa soumission au mythe du seigneur et de la grande dame, par son mépris des classes populaires et du travail manuel (son mépris donc d'elle-même), elle est positive dans la mesure où elle soutient le départ de Catherine de chez Michel (même si ses raisons de soutenir ce départ sont illusoires, car Catherine n'évoluera pas dans le sens qu'Aline l'espérait). En outre, le texte fait comprendre et donc pardonner la négativité d'Aline en suggérant qu'elle résulte d'abus sexuels multiples de la part de son premier maître, le père de Michel et de Lia.

Chez d'autres personnages féminins encore, l'on retrouve négativité et positivité à la fois, il en va ainsi d'Aude et de Ba dans *Les Invités au procès* : si Aude est un exemple navrant de la femme se concevant comme être relatif, prête aussi à nuire aux autres femmes afin de s'emparer de l'homme, elle démontre néanmoins un rejet de la peur et un appétit de vivre qui la rendent sympathique au lecteur, la rapprochant ainsi de Catherine (*Les Chambres de bois*), d'Elisabeth (voire de la "femme noire", avatar d'ailleurs d'Elisabeth) dans *Kamouraska*, et de Christine (*Héloïse*) :

> *Ba - J'ai peur, sœur Aude !*
>
> *Aude - Tu es sotte ! Moi, j'aime avoir peur ! On frissonne, on a envie de mourir, puis on ne meurt pas, à cause de la grande consolation de vie qui est au fond de la peur traversée. (TS 166)*

L'ambiguïté de l'image de la femme se manifeste aussi dans "Shannon". Si l'héroïne ("je") et son amie Claire sont présentées tout au long de la nouvelle de façon positive, et si "Mrs Roberts" est une "vieille amie de la famille" qui met sa maison de campagne à la disposition de l'héroïne, quelque chose "cloche" dès la présentation de ce personnage, puisqu'elle prêterait sa maison "pour tout le temps de *«votre convénience»*". (SH 35 ; guillemets internes et italiques d'A. Hébert). "*Votre convénience*" insiste sur l'étrangeté de la "vieille amie" comme le font certains aspects de la suite de ses propos ("Pat Grogan garde bon cheval..."). Etrangeté quelque peu menaçante, on l'a vu, puisque dire "*convénience*", c'est estropier la langue d'un peuple qui déjà se sent, dans le contexte nord-américain, assiégé. Quand l'héroïne et son amie arrive à la maison de Pat Grogan, elles y rencontrent une vieille femme qui ne leur parlera jamais qu'anglais et ne cessera de leur manifester son hostilité. L'attitude initiale de la fille de cette femme âgée, fille qui, épouse de Pat Grogan, est elle-même déjà mère de sept enfants, ne sera guère plus aimable au début - ni (fait plus significatif, nous le verrons) à la fin. Ces deux personnages féminins apparaissent donc comme négatifs, y compris envers ces autres personnages féminins que sont l'héroïne (que le texte ne nomme que "je" mais dont le sexe féminin est confirmé par les accords adjectivaux et verbaux) et son amie Claire. Cette négativité féminine s'accuse lorsqu'apparaît Pat Grogan lui-même :

> *Derrière lui la famille de Pat Grogan semblait mécontente. De la jeune femme aux enfants, en passant par la grand-mère, une sorte d'hostilité s'établissait, comme une conspiration de gynécée contre l'homme imprudent, trop empressé à accueillir des étrangers (SH 78).*

En effet, Pat Grogan se montre fort aimable envers les deux voyageuses, leur parlant français et promettant d'aller à la rescousse de leur voiture embourbée, contraste qui met en relief la négativité de la vieille femme et de sa fille. La négativité de la vieille se renforcera encore lorsque l'on apprendra que sa fille, Mary O'Dell, est pour moitié d'origine canadienne-française et s'appelait Mary Audet jusqu'a ce que sa mère ait transformé ce nom "à l'irlandaise" (SH 85).

Toutefois, l'image de Pat Grogan d'une part, et d'autre part, celle des personnages féminins se transforment progressivement, mais de façon inverse. Celle de Pat Grogan se transforme de façon négative à mesure que le récit révèle que Grogan ne tient pas parole, ni pour faire ferrer le cheval que voudraient louer les deux jeunes voyageuses, ni pour ramener, comme il l'avait promis, des sacs de farine et de sucre pour sa famille - et à mesure aussi que l'on découvre la cause de ces manquements à sa parole : Grogan boit. Ce sera la grand-mère qui reviendra du village en portant "un sac très lourd sur son épaule" (SH 82). Ainsi, l'image de la femme, contrairement à celle de l'homme, se transforme dans le sens mélioratif, aussi bien par le contraste avec le comportement irresponsable de l'homme qu'en raison de l'admiration que suscite l'image d'une vieille grand-mère portant sur l'épaule, sur une distance considérable, de quoi nourrir sa fille, ses petits-enfants - et Pat Grogan lui-même ! Lectrices et lecteurs ne peuvent que sympathiser avec ces deux femmes qui recourent, on les comprend, à l'expession "maudite boisson".

Cette image des deux sexes est encore nuancée quand le récit présente Pat Grogan comme ayant une âme d'artiste, et sera profondément modifiée - de troublante façon - à la fin de la nouvelle. Voyons d'abord le portrait de Pat Grogan en artiste. "Shannon" recourt au stéréotype ethnique qui fait traditionnellement des Irlandais des "poètes/chanteurs/conteurs charmants, paresseux et alcooliques". On a déjà vu des indications de l'influence de ces deux derniers traits du stéréotype; quant à la dimension artistique de ce personnage,

> Dès notre retour de promenade, nous passâmes chez Pat Grogan. Il parut content de nous voir. Son visage morne se réveillait. Tous ses traits longs et réguliers rayonnaient de malice et de joie. [...] L'homme se préparait à nous raconter une histoire, et il brûlait d'impatience [...] Avant même que Pat Grogan eût ouvert la bouche, il était déjà évident que le mensonge et le rêve se mettaient en route, à grandes enjambées, quelque part dans le vaste monde, là où l'Irlandais avait libre accès. [...] nous attendions la suite ainsi qu'un grand dépaysement (SH 82).

Et une fois l'histoire racontée, "Une petite lumière persistait dans l'oeil de Pat Grogan, dernier signe de fièvre sur le visage tiré de celui qui venait de réussir, devant un auditoire docile, la transfiguration de ses propres ennuis mêlés à tout un monde imaginaire" (SH 83). "Mensonge", "rêve", "transfiguration", "imaginaire" : autant de mots qui évoque la fiction littéraire, fonction méliorative que vient renforcer encore ce *"dépaysement"* qui rappelle que l'une des formes positives de l'exil, dans la tradition culturelle de nombreuses sociétés, c'est le "transport", le dépaysement que permet la fiction. En même temps, un autre trait du stéréotype se retrouve ici : le conteur irlandais traditionnel, selon le stéréotype, ne donne guère dans le réalisme mais pratique à merveille, justement, le genre merveilleux. Et si l'histoire d'une rencontre inattendue avec un cortège funèbre n'a rien de merveilleux, le texte laisse entendre que, pour justifier ses retards de buveur, Pat Grogan serait capable de faire mieux la prochaine fois, d'inventer des fictions encore meilleures.

Ce portrait de Pat Grogan en conteur irlandais, en créateur de fictions, tend à le réhabiliter aux yeux du lecteur et à rétablir ainsi l'équilibre entre les images de la femme et de l'homme alors que le rapport entre elles, d'abord favorable à l'homme, avait basculé en faveur de la femme. Mais la fin de la nouvelle bouleverse à nouveau l'image des rapports entre les deux sexes. L'héroïne et son amie, au cours d'une promenade, feront une découverte inattendue :

> *Au pied d'un vieux mélèze encore dénudé, les fines aiguilles dorées étaient mêlées aux aiguilles de pin, en un grand remue-ménage, comme si le sol venait d'être occupé par des campeurs. Dans cet éclaboussement de couleurs, une note plus vive, un petit foulard vert à pastilles blanches que j'aurais bien juré avoir vu au cou de Mary Grogan. [...] En arrivant près de la maison nous aperçûmes, nous précédant de quelques pas dans le sentier, un couple d'amoureux serrés l'un contre l'autre, débraillés, tout seul au monde. [...] Une certaine chevelure fauve s'allumant, pareille à une torche, à chaque rayon de soleil entre les arbres, ne pouvait nous tromper sur l'identité de la femme. [...] Pat et Mary se trouvaient tout à coup relevés du pouvoir d'inventer, tout élan, toute éloquence en eux réduits à une seule expression, celle d'une éclatante et fragile vérité : la joie d'être ensemble, raccordés. (SH 84)*

Ce passage pourrait traduire l'accession des Grogan à un bonheur de couple fondé sur l'amour et sur l'égalité : rien ici n'attribue plus de pouvoir à un époux qu'à l'autre, ils semblent jouir ensemble d'une relation amoureuse d'égal à égal, vraiment "ensemble". Apparences trompeuses, comme le signale le ralliement de Mary aux mensonges de Pat pour justifier que le cheval ne soit toujours pas ferré; et comme le confirmera fortement les dernières images du couple, alors que nos deux vacancières feront chez les Grogan une dernière visite :

> *Mary à genoux devant son mari était en train de lui enlever ses bottes. Comme le premier jour de notre arrivée, elle ne nous regarda pas. Nous ne reconnaissions d'elle que la masse de ses cheveux pressés contre les genoux de l'homme.*
>
> *Elle finit par se relever et passa devant nous, l'oeil très vert, l'air résolu, nous ignorant superbement. [...] Mary ayant pris le petit dans ses bras [...] Pat rappela sa femme presque aussitôt. Mary accourut très vite [...] l'air véhémente et déterminée d'une chatte rousse qui a décidé de sevrer ses petits, tandis que la voix mâle appelle à nouveau dans son coeur, comme celle du maître de sa vie. (SH 85)*

Comme Elisabeth Rolland - dont Mary consitue une première version par sa chevelure fauve, ses velléités de révolte, son rêve de trouver le bonheur avec un homme autre que son mari, sa sensualité, son animalité, et enfin sa reddition "terminale" à l'homme - Mary finit donc par oublier son exploitation, son malheur, sa révolte pour se rallier corps et âme au rôle de servante soumise à son "mâle". Cela ne surprend pas vraiment ; car Mary, même lors de ses moments de révolte, n'envisageait une amélioration de sa situation que grâce à l'homme :

> *"Ah que je suis mal mariée ! Il faut que ça finisse ! J'ai bien envie de le planter là avec sa marmaille et de faire ma vie ailleurs, avec un autre gars. Le malheur c'est que j'ai sept enfants ! [...] Ah ! c'est pas drôle vous savez un bébé à recommencer tous les dix mois, la saleté dans la maison, la malfaisance partout sur moi, comme la teigne... Ah ! Je vas le planter là ! J'en trouverai bien un autre qui voudra de moi pour le meilleur et pour le pire..."*
>
> *Tout en parlant Mary s'était mise à ressembler curieusement à son mari (SH 83-84).*

Cette fusion qu'annonce la dernière phrase, la femme perdant son identité pour se fondre dans celle de son mari, annonce la soumission finale de la femme agnouillée qui enlève les bottes de son mari et court vers lui dès que la convoque la "voix mâle" "dans son cœur", "celle du maître de sa vie" !

L'œuvre hébertienne ne comporte pas de plus navrante image de la soumission féminine - mais cette révolte naît dans l'esprit des lectrices et lecteurs marqués par la problématique de la condition féminine. On ne peut qu'être troublé par le ton de neutralité, voire de sérénité et même d'humour (la toute dernière phrase de la nouvelle évoque avec humour le mensonge d'un enterrement auquel Mary et Pat ont prétendu avoir assisté, alors qu'en réalité ils faisaient l'amour dans la nature) sur lequel le texte présente cet état des choses - comme pour signifier que cet état était inévitable, la loi de l'amour et donc du monde, l'ordre "naturel" des choses, dimension "naturelle" du "cœur" de la femme qui ne peut que plier celle-ci à la volonté de la "voix du mâle" qui l'emplit toute entière. On peut supposer que le processus de conscientisation féministe d'Anne Hébert n'était pas aussi avancé à l'époque de la rédaction de "Shannon" (publié en 1960) qu'il le devint plus tard - ou bien encore, on peut supposer qu'Hébert donnait à voir un cas d'exil féminin, en laissant au lectorat le soin d'en tirer des conclusions (supposition que met en doute toutefois l'insistance du texte sur la "joie" de Mary et de Pat, et sur l'entrain sans réserves avec lequel celle-là sert celui-ci). Fait frappant : la mère de Mary se trouve éliminée totalement de l'univers des Grogan : "la belle-mère était enfin partie pour ne jamais revenir..."(SH 85). Or, il semble clair que la mère de Mary était, face à l'exil féminin subi par sa fille, un personnage positif, défendant son droit à la solidarité de son conjoint, luttant contre l'alcoolisme qui, en prenant la place de l'aliment fondamental - la farine - revêt une fonction des plus menaçantes. Loin de présenter ce personnage de façon globalement favorable toutefois, la nouvelle en donne une image d'ensemble défavorable : unilingue anglophone, elle a changé une "Audet" en une "O'Dell", brandissant par là le spectre de l'assimilation qui hante l'imaginaire québécois ; en outre, la colère que manifeste Mary à propos de ce changement de nom suggère que sa mère est une importune, et que les problèmes conjugaux de Pat et Mary ne sont que le résultat de ses ingérences. Si "Shannon" recourt au stéréotype de l'Irlandais, il met en œuvre aussi celui de la belle-mère. Le contraste est frappant avec la compassion et l'estime pour les femmes plus âgées qu'expriment des textes hébertiens plus récents, valorisant et thématisant la solidarité entre différentes générations de femmes.

L'ambiguïté de l'image de la femme hébertienne se renforce encore donc à la lecture de "Shannon" dont l'héroïne suscite la sympathie en raison de l'exil féminin qu'elle subit, pour ensuite devenir l'alliée sans réserves du patriarcat ; on a beau estimer que Mary est simplement la victime de ce patriarcat, conditionnée à en accepter la tyrannie, le personnage se teint, par sa soumission enthousiaste, d'une troublante négativité.

Même polyvalence chez les personnages féminins de *Kamouraska* : on a beau sympathiser avec Elisabeth, ira-t-on jusqu'à se sentir solidaire de sa complicité dans le meurtre d'Antoine Tassy ? (Le roman tente de susciter cette complicité chez le lecteur à la fois en faisant de Tassy une brute et en lui attribuant des intentions, voire des tentatives, homicides envers sa femme, ce qui tend à transformer la participation d'Elisabeth au meurtre de son mari en acte de légitime défense). Aurélie Caron, complice vénale d'une tentative de meurtre, femme entretenue (mais c'est là la faute des structures sexistes de la

société patriarcale de l'époque), représente elle aussi une certaine liberté de la sensualité et de la sexualité féminines. Les trois tantes
Lanouette à la fois représentent la société bourgeoise bien pensante et
normalisante, répressive de la femme ; et l'amour familial qu'elles
manifestent envers leur nièce d'une façon qui tantôt fait sourire, et
tantôt émeut. Dans *Les Enfants du Sabbat*, si l'intention auctoriale est
sans doute que les lecteurs perçoivent Julie comme personnage positif, l'image de la femme dans ce roman est néanmoins ambiguë.
Philomène assombrit cette image d'une forte part de négativité en
soutenant le viol de sa fille par Adélard (père de celle-ci), viol auquel
Philomène finit par donner la justification traditionnelle, écœurante
de banalité comme de cruauté :

> *Philomène [...] panse sa fille et la gronde. Elle rit.*
>
> *- Je t'avais pourtant dit de te méfier. Un homme est toujours
> un homme. Je peux même pas aller faire mon petit tour en vil-
> le, chez Georgiana [au bordel] que... Braille pas, ma petite ca-
> tin. T'avais ben en belle. Tu t'en sentiras pas le jour de tes
> noces, va (ES 64).*

Et dans ce même roman, les femmes dôtées de pouvoir que sont les
religieuses au sommet hiérarchique du couvent - la mère supérieure
notammant - sont tout aussi capables de dureté, voire de cruauté et
d'infanticide, que les hommes. Certes, tous les personnages féminins
du roman, sorcières ou religieuses, apparaissent comme étant sous les
ordres des hommes (Satan, Dieu, Pape...), et Hébert a d'ailleurs déclaré à propos des *Enfants du Sabbat* que "C'est la première fois qu'un
homme gagne, dans mes romans..."[39]

Les Fous de Bassan revient au schéma du personnage réunissant
traits (actoriels) et fonctions (actantielles) positifs et négatifs (alors
que dans *Héloïse*, chaque personnage était soit négatif, soit positif). Ni
Nora ni Olivia n'est parfaite (elles éprouvent une jalousie réciproque),
et le comportement maternel de Felicity, pour compréhensible qu'il
soit vu la conduite sexiste de son mari, paraît néanmoins injuste envers son fils Nicolas, certaines critiques femmes l'ont souligné[40] ;
d'autres affirment que les mères et grand-mères passées, qui avertissent Olivia de se méfier de Stevens, de l'homme, l'empêchent ainsi de
découvrir la vie[41].

Les déclarations de l'auteure s'avèrent moins ambiguës que les personnages romanesques, mais ces déclarations datent des années 1980, alors que la sensibilité aux problèmes de la condition féminine décelable depuis longtemps chez Anne Hébert a trouvé son pendant dans l'idéologie explicite de l'auteure ; comme si, dans la pensée et le discours féministes, Hébert a découvert que l'on disait tout haut ce que depuis longtemps elle sentait et pensait tout bas et qu'elle manifestait de façon tantôt implicite, tantôt explicite dans son œuvre :

> [Gloria Escomel] - Et puisqu'on parle de la femme, que pensez-vous du féminisme ?
>
> Sur le ton de l'évidence, elle [Anne Hébert] me répond :
>
> [Anne Hébert] - Mais ça me semble absolument nécessaire !
>
> [G. Escomel] Militez-vous dans l'un de ces mouvements ?
>
> [A. Hébert] Non ; mais on peut militer de façon moins directe, par exemple, en montrant des personnages féminins à forte personnalité. [...] ce n'est pas par hasard que mes personnages féminins sont comme ça. En les montrant autrement que comme de petits êtres fragiles, j'exprime ma conception de la femme, je fais en quelque sorte un acte de foi en elle...
>
> [G. Escomel] - Et dans le monde moderne, qu'est-ce qui vous plaît le plus ou vous inquiète davantage ?
>
> [A. Hébert] Ce qui me plaît le plus, c'est quand même la place qu'on accorde à la femme... quand je la compare à celle qu'elle avait quand j'avais vingt ans et encore pire, à ce qu'il était quand ma mère était jeune, c'était tellement invivable que c'est impossible à envisager ! [...] il n'y aura plus aucun secteur qui sera fermé à la femme, plus aucun tabou, les femmes seront partout.[42]

Dans cet entretien de 1980, Anne Hébert met l'accent sur l'univers du hors-texte, espace où la femme devra devenir omniprésente, partout chez elle, plutôt que de rester en marge, exilée de l'espace social et décisionnel. Ces propos soulignent en même temps l'œuvre littéraire comme espace où Anne Hébert "milite" en tant que féministe, ce qui signifie que dans sa vision, il y a lien et réciprocité signifiants entre texte et hors-texte, le hors-texte ayant structuré le texte en raison même de la condition féminine sociale ; le texte visant, dans l'intentionnalité de l'auteure et par l'idéologie inscrite dans le texte, à (re)structurer la société présente et à venir.

Trois ans plus tard, c'est sur un ton plus lyrique et d'autant plus émouvant - conformément au puissant féminisme poétique qui aura trouvé voix dans *Les Fous de Bassan* (1982) - qu'Hébert reviendra sur ces sujets pour préciser que l'écriture telle qu'elle la conçoit est bien l'accession à l'expression littéraire d'une voix spécifiquement féminine :

> *Il a toujours été question de la femme en littérature mais très souvent ce sont les hommes qui font parler la femme. Maintenant, la femme parle pour elle-même, en son nom propre. La littérature change. On y reconnaît une voix de femme. Il est très important qu'on entende cette voix. Une voix qui soit audible et perceptible, une voix qui rende un son juste et vrai. Pendant si longtemps cette voix a été étouffée, camouflée. C'est un son très pur qui vient au jour. Une voix nouvelle. [...] l'idée qu'on se faisait d'une voix féminine était plutôt celle d'une voix mièvre, à l'eau de rose. On n'imaginait pas toute la force que la femme pouvait avoir en elle.* [43]

Anne Hébert met en relief ici, un an après la parution des *Fous de Bassan*, la *voix* ; et c'est bien dans ce roman que la *voix* se signale et d'abord par son caractère pluriel, les divers "livres" des *Fous* provenant à tour de rôle de différentes voix narratives (la problématique de la voix dans ce roman est d'ailleurs encore plus complexe que cela, comme en a témoigné la critique).

L'exil dans *Les Fous de Bassan* prend de multiples formes, presque au même degré que dans *Le premier Jardin*. Face à l'univers torturé des *Fous de Bassan*, la critique a surtout dénoncé cet exil qu'est la condition féminine dans ce roman. Plus récemment, certaines voix ont contesté cette vision, soit pour nier qu'il s'agisse d'un roman féministe, soit encore pour mettre l'accent sur l'aliénation subie par d'autres personnages, notamment masculins, ceux-ci étant même présentés parfois comme victimes des personnages féminins[44]. Si la lecture qu'a faite Marilyn Randall des *Fous de Bassan* est à plusieurs égards

excellente, il reste que *Les Fous de Bassan* constitue un roman féministe, c'est-à-dire un roman dont la dimension conative (Jakobson) manifeste l'intention de dénoncer la violence et les injustices que subissent
les femmes dans une certaine société.

Une autre façon de voir ce processus, ce serait d'y voir une manifestation de ce que nous avons appelé le mimétisme critique. Serge
Dunn a même démontré de façon convaincante qu'Anne Hébert s'est
sans doute inspirée, pour écrire son roman, d'événements s'étant réellement produits en Gaspésie[45]. "Mimer fidèlement" cette société
consiste à la montrer telle qu'elle est, avec ses tares comme ses qualités. Mais si nous pensons que le roman traduit une visée de mimétisme critique, c'est-à-dire, comporte une visée conative, c'est largement
en raison du travail de restructuration littéraire auquel Hébert a soumis cette matière première. Anne Hébert affirme ne pas s'être inspirée
des événements gaspésiens en question ; et de toute façon, c'est le travail littéraire qui signale l'importance d'une visée conative féministe
dans *Les Fous de Bassan*. Travail littéraire qui se traduit notamment
par les procédés de mise en relief d'aspects négatifs de la condition féminine, que ce soit l'état du corps marqué de taches bleues (corps de
femme battue, peut-être) de la mère d'Olivia peu avant de mourir, le
rejet de Nora par Stevens qui la méprise parce qu'elle le désire, le rôle
de domestique et de possession que doit remplir Olivia auprès des
membres masculins de sa famille après la mort de sa mère, le rôle fort
semblable que doivent jouer les jumelles Pat et Pam auprès du
Révérend Nicholas Jones, le comportement coureur du mari de
Felicity et du Révérend Nicholas Jones qui provoque ainsi le suicide
de sa propre femme, ou le meurtre de Nora et le viol-meurtre d'Olivia
- et nous en passons. En outre, tout le roman tourne autour du mystère de savoir qui a assassiné Nora et Olivia, procédé de mise en relief
renforcé par le suspense qui, au cours d'une bonne partie du roman,
fait sentir que les deux cousines ont souffert une fin tragique mais qui
ne précise cette fin que vers la fin du roman. La mise en relief d'une
probématique constitue l'un des procédés littéraires qui révèlent le
mieux la fonction conative du texte.

Tout comme le fait le "livre" le plus extraordinaire de cet admirable roman, "Olivia de la Haute Mer". Exilée de la vie même, victime
donc absolue de l'exil féminin, Olivia exprime cet exil en termes spa-
tio-temporels. Ce qui rend ce texte si émouvant, voire déchirant, c'est
qu'Olivia elle-même apparaît déchirée entre la tentation de retrouver

l'univers de la vie, le monde de Griffin Creek, et sa peur d'être ainsi obligée de revoir, nous dit-elle,

> Les grandes images violentes que j'appréhende [qui] peuvent se lever d'un moment à l'autre sur la grève. M'assaillir à nouveau. Il faudrait fuir, user à fond de ce pouvoir que j'ai de filer sur la mer, à la vitesse du vent. (FB 224)

Il peut être utile de voir quelques autres exemples de cette expression par Olivia d'un *exil spatio-temporel* qui découle de ce qu'elle a subi l'exil féminin sous sa forme la plus sauvage :

> Je n'ai plus rien à faire ici. Le temps s'est arrêté sur toute la longueur et la largeur de cette terre de taïga [...] Regagnons la haute mer. (FB 204)

> Non je ne le supporterai pas. Quittons cette grève. Laissons les souvenirs disparaître dans le sable à la vitesse des crabes creusant leurs trous. Vienne la haute mer [...] Rejoindre la marée qui se retire jusqu'au plus haut point de l'épaisseur des eaux. Le grand large. [...] Pur esprit d'eau ayant été dépouillé de mon corps sur des bancs de sable et des paquets de sel, mille poissons aveugles ont rongé mes os. Il y a certainement quelqu'un qui... M'a jetée toute vive dans l'épaisseur calme, lunaire de la baie profonde, entre cap Sec et cap Sauvagine. (FB 206-207)

> Impossible de quitter Griffin Creek pour le moment. [...] J'attends que la marée monte et que le vent propice m'emporte vers la haute mer. [...] ayant franchi la passe de la mort, désormais dépendante des vents et des marées, je reste là sur la grève comme quelqu'un de vivant qui attend un train. (FB 210)

> [...] ne suis-je pas absente de mon nom, de ma chair et de mes os, limpide sur la mer comme une larme ? (FB 212)

> O ma mémoire, refais vite ce cœur liquide comme une eau verte, retrouve sa place exacte entre mes côtes, refais cette hanche blanche, pose des fleurs violettes dans mes orbites creuses, laisse-moi paraître sur la mer, dans toute ma personne retrouvée, que je marche sur les eaux, très vite, en direction de la côte de Griffin Creek, que j'aborde sur la terre de mon père, avant que l'été ne s'achève. (FB 214)

> *Quittons cette grève grise, regagnons l'univers marin*
> *[...] (FB 217).*

> *Une certaine distance serait nécessaire entre moi et*
> *Griffin Creek, entre mes souvenirs terrestres et mon éternité*
> *d'anémone de mer (FB 218).*

> *J'ai tort de m'attarder dans les parages de Griffin Creek*
> *(FB 224).*

> *Je n'ai que juste le temps de me couvrir d'ombre comme*
> *un poulpe dans son encre, m'échapper sur la mer avant que ne*
> *revienne, dans toute sa furie, la soirée du 31 août 1936. [...]*
> *ayant payé mon poids de chair et d'os aux féroces poissons lu-*
> *mineux, goutte de nuit dans la nuit, ni lune ni soleil ne peu-*
> *vent plus m'atteindre (FB 225).*

Passages parmi les plus émouvants et les plus beaux des *Fous de Bassan*. En extrayant et juxtaposant ainsi des passages du livre d'Olivia de la Haute Mer qui montre sa valse-hésitation face au Griffin Creek de son vivant et surtout de l'été 1936, l'on saisit mieux l'horreur de celui-ci, puisque même la mort, malgré ses plus macabres éléments ("féroces poissons") apparaît comme un moindre mal. Et force est de constater que si la source de cet exil spatio-temporel est l'exil féminin, la cause fondamentale de celui-ci semble bien être les rapports entre femmes et hommes, ou encore la violence et le désir masculins dans l'univers fictif des *Fous de Bassan*.

Ce qui fut bien évident au niveau de l'intentionnalité de l'auteure, en témoigne des déclarations où Anne Hébert indique qu'un de ses buts, en écrivant *Les Fous de Bassan*, ce fut de présenter une vision du désir masculin comme phénomène négatif et destructeur :

> *Les hommes ont si souvent fait parler les femmes, un écrivain*
> *femme a bien le droit maintenant de faire parler les hommes !*
> *Il y a donc dans* Les fous de Bassan *des hommes qui expri-*
> *ment leur haine des femmes. C'est particulièrement évident*
> *dans le cas de Stevens (l'assassin des deux cousines de 17 et 15*
> *ans). [...] Il s'agit d'un roman sur le désir, vraiment sur le dé-*
> *sir*[46].

Pour évidente que soit le caractère féministe des intentions auctoriales, il restait à démontrer que ces intentions, le texte des *Fous de Bassan* a effectivement su les réaliser.

Ce que nous semblent avoir indiscutablement apporté les lectures questionnant le statut des *Fous de Bassan* comme roman féministe, c'est une importante prise de conscience de la richesse et de la probité de l'art hébertien. Car Marilyn Randall a sûrement raison de laisser entendre qu'il ne faut pas voir *Les Fous de Bassan* uniquement comme roman féministe. Si certains ont pu avoir cette vision trop réductrice du roman, et si d'aucuns ont même reproché à Anne Hébert de faire du sexisme androphobe en présentant un roman dans lequel les hommes sont les méchants et les femmes sont les justes, les critiques contestant cette vision ont parfaitement raison, si elles veulent dire que *Les Fous de Bassan*, roman féministe, est aussi un roman "androïste" puisqu' il met en relief et par là même dénonce certains aspects de la condition masculine. Gabrielle Pascal-Smith a su donner une perspective semblable sur *Kamouraska* : "L'univers imaginaire d'Anne Hébert dans *Kamouraska* présente la violente contestation d'un milieu bourgeois et janséniste, porté responsable de l'asservissement des femmes et de l'inexistence des hommes, en fait de l'écrasement de tous"[47]. C'est pourtant un article qui présente fortement une vision féministe des *Fous* - "Absence and Meaning in Anne Hébert's *Les Fous de Bassan*", de Karen Gould - qui explique le plus clairement le problème que les femmes posent aux hommes dans ce roman. Gould ne disculpe aucunement les personnages masculin de leur comprtement sexiste ; mais elle observe que les attitudes et le comportement sexistes de Nicholas Jones autant que de Stevens Brown résultent d'une "anxiété sexuelle" face au "corps maternel désirant, productif", anxiété qui elle-même découle de ce que ces deux personnages masculins ont eu avec la mère une expérience "de vulnérabilité et de rejet"[48]. Gould ajoute que "Pour le pasteur comme pour son neuveu, la quête du maternel est sans espoir, dans la mesure où la capacité de donner la vie ["life-giving force"] et l'apport affectif incorporés dans la figure maternelle sont ce qu'ils désirent, ne peuvent s'assurer et par conséquent détestent"[49]. Cette critique explique même le meurtre de Nora par Stevens en fonction de cette anxiété sexuelle provoquée par les difficiles rapports avec la mère :

Quand Nora, sans s'y attendre, pousse Stevens à la tuer en l'accusant de ne pas être un homme, nous assistons aux consé-

quences d'un rejet et d'une absence maternels: un transfert de
la peur de la castration par une mère patriarcale. Stevens at-
taque Nora précisément parce que ses propos à elle disent peut-
être la vérité sur sa confusion et son sentiment d'insécurité
quant à sa propre identité sexuelle à lui. En outre, Nora
Atkins [...] contredit le discours de Stevens, discours de la su-
prématie mâle. Elle doit donc être réduite au silence[50].

Karen Gould réfute cependant l'argumentation qui voudrait prétendre que si Nicholas et Stevens sont sexistes, c'est la faute aux
femmes, aux mères, qui les aurait rejetés, abandonnés, traumatisés.
Pour elle, on peut attribuer "l'éclipse" maternelle de Felicity aux
nombreux actes d'infidélité et d'abus physique que lui infligea son
mari, père de Nicholas, d'où chez Felicity le désir de ne plus rien avoir
à faire avec les hommes dont même ses propres rejetons masculins[51].
Quant à Stevens, Gould démontre qu'il semble incapable d'accepter
la biologie féminine elle-même telle que manifestée par la puberté
d'Olivia et de Nora, car pour lui, ces "attrayantes cousines trahissent
[en devenant pubères] la pureté et l'innocence naturelles de leur enfance"[52]. Certes, l'on pourrait croire que cette préférence pour la femme pré-pubère résulte chez Stevens de la froideur de sa mère envers
lui; mais celle-ci n'est en effet que le "miroir" et l'"écho" de l'attitude
bourrue et distante de son mari et de sa "loi patriarcale"[53].
Appréciation que confirme le texte des *Fous de Bassan* en faisant écrire
à Stevens, suite à son évocation de la beauté d'Olivia enfant, que
"Mon père dévale la pente du sentier et s'abat sur moi pour me tuer.
Ma mère est d'accord pour qu'il me tue" (FB 239) : la mère ne semble
être qu'une instance seconde et secondaire de répression par rapport
au père et à la loi partriarcale.

Lors du meurtre de Nora par Stevens, si celui-ci croit que Nora
l'insulte et l'accuse de ne pas être un homme (rappel de la scène où
Stevens a refusé l'offre implicite de rapports sexuels que lui a faite
Nora dans les bois), il la perçoit aussi, précisément au moment du
meurtre, comme n'étant plus que la porte-parole du jugement masculin, de la loi du père, "le vocabulaire grossier des hommes de Griffin
Creek, leur colère brutale, passant soudain par sa bouche de jeune
fille" (FB 244). La critique a beaucoup étudié les questions de voix
dans *Les Fous de Bassan* : il est frappant de constater qu'ici la voix d'un
personnage féminin est carrément évincée par une voix masculine
collective.

Il reste que *Les Fous de Bassan* mettent un accent plus grand sur le sexisme qui opprime les femmes que sur les problèmes de la condition masculine ; et l'on reprocherait difficilement au texte ou à son auteure d'être particulièrement sensible à la problématique de l'exil des femmes.

Les interrogations de Françoise Faucher mettront encore l'accent sur le féminisme :

[Françoise Faucher] Est-ce que j'aurais dû dire écrivaine ?

[Anne Hébert] Pour moi le mot n'est pas encore trouvé, ce n'est peut-être pas écrivain qu'il faut dire, écrivaine ne me plaît pas non plus. J'espère qu'on trouvera un mot spécial à la femme qui écrit. Je trouve un peu ridicule cette manie de féminiser les noms. Rajouter un "e" muet au mot masculin ne change rien du tout.

[...] [F. Faucher] Dans votre œuvre, les femmes sont fascinantes. Fascinantes de liberté, de volonté d'affirmer leurs désirs, leur sensualité. Est-ce que l'on trouve de ces modèles de femmes dans votre enfance [...] quand vous étiez petite, est-ce qu'on vous racontait des histoires où les femmes étaient fortes ?

[A. Hébert] C'est-à-dire que ma mère me racontait des histoires de femmes. Elle me parlait de ma grand-mère, de mon arrière-grand-mère. Par exemple, c'est elle qui m'a raconté l'histoire de Kamouraska. Cette histoire me fascinait et plus tard j'ai eu envie de l'écrire.

[F. Faucher] Vous sentez-vous très engagée dans un courant politique ?
[A. Hébert] Je suis profondément engagée dans mon travail. C'est mon plus grand engagement. [...] Une femme qui fait ce qu'elle croit en toute honnêteté, c'est un acte de liberté[54].

Cet entretien prolonge de passionnante façon celui accordé à G. Escomel en 1980 ; car si l'on retrouve dans les propos hébertiens de 1983 le même désir de voir l'univers hors-textuel se réformer dans un sens plus favorable aux femmes, et la même conception du texte littéraire comme acte militant, l'on y trouve aussi un élément nouveau :

les racines du féminisme d'Anne Hébert dans son vécu personnel, dans son enfance et, très littéralement, dans la *voix de sa mère* ; et, par l'intermédiaire de celle-ci, dans le souvenir de sa grand-mère et de son arrière-grand-mère. Voilà qui contribue à expliquer le féminisme de textes datant de bien avant le mouvement féministe contemporain, dont plusieurs nouvelles du recueil *Le Torrent*. Les déclarations féministes d'Anne Hébert ont peut-être connu leur apogée en 1988, alors qu'elle déclarait au congrès du Conseil International d'Etudes Francophones à Montréal, qu'"on ne peut pas être femme sans être féministe" !

Les déclarations d'Anne Hébert manifestent une attitude féministe toujours plus poussée chez l'auteure ; l'on n'est guère surpris de constater que la majeure partie de son oeuvre offre des personnages principaux féminins positifs ou présentés avec empathie nonobstant certains comportements discutables chez l'héroïne (par exemple, Elisabeth dans *Kamouraska*). Cette positivité se manifeste encore dans *Le premier Jardin*, texte dont l'héroïne est assurément présentée de façon valorisante, tout comme la grande majorité des autres personnages féminins du roman (encore que - récurrence intéressante - la bourgeoise négative resurgit ici sous la forme de Madame Eventurel mère).

La Cage commence par opposer le sort apparemment privilégié réservé à une nouvelle-née anglaise prénommée Rosalinde, et le sort malheureux réservé à ce bébé québécois qui deviendra "La Corriveau". Le personnage historique Marie Josephte Corriveau, accusée d'avoir assassiné son mari, fut condamnée à mort en 1763 et exécutée par ordre des autorités britanniques qui exigèrent aussi que son cadavre restât pendu dans les chaînes un certain temps. *La Cage* transforme puissamment cette histoire dans un sens résolument féministe. En effet, le juge John Crebessa est un salaud, non parce qu'il est Anglais, mais en raison du type d'*homme* qu'il est. Si "La Corriveau" tue son mari, c'est bien de sa faute à lui (et cela même pas en raison des mauvais traitements qu'il inflige à sa femme Rosalinde, mais à cause de sa propre bêtise : après avoir ordonné à Rosalinde de tirer sur tout homme qui viendrait rôder autour d'elle, Elzéar revient de nuit, sans s'identifier ni répondre au "Qui va là ?" de son épouse). Enfin et surtout, loin de se terminer par la mort de "La Corriveau", la pièce se termine par celle de Crebessa et par la libération de Ludivine Corriveau - qui s'empresse d'aller libérer l'Anglaise Lady Rosalinde

Crebessa. Or, la pièce présente Rosalinde Crebessa comme encore plus emprisonnée (toute dorée que soit sa cage) que ne l'a jamais été "La Corriveau". Déjà enfant, John Crebessa avait trouvé une cage dont il détient la clef, cage "couverte de fleurs et de rubans blancs, comme pour un mariage" (C 31). Et l'Acte I, qui s'ouvre en Angleterre par le mariage de Rosalinde et de John, montre celui-ci qui enferme celle-là dans une cage dont il ferme la serrure à double tour pour ensuite déclarer aux serviteurs,

> *Allez ! Camouflez-moi tout ceci ! Dissimulez bien le fer et les barreaux. Que surgisse sous vos mains, habiles en déguisement, un joli manoir de pierres roses, avec fenêtres et portes fermées et marteau de cuivre sur la porte. Que seule la clef de fer demeure intacte, reconnaissable entre toutes, dans ma main. (C 37)*

Le type d'exil auquel s'attaque donc *La Cage*, c'est bel et bien une condition féminine qui, dans cet ouvrage, prend diverses formes négatives (chez Ludivine par exemple, une vie conjugale remplie de surménage et vide de tendresse) dont la plus importante est l'exil interne que subit Rosalinde. La pièce fait très peu mention d'un sentiment d'exil qu'auraient pu éprouver Rosalinde et John Crebessa suite à leur changement de pays : *La Cage* présente donc l'exil féminin comme étant un problème plus grave que l'exil national.

L'exil de Rosalinde a néanmoins une dimension spatiale comme l'indique une réplique par laquelle elle répond au désir de son mari de la ramener "au cœur de la maison fermée" car, lui disait-il, "Le grand air de la campagne et cette lumière crue ne peuvent que vous faire du mal" (C 63) :

> *[Rosalinde] : Je viens, je viens. Doucement, je vous prie. Le grand air de ce monde m'étourdit et le soleil m'éblouit. La tête me tourne. Je dois rester fière et je ne veux pas que l'on me voie tituber dans la lumière. (C 63)*

Un leitmotiv de l'œuvre hébertienne, c'est le personnage féminin qui, en raison d'un emprisonnement long et strict, en est arrivé à redouter le dehors et la lumière. Rosalinde s'apparente ici à la Catherine des *Chambres de bois*, qui au début de la troisième partie, craint un peu ce monde nouveau, ouvert, sensoriellement riche se déployant devant elle - "Elle pensait aux géraniums dont elle avait envie et en même

temps elle appréhendait la violence de leur odeur" (CB 146) ; ou encore, à Marguerite de Nontron qui, vers la fin de L'Ile de la Demoiselle,
hésite à quitter son île-prison pour le monde ouvert et ensoleillé, re-
doutant de passer de l'exil interne de l'espace fermé à l'anti-exil de
l'espace ouvert ! En fait, l'aliénation/exil de Catherine était peut-être
moins grave que ce que l'on vient de constater chez Rosalinde,
puisque même enfermée par Michel dans les chambres de bois (la ressemblance entre le comportement conjugal de Michel et celui de John
Crebessa est d'ailleurs frappante), Catherine n'a jamais perdu goût au
plein air et au soleil (la différence avec Rosalinde à ce propos serait-elle due aux origines plus populaires de Catherine ?) D'ailleurs, si
Ludivine veut libérer Rosalinde, c'est, nous dit-elle, qu'"Il faut que
j'aille avec eux [d'autres personnages canadiens francophones] déli-
vrer Rosalinde. Je veux voir sa petite figure de hibou, au sortir de la
nuit, qui cligne des yeux dans la lumière" (C 113). Dans cette phrase
comme souvent ailleurs dans l'œuvre hébertienne, le terme "nuit" représente l'exil, tout ce qui aliène le personnage du bonheur et de la liberté, alors que le mot "lumière" représente le non-exil. Evolution importante, la femme à "figure de hibou" est ici présentée comme
victime qui mérite la sympathie, alors que trente-deux ans plus tôt,
dans Les Chambres de bois, une semblable femme de seigneur fut présenté (par un personnage masculin, certes) comme s'entourant "de
faste et de cruauté" (CB 31). En fait, déjà dans Les Chambres de bois la
femme à figure de hibou fut prisonnière d'une "maison des seigneurs"/cage dorée, tout comme Rosalinde. Dans la réplique de
Ludivine, la dimension spatiale est toujours présente, comme l'indique son emploi de la locution "au sortir de".

Ce motif du personnage féminin qui émerge de façon quelque
peu incertaine, voire craintive, dans la liberté lumineuse fut annoncé
dans certains poèmes et notamment dans les magnifiques derniers
vers du "Tombeau des rois" :

> Quel reflet d'aube s'égare ici ?
> D'où vient donc que cet oiseau frémit
> Et tourne vers le matin
> Ses prunelles crevées ? (P 61)

Certes, dans La Cage cette dimension spatiale de l'exil privilégie
l'exil interne, l'emprisonnement dans un espace dysphorique. Accent
qui va de pair avec l'insistance mise sur l'exil féminin dans cette pièce. En effet, si l'exil féminin et l'exil national sont les deux types d'exil

dont l'œuvre hébertienne s'est le plus préoccupée, et prennent texte tous deux à l'aide d'une thématique de l'exil spatial, le plus souvent l'exil féminin prend la forme de l'exil interne, alors que l'exil national y comporte d'habitude une dimension cinétique.

   La Cage pose aussi toutefois le problème de l'exil fondamental. Son prologue présente une lutte acharnée entre deux groupes de féés, les blanches (bénéfiques) et les noires (maléfiques) qui rivalisent en jetant des sorts visant à déterminer quel sera l'avenir de l'enfant en question ; ensuite, les fées noires seules s'emparent du très jeune John Crebessa ("un garçon de dix ans environ", C 29) pour le vouer exclusivement au mal dont il sent d'emblée qu'il ne pourra jamais s'évader (C 31), un mal qui ferait partie inhérente du mâle. Certes, Ludivine refuse vaillamment de croire inéluctable le mauvais sort qu'avait souhaité lui imposer jadis les fées noires penchées sur son berceau - "Qu'importent les maléfices originels, j'échapperai à mon destin" (C 107) - mais si "La Corriveau" fictive hébertienne échappe en effet à la mort que comptait lui imposer John Crebessa, c'est largement parce que celui-ci meurt conformément à la prédestination que lui infligèrent, lors de ses dix ans, les fées noires (quand la remarque de l'enfant sur son "coeur déjà pourri entre [s]es côtes" [C 31] annonçait précisément la crise cardiaque qui le terrasserait à l'âge adulte, lors même qu'il voudrait passer sentence sur Ludivine). La forte part de prédestination gouvernant l'évolution des personnages de Ludivine Corriveau, de Rosalinde et de John Crebessa fait irrésistiblement penser à ce "jansénisme" que la critique québécoise et Anne Hébert attribuent à l'idéologie clérico-traditionnelle canadienne-française et qui pour plusieurs critiques aurait tant marqué la littérature du Québec. En même temps, *La Cage* rappelle ainsi que la libération, le non-exil chez Anne Hébert est rarement triomphaliste, ni même chose bien certaine. Malgré la conscience évidente, dans *La Cage*, de la part de facteurs sociaux dans cette "prédestination", c'est-à-dire, de la part des structures sexistes des sociétés patriarcales traditionnelles dans l'exil féminin, le fait que ce soit des "fées" (êtres "surnaturels") nécessite une prise en compte d'un exil hébertien psycho-spirituel en plus de celle d'un exil féminin (et donc social). Québécoise, féministe, l'oeuvre hébertienne reste aussi : canadienne-française, marquée par les structures idéologiques et sociales qui ont pesé sur l'enfance et la jeunesse de l'auteure, et nonobstant sa révolte contre plusieurs d'entre elles.

oOo

"Marginalité, transgression, fantastique et féminisme" : titre de chapitre qui suggérait d'étroits liens entre ses quatre substantifs. La marginalité - tantôt imposée au personnage hébertien par la société, tantôt choisie par lui (acte de révolte/transgression, "exil volontaire") s'est avérée une forme d'exil social. Or, l'exil social et la marginalité ont souvent une dimension spatiale. Charles de Bichette (dans "La Maison de l'Esplanade") subit la marginalité et la marginalisation que lui inflige sa sœur (qui, elle, ne fait ainsi qu'obéir aux volontés du père qui avait déshérité Charles). Cet exil spatio-social consiste à rester en marge de la bonne société, de son quartier d'origine et de sa famille comme de la maison familiale. Toutefois, Charles se trouve dans cette marginalité non voulue (par lui) parce qu'il a pratiqué la transgression, posé un geste transgressif, geste (de) marginal en se "mésalliant" : acte de marginalité voulue qui a abouti à un état de marginalité subie. Marginalité qui a une composante spatiale bien nette, comme l'indique le comportement et aussi une pensée de la servante Géraldine :

> Il était curieux de voir que la vieille bonne englobait, parmi les défunts, deux vivants : mademoiselle Desneiges, la religieuse, et monsieur Charles, époux et père de famille. Tous deux ayant quitté le foyer paternel, cela suffisait pour que Géraldine les comptât comme inexistants. (T 151-152)
> - Monsieur Charles a voulu se mésallier avec une fille de la Basse-Ville... Monsieur son père l'a déshérité, et, moi, j'ai fermé sa chambre comme on ferme celle des morts. (T 161)

Marginalité et spatialité vont ici de pair : à jamais exclu de sa chambre comme de tout ce qui s'y lie métonymiquement (statut social, niveau de vie...), Charles est prisonnier de la Basse-Ville.

Par contre, la marginalité d'Elisabeth a-t-elle été choisie par sa victime ? Peut-on parler de choix dans le cas d'une femme liée par la force de la loi à un mari aussi brutal qu'Antoine Tassy ? La complicité d'Elisabeth au meurtre d'Antoine aboutit à un exil à multiples facettes. Exil spatial et social (puisque Elisabeth se sent exclue, "chassée" de la chambre conjugale et veut y retourner, veut rester cramponné au chevet de son mari et ainsi à la respectabilité [l'appartenance] sociale qu'elle s'est si laborieusement [re]conquise) ; exil temporel aussi (car elle tentera de rejeter le souvenir de sa vie passée, de crainte de subir le rejet qui frappera la "femme noire" à la fin du roman. Bel exemple, parmi maints autres qu'offrent l'œuvre

hébertienne, du caractère comme tissée de celle-ci, d'un réseau signifiant où tout se tient : un type d'exil en entraîne toujours un ou plusieurs autre(s).

Mais la domestique Géraldine classe parmi les défunts de "La
Maison de l'Esplanade" une sœur aussi, sœur dans les deux sens du
mot, sœur de Stéphanie-Hortense-Sophie de Bichette, et sœur de religion : "mademoiselle Desneiges". "Sœur" qui fait penser à cet autre
personnage dont la vie est si largement structurée par son double statut de sœur, sœur bien aimante de son frère Joseph Labrosse, sœur
des Dames du Précieux Sang : Julie Labrosse / de la Trinité. C'est
pour mieux se révolter contre l'univers cruellement carcéral du couvent que Julie se met en marge des autres religieuses, refuse d'être la
sœur de ces sœurs pour mieux rester la soeur de son frère. La marginalité de Julie est-elle pour autant choisie ? Est-ce sœur Julie de la
Trinité qui se marginalise, ou cette sœur-à-son-frère Julie Labrosse,
cette identité profonde de sorcière qui gît en la jeune nonne, constitue
sa vérité essentielle et lui imposera une marginalité qu'elle s'était
pourtant efforcée de refuser :

> L'intention d'user à jamais une image obsédante. Se débarras-
> ser de la cabane de son enfance. S'en défaire, une fois pour
> toutes. Et surtout, ah, surtout ! être délivrée du couple sacré
> qui présidait à la destinée de la cabane, quelque part, dans la
> montagne de B..., parmi les roches, les troncs d'arbre enchevê-
> trés, les souches et les fardoches.

On l'a vu, dans une large mesure la révolte de Julie lui est imposée
par la force même de l'hérédité, ce qui veut dire : par le diable,
p/Père et seigneur et maître de toute sorcière, selon *Les Enfants du
Sabbat*. "C'est la première fois qu'un homme gagne, dans mes romans"[55]... Son dévouement à son frère, puis son obéissance à son
"maître" qui l'"attend dehors" (ES 187) font qu'elle restera à jamais
être relatif (l'insistance sur l'identité doublement sororale de Julie
conserve d'autant plus sa pertinence, qu'il y a fort à parier que le
"jeune homme, grand et sec" qui "attend sœur Julie" à l'extérieur du
couvent n'est nul autre que Joseph lui-même, devenu malgré lui le
nouvel avatar de Satan (son P/père).

Ce qui n'empêche pas que le recours au fantastique est explicitement présenté dans ce roman comme recours contre l'aliénation que
subissent, non pas le clan des sorciers et sorcières, mais le reste de la

population, le commun des mortels. Le fantastique est cet ailleurs (au sens spatial comme au sens métaphorique) où les "genses" viennent chercher la "fête" dans "la montagne de B..." (ES 34). Cet ailleurs qu'est l'espace du surgissement du merveilleux/fantastique constitue un lieu de libération (fût-elle provisoire et mêlée d'illusion) pour ces "genses" opprimés par le chômage et le curé, par le village et la ville, un acte de révolte amplement justifié par leur vie aliénante. De même, le fantastique qui envahira tout le couvent constitue la réaction de Julie à l'excessive dureté, à l'oppression du corps, de l'esprit et de l'âme, qui y sévissent. Comme si le règne du père-diable ne pouvait survenir qu'en raison des méfaits et de l'oppression exercée par le Père-Dieu, par cette déité masculine qu'a sécrétée le patriarcat (dans la vision hébertienne).

Ce qui fait du fantastique l'une des formes mêmes du féminisme, dans la mesure où le fantastique hébertien résulte d'un rejet du partriarcat et de la loi du père - conformément à l'observation de M. J. Green selon laquelle la dimension la plus nettement féministe de l'œuvre hébertienne, c'est la réinterprétation et la récriture de visions traditionnelles de la femme manifestées dans les contes de fées[56]. Adrien Thério, dans "La maison de la belle et du prince ou l'enfer dans l'œuvre romanesque d'Anne Hébert", Arnold Davidson, dans "Rapunzel in *The Silent Rooms* : Inverted Fairy Tales in Anne Hébert's First Novel", et Jennifer Waelti-Walters, dans *Fairy Tales and the Female Imagination*, démontrent fort bien l'exploitation des contes de fées dans bon nombre de romans québécois et français ; mais notent toutefois les limites du renouvellement, à propos notamment des *Chambres de bois*[57]. Le fantastique n'apparaît cependant pas dans cette œuvre comme étant la bonne réponse au patriarcat, car au règne de Dieu succéderait le règne de Satan, d'Adélard-Bottereau. Autrement dit, le fantastique est à double tranchant : la magie peut être celle, positive, des sorcières bienfaisantes, des fées blanches de *La Cage* ; ou encore celle, négative, des fées noires. L'anti-exil trouvera donc dans la sororité, la solidarité entre femmes, le féminisme de Ludivine Corriveau, son arme la meilleure, la clef permettant la sortie des chambres de bois, de la cage dorée.

Cela grâce, il est vrai, à l'écriture, à l'œuvre d'art qui, lui-même espace du surgissement du sens, "place du monde" qui "flambe comme une forge" (p. 43), moule et forge et trempe cette clef ! Clef qui ouvre l'univers hébertien sur une terre d'appartenance mutuelle - parfois, du moins, comme si le geste conservait quelque chose d'in-

certain, comme si le pays du non-exil restait toujours voilé au lointain, espéré, optatif. L'on songe immanquablement à ce "pays incer-
tain" dont parle de si émouvante façon l'œuvre d'un Jacques Ferron,
elle aussi hantée par l'exil ; encore que dans l'univers exiliaire ferronien, les parts respectives des exils national et féminin soient plutôt à
l'inverse que dans l'oeuvre d'Anne Hébert.

Chez celle-ci, la terre du non-exil et de l'appartenance peut embrasser d'autres que les Québécois "pure laine", *La Cage* le souligne ;
mais c'est en même temps une terre bien précise, puisque Hébert parle avant tout des multiples formes d'exil liées au "seul fait d'être au
monde, dans un pays précis du monde" (ES 185). Ancienne terre
d'exil, terre riche d'une puissante tradition fantastique, terre de
femmes qui ont su "tenir bons" derrière leurs fenêtres, et à la longue,
ouvrir leur pays-cage pour en faire un pays tel, que

> *Toute la terre vivace, la forêt à notre droite, la ville profonde à*
> *notre gauche, en plein centre du verbe, nous avançons à la*
> *pointe du monde (P 75) ;*

un pays où

> *La vie est remise en marche, l'eau se rompt comme du pain,*
> *roulent les flots, s'enluminent les morts et les augures, la ma-*
> *rée se fend à l'horizon, se brise la distance entre nos soeurs et*
> *l'aurore debout sur son glaive (P 105).*

Ce "nous" est avant tout québécois et féminin, mais il peut être aussi
amérindien (*cf.* Délia la métisse dans "Un grand Mariage" et surtout
les personnages d'origine amérindienne de *La Canne à pêche*) ou encore anglais (en témoigne Rosalinde à la fin de *La Cage*). Quant aux allophones (dont l'œuvre d'un Ferron par exemple évoque parfois l'assimilation à la majorité francophone du Québec), ils restent absents
pour l'instant de l'univers hébertien - sauf dans la mesure où bon
nombre de ses personnages sont libres de toute identification nationale et se laissent donc rêver, par et dans la lecture, comme ayant toute
nationalité qu'on voudra.

Et l'exil des *hommes* restera-t-il à jamais sans espoir ? Tout mâle
serait-il, comme John Crebessa, voué au mal, au mal du mâle dans
une vision androphobe ? Certes, la vision hébertienne privilégie la

problématique de l'exil féminin, mais ne condamne pas les hommes à "une pénitence sans fin" (ES 185) : il leur suffirait peut-être, comme à Hyacinthe dans *La Cage* (digne avatar du héros de "L'oiseau du poète"), de se montrer solidaire des femmes, de s'ouvrir au féminin et à l'artiste en eux, pour avoir eux aussi leur place dans la *terre-mer/mère* du *"nous"* hébertien. Anne Hébert, en faisant du protagoniste de *L'Enfant chargé de songes* un homme, a promu ainsi le statut de l'homme dans son univers littéraire ; Julien reste pourtant proche parent de plusieurs autres jeunes hommes hébertiens par son goût (au Québec) du rêve et de la petite vie tranquille en espace fermé ; mais la fin du roman semble le vouer à un avenir plus incarné grâce au rôle social de père de famille qui l'attend. Et si notre Prologue exprimait quelque scepticisme quant à la portée libératrice de cet avenir, le roman cherche explicitement à susciter une lecture positive et optimiste de sa fin ; et dans son ensemble, reflète peut-être une tentative chez l'auteure de corriger l'image de l'homme dans son œuvre, image parfois taxée d'androphobie.

Comme Franca Marcato Falzoni, nous avons souligné combien le fantastique (au sens large) peut offrir à l'écriture hébertienne une aire de déploiement, un champ où s'épanouir dans toutes ses potentialités, où écrire en toute liberté : marginalité, transgression et féminisme. Revenons à cette marginalité par laquelle s'ouvrait ce chapitre, pour noter qu'elle aussi peut être perçu comme type d'écriture (et non seulement comme état de personnages poétiques, dramatiques ou romanesques), type d'écriture et aussi champ pour l'écriture comme l'a justement démontré Susan L. Rosenstreich dans son "Counter-Traditions : The Marginal Poetics of Anne Hébert". Rosenstreich observe que "l'écrivain marginal" s'engage dans "une lutte littéraire entre vieilles et nouvelles perceptions", lutte qui constitue un engagement même lorsque l'œuvre ne semble pas directement s'attaquer à l'aliénation politique ou économique dont peut être victime l'auteur[58]. Rosenstreich démontre également que certains critiques qui accusaient naguère Anne Hébert de ne pas s'engager suffisamment prouvaient par leurs reproches qu'ils ne s'étaient pas aperçu de la dimension profondément contestataire et libératrice de la mise en question d'un vaste ensemble de traditions, cela dès certains poèmes des *Songes en équilibre* et avec une force décuplée dans *Le Tombeau des Rois* et dans *Mystère de la Parole*[59]. Contestation des traditions qui aboutit à une vision nouvelle de notre présent et de notre avenir : le "poète marginal" "transcende les limites de l'art représentationnel pour exploiter la capacité du langage de transformer notre vision limitée et banale du présent en une vision élargie, extraordinaire, de l'avenir"[60] ; ou comme Rosenstreich l'écrit encore avec une belle concision, "Hébert's words transform our world"[61]. "Our world", "notre monde" : sous la plume d'une critique américaine de formation nationale, linguistique et culturelle assez différente de celle d'Anne Hébert et du lectorat québécois ou francophone qu'Hébert interpelle en premier lieu, cet adjectif possessif "our" est peut-être la meilleure preuve de la puissance anti-exilante de l'œuvre hébertienne, puissance qui transcende les différences entre peuples (et peut-être un jour : entre sexes ?) pour permettre à des lectrices et lecteurs d'origines diverses de reconnaître dans cette œuvre un espace d'appartenance et donc de non-exil - grâce justement à cette marginalité qu'elle ne cesse de mettre courageusement au jour, à jour.

Multiples sont donc les visages tant de l'exil que de l'anti-exil hébertiens ; abondance qui, dans *Le premier Jardin*, aura atteint son apogée.

CHAPITRE VII

NON À L'EXIL OU :
LE PREMIER JARDIN

Le premier Jardin (1988) fera l'objet ici d'une étude à part, tant en raison de l'importance exemplaire qu'y atteignent exil et non-exil qu'à titre d'épreuve de vérification de nos observations et analyses des autres textes hébertiens. Plus que partout ailleurs dans l'œuvre hébertienne, notre problématique prédomine dans *Le premier Jardin* ; les formes et manifestations de l'exil et du non-exil s'y déploient plus que jamais nombreuses.

Deux complexes formes d'exil tendent à dominer la problématique exiliaire dans l'œuvre hébertienne : l'exil national et l'exil féminin, même si certaines autres formes d'exil y jouissent d'une présence considérable. Dans *Le premier Jardin*, cette complexe architecture de l'exil hébertien, consistant en une paire de types d'exil principaux accompagnés de plusieurs autres types, se déploie et se dévoile de façon particulièrement claire et complète. Toutefois, de par l'importance même de la dyade exil national/exil féminin, *Le premier Jardin* apparaît comme une œuvre à la fois richissime et de transition, puisque dans les textes hébertiens précédents, jamais la problématique de l'exil national n'a éclaté de façon si nette ; et que, dans la principale œuvre suivante, *La Cage*, l'exil national sera explicitement marginalisé en importance par rapport à l'exil féminin.

EXILS ET EXILÉS DANS *LE PREMIER JARDIN*

Le premier Jardin thématise l'exil et sa problématique, cela dès son titre qui évoque l'Eden biblique et l'exil, hors du jardin, d'Adam et d'Eve. Le dernier paragraphe du roman comporte même (à l'aide d'un emprunt à "Pensée en mer" de Paul Claudel) le vocable "exil" : *"La séparation a déjà eu lieu et l'exil où elle est entrée la suit"* (PJ 189). Mais cette mise en relief du thème de l'exil se fait surtout à l'aide du personnage principal : Flora Fontanges, née et élevée au Québec, à dix-huit ans s'est exilée en France (PJ 162), quelques trente ans avant le début du roman (1976, voir p. 100) pour y devenir actrice. Ce personnage, de parents inconnus, reçut le nom de Pierrette Paul à l'hospice, puis à onze ans celui de Marie Eventurel de ses parents adoptifs, (PJ 131, 143) ; avant de se choisir, à l'âge adulte, celui de Flora Fontanges[1].

La biographie de Flora Fontanges au regard de l'exil ressemble assez à première vue à celle de sa créatrice. Certes, Anne Hébert, voulant nuancer toute lecture qui verrait dans *Le premier Jardin* et son personnage principal une simple transcription autobiographique, a déclaré : "Si je vis en France, je ne suis pas une exilée, je ne me considère pas comme une exilée"[2]. On sait que pour des raisons d'ordre éditorial et culturel, c'est moins à Paris qu'au Québec qu'Hébert a pu se sentir exilée (encore que ses deux "pays" ont sûrement chacun eu pour elle leur part de non-exil aussi). Soulignons que la réaction d'Anne Hébert envers sa société d'origine aurait sans doute été différente si elle était née ne fût-ce que dix ou quinze ans plus tard, le Québec ayant beaucoup évolué vers l'ouverture et le pluralisme peu après la période qui vit les éditeurs canadiens-français refuser *Le Torrent* et *Le Tombeau des Rois* ; de même, sa réaction aurait pu différer, valoriser bien moins la France, si elle s'était retrouvée dans un milieu français provincial et conservateur, milieu qui, comme le suggère *La Mercière assassinée*, aurait pu avoir de troublantes ressemblances avec le Québec de "la Grande Noirceur" duplessiste.

Pourtant, toute opposition entre l'auteure et son personnage à propos de l'exil serait à nuancer. Pour Flora, l'enfance et la jeunesse passées au Québec furent déjà l'espace-temps de l'exil affectif, identificatoire et socio-économique. Si l'exil éditorial canadien-français qu'a subi Anne Hébert s'est surtout manifesté alors que l'auteure avait dépassé la trentaine, certains facteurs - culture littéraire et francophilie de son milieu familial, par exemple - la mettait déjà en marge, fût-ce à son insu, de la société québécoise de son époque. Ressemblance plus frappante entre créatrice et créature : Flora a quitté le Québec pour échapper à un milieu peu propice à la recherche de son identité, à son bonheur et à son épanouissement comme femme indépendante et comme artiste. C'est d'ailleurs dans cette vocation d'*artiste* que la véritable *sororité entre auteure et personnage* est la plus étroite, en témoigne Anne Hébert :

> *En écrivant l'histoire de Flora Fontanges, j'ai en quelque sorte transposé une vie d'écrivain en une vie de comédienne. Elle entre dans ses rôles de la même façon que moi j'essaie de m'incarner dans mes personnages*[3] ;

> *J'ai essayé de transposer ce qu'est la création de personnages, pour moi, en décrivant la manière dont Flora Fontanges crée ses rôles. J'ai agi avec mes personnages, je m'y suis identifiée de la même manière que la comédienne peut s'identifier à ceux qu'elle incarne*[4].

Revenons au déplacement spatial Québec-France : peut-on dire que pour Flora aussi la France a revêtu une fonction d'anti-exil ? Oui, sur le plan de l'épanouissement professionnel, oui aussi sur le plan d'un certain bonheur de vivre, la Touraine ayant succédé à Paris comme lieu de résidence[5]. Mais un reste de sentiment d'exil peut subsister au sein même de l'anti-exil, en témoigne la créatrice ; on verra comment Flora Fontanges se heurte à ce problème et y fait face. En outre, on sait que le vocable "exil", surtout dans la tradition littéraire et critique québécoise, désigne à la fois l'exil spatial et d'autres formes d'"'exil" qui constituent dès lors autant de connotations du terme, surtout en référence à un texte littéraire. L'exil peut être et est, dans *Le premier Jardin*, spatial et/ou non-spatial ; individuel et ou/collectif, fondamental et/ou circonstanciel, temporel, social, sexuel, affectif, voulu ou subi. Et à l'exil peut faire contrepoids diverses formes d'anti-exil dont le déplacement (l'"'exil") spatial lui-même. Ces diverses formes d'exil et d'anti-exil se manifesteront parfois en fonction du personnage de l'exilé/e et parfois en fonction du pays-cadre.

EXIL FONDAMENTAL

Plus encore que tout autre texte hébertien, *Le premier Jardin* thématise une aliénation ou un exil que l'on pourrait qualifier de *fondamental*, inhérent à la condition humaine, et que Mario Pelletier, dans son étude de ce roman, a nommé un "manque originel", une "*détresse fondamentale*"[6]. Cette impression d'un exil fondamental provoque chez

Flora un sentiment de l'absurde, un sentiment d'"amertume" et de "dérision" (PJ 185). Le roman évoque deux critiques pour qui l'"inanité de toutes choses" (PJ 187) serait le message fondamental de la pièce dans laquelle Flora joue à Québec, *Oh ! les beaux jours* de Samuel Beckett (choix hébertien significatif d'un auteur qui, comme elle, a effectué un déplacement spatial, quittant l'Irlande pour habiter Paris, déplacement que certains qulifient d'exil mais qui a aussi été un anti-exil). Dramaturge de l'"absurde", Beckett nous a enrichis d'une œuvre qui exprime comme nulle autre l'exil fondamental, "l'inappartenance absolue", "l'exil ontologique et définitif", pour reprendre les termes de Guy Scarpetta selon qui d'ailleurs, chez Beckett l'identité s'avérera impossible[7] (alors que pour Flora Fontanges, trouver une identité sera difficile mais possible grâce à son travail d'artiste). L'exil fondamental a partie liée avec la recherche éperdue d'un sens dans un univers sans transcendance, dominée par l'absurde et la mort que symbolise cette "grosse mouche qui a l'air d'affiler ses pattes sans fin" (PJ 53). Cette notion d'un exil inhérent à la condition humaine sous-tend peut-être la phrase bien hébertienne, "la vraie vie est ailleurs". Pourtant, la phrase "la vraie vie est ailleurs" est explicitement spatiale au niveau dénotatif, et permet de supposer que "la vraie vie" peut être réelle, mais se trouver dans un ailleurs spatial, social ou autre.

Cette lecture mi-optimiste du problème de l'exil fondamental (l'absurde) est celle qu'effectue l'imaginaire littéraire hébertien dans *Le premier Jardin*. Mais le problème de l'absurde semble bien s'être imposé avec plus de force que dans les écrits antérieurs puisque, tout présent qu'il y fût, il est devenu plus explicite dans ce roman. L'un des personnages du *Premier Jardin* propose une explication et, au moins implicitement, une solution au problème de l'exil fondamental, au manque de sens ontologique. Le mystique Eric estime que les origines de cet exil fondamental sont à rechercher "à la source du monde" (*cf.* le thème génésiaque inauguré par le titre) et résident dans "la séparation orgueilleuse de l'homme et de la femme d'avec le reste de la création." (PJ 71) Nous verrons que la solution que propose ce roman tient compte de cette séparation et de la nécessité d'y remédier ; mais n'est pas à trouver dans la religiosité du jeune homme.

Exil affectif

Quand Maud, fille de Flora, réapparaît vers la fin du roman, elle et Flora s'imaginent pouvoir désormais réintégrer le rapport fusionnel initial (*cf.* PJ 173-75). Mais ce rêve est détruit par la force du désir d'une femme pour un homme, de Maud pour Raphaël (PJ 180-9), un peu comme, dans *Les Fous de Bassan*, le désir que Nora et Olivia éprouvent pour Stevens Brown les éloigne/exile l'une de l'autre. L'exil entre mère et fille, entre Maud et Flora, semble donc vouée à se perpétuer, et relever même de facteurs indépendants de leur volonté, inhérents à la biologie et à l'affectivité de la femme hétérosexuelle.

L'exil d'une mère d'avec sa fille et d'avec le temps premier du rapport fusionnel entre elles manifeste l'exil *affectif*, lui aussi puissamment exprimé dans *Oh ! les beaux jours*, de Beckett. Depuis toujours, l'orpheline Flora souffre d'un exil affectif qui tend, par son statut d'état initial et continu, à se confondre avec l'exil fondamental déjà évoqué. A l'orphelinat, seule Rosa Gaudrault traite les petites orphelines avec affection (PJ 128, 142). Les parents adoptifs de Pierrette Paul, qui lui imposent le nom de Marie Eventurel, ne voient en elle que l'instrument de leur désir parental et de leur statut social. La "fausse grand-mère" cruellement bourgeoise de "Marie Eventurel" ne lui cache pas une hostilité due à ses préjugés de classe. Marie serait, à onze ans, "Trop vieille pour aimer et être aimée." (PJ 143) Malgré le fort rapprochement entre Flora et Raphaël, Flora se retrouvera seule dès que Raphaël et Céleste se désireront l'un l'autre (PJ 156). La brève période de vie commune entre Flora et Maud aboutit à la solitude de Flora lorsque sa fille et Raphaël se réconcilient. Et, tout en dînant avec un groupe de jeunes, Flora

> [...] *les regarde et elle les écoute, les garçons et les filles, et sa propre fille qui est avec eux. On dirait qu'ils parlent et qu'ils gesticulent derrière une vitre. Elle est de l'autre côté de la vitre avec sa vie* étrangère, *comme une monnaie perdue qui n'a plus cours, dans un* pays inconnu. *Des ombres derrière une vitre, pense-t-elle, et la plus obscure de ces ombres, c'est certainement Maud, sa fille, qui lui échappe à nouveau* [...] (PJ 177, *nous soulignons*)

Ici la notion d'exil spatial ("étrangère", "pays inconnu") exprime par voie métaphorique le thème de l'exil affectif.

Comme l'indique ce passage, l'exil affectif (fréquent dans toute l'oeuvre hébertienne) a une dimension sociale - car il relève de la problématique des rapports avec autrui. En même temps, il a partie liée avec une forme d'exil qui concerne au premier chef l'individu : le manque d'identité.

EXIL IDENTITAIRE

L'exil socio-affectif peut aller de pair avec un exil identitaire. Le manque d'une identité personnelle constitue une forme d'exil en raison du critère d'appartenance : sans identité, l'on ne s'appartient pas, l'on est exilé de soi. Chez sa grand-mère, notre héroïne "Eprouvait très fort qu'elle n'existait plus du tout, ni Pierrette Paul, ni Marie Eventurel, mais elle devenait une sorte d'ombre transparente [...]" (PJ 139) L'exil social tend ici à se muer en un exil plus fondamental : pour la jeune Marie, "Un seul secret avait de l'importance, [...] celui de sa naissance qui ne lui sera jamais révélé (PJ 149). Mais déjà elle avait dû se délester de son identité d'avant l'incendie, se dépouillant même de son langage, pour tenter de se couler dans le moule que lui proposaient ses parents adoptifs (PJ 136-38). Cette crise de l'identité aiguise chez l'héroïne le désir de devenir actrice, de choisir les identités qu'elle voudra - mais il en restera une mutilation fondamentale, comme si de multiples identités théâtrales ne pouvaient compenser le manque d'une identité personnelle propre, ce qui fait que "hors de scène, elle n'est personne. [...] On pourrait croire que pour cette femme une seule chose est nécessaire, le rôle qui l'attend [...]" (PJ 9). En fait, sa seule identité sera professionnelle, artistique, ce métier d'actrice qui consiste, à un certain niveau, en une fuite permanente de l'identité, en un éternel *exil hors de soi* ; mais qui, à un autre niveau, permet à Flora de se valoriser et d'accéder ainsi à un rapport d'appartenance mutuelle avec sa profession, ses rôles, son pays d'adoption (la France), sa vie. Cette identité d'artiste, Flora y sacrifie même la possibilité de la troquer contre l'identité "mère": sentant que si elle ne part pas tout de suite avec sa fille vivre ensemble en Touraine, Maud lui échappera, Flora reste néanmoins à Québec terminer son contrat. Elle en perdra sa fille.

EXIL SOCIAL ET SPATIO-SOCIAL

Le manque de chaleur affective dont souffrent les orphelines à l'hospice de la part des religieuses découle de leur faible statut social et reflète ainsi leur exil social, exil dont reste fortement victime Marie Eventurel, surtout "Sous l'œil impitoyable de la vieille dame de l'Esplanade" (PJ 143), Mme Eventurel mère. Plusieurs orphelins et orphelines du corpus hébertien subissent cet exil social qui souvent va de pair avec un exil spatial : que l'on se rappelle les deux Catherine (celle du "Printemps de Catherine" comme celle des *Chambres de bois*), le personnage éponyme de "La Mort de Stella", et la métisse Délia d'"'Un grand Mariage" (autant de personnages *féminins*, on y reviendra tout à l'heure). Le qualificatif "de l'Esplanade" rappelle d'ailleurs la nouvelle "La Maison de l'Esplanade", toute entière structurée par le thème de l'exil spatio-social. Ce qualificatif fait de Mme Eventurel mère la représentante synecdochique de toute une classe sociale, celle de la haute ville, qui tient en exil social d'autres classes. Il s'agit encore une fois, comme dans "Un grand Mariage" et "La Maison de l'Esplanade", de l'exil spatio-social dans lequel sont maintenus les habitants de la basse ville de Québec par ceux de la haute ville, thème également évoqué dans *Les Enfants du Sabbat*. Dans le cas de la petite Pierrette Paul/Marie Eventurel, le passage depuis la basse ville (où se trouvait l'hospice avant l'incendie) à la haute ville (où est située la maison cossue des Eventurel) ne suffit pas pour abolir le sentiment d'un exil social que le texte hébertien exprime encore une fois en termes spatiaux : les coutumes et règles de la maison diffèrent tellement de celles de l'hospice que "Parfois, on dirait qu'elle [Marie] se trouve carrément *de l'autre côté de la terre. L'envers du monde* [...] (PJ 138; nous soulignons).

EXIL FÉMININ

Plus d'une fois, on a vu que l'exil frappe particulèrement les personnages *féminins* dans le corpus hébertien. A cela, rien d'étonnant : depuis quelques cinquante ans - depuis au moins "L'Ange de Dominique" (rédaction : automne 1938 - hiver 1944) et "La Robe corail" (automne 1938), l'œuvre hébertienne est sensible à la condition féminine, sensibilité qui s'est muée en solidarité et en engagement féministes. Anne Hébert a même déclaré qu'on ne saurait être femme sans être féministe[8]. Le thème des liens entre les femmes du présent et leurs mères et grand-mères passées fut important dans *Les Enfants du Sabbat* et surtout dans *Les Fous de Bassan*. *Le premier Jardin* dénonce l'exil imposé aux femmes par la condition féminine à diverses époques historiques, dont celle de la Nouvelle-France ; celle du début du vingtième siècle ; et celle du présent diégétique (1976). La rue "Barbe Abbadie" a disparu : Flora et Raphaël "se demandent ce que Barbe Abbadie a pu faire de bien pour qu'on lui donne une rue et ce qu'elle a pu faire de mal pour qu'on lui retire cette rue presque aussitôt" (PJ 50-51). Flora, aidée de Raphaël, et grâce à sa propre imagination, redonne vie à Barbe Abbadie (PJ 51-53). Mais il s'agit d'un remarquable don mutuel, puisque Barbe Abbadie (morte selon Flora et Raphaël en 1640) enrichit Flora d'un surcroît de vie : Flora "cherche un nom de femme à habiter. Pour éclater de nouveau dans la lumière" (PJ 49) ; "Flora Fontanges rayonne de la vie et de la mort de Barbe Abbadie. Elle devient puissante, envahissante, au comble de sa présence. Brille de tout son feu" (PJ 52). L'on retrouve ainsi la thématique féministe d'une solidarité entre différentes générations de femmes. Cette solidarité se manifeste encore plus fortement par l'évocation des filles du Roi (PJ 95-106), et comporte l'emploi du mythe d'une Eve revalorisée, déesse-mère à l'origine de tout un peuple, de "tout le pays" (PJ 103). Mais cette évocation des filles du Roi aboutit à la tragédie de Renée Chauvreux, morte en 1670 dans la neige parce qu'elle fuyait le mariage avec le soldat Jacques Paviot (PJ 103-105).

Sont également évoqués le viol et le meurtre, en 1915, d'Aurore Michaud (PJ 120-21). Tout comme *Les Fous de Bassan* se termine par l'expression, via le post-scriptum final de Stevens Brown, de la révolte de l'auteure contre un système politico-juridico-policier qui laisse impunis le viol et le meurtre, de même on sent que la révolte et la colère d'Anne Hébert soustendent les observations suivantes : "Aucune enquête policière n'a abouti. Aucun meurtrier n'a été appréhendé. [...] la vie ordinaire, un instant mise en retrait, a repris ses droits, comme après la chute d'un caillou dans l'eau" (PJ 121). La force expressive et conative de ces phrases est d'autant plus puissante, que les deux premières revêtent une apparence neutre, informationnelle, conférant ainsi une intensité bouleversante à la comparaison de la dernière phrase qui souligne que la société n'accorde pas plus d'importance à une jeune fille violée/étranglée/noyée qu'à un caillou tombé dans l'eau.

Le premier Jardin évoque aussi le statut d'objets des jeunes filles à marier de la bonne société dans les années 1930, et celui des femmes domestiques d'antan. Mais il accorde plus d'attention encore à la condition féminine de Flora Fontanges en fonction de ses rapports avec Raphaël. Le roman suggère plusieurs fois que Flora désire Raphaël : quand elle présente sa paume au baiser du jeune homme, en lui disant que "c'est toujours comme ça que l'amour commence entre Barbe Abbadie et son mari" (PJ 53) ; quand elle se dit Eve/Marie Rollet et proclame Raphaël Adam/Louis Hébert (PJ 78) ; et surtout quand, alors qu'il dort dans la même chambre qu'elle, "Les traits bien dessinés de Raphaël persistent dans la chambre, toute lumière éteinte, les doigts de Flora Fontanges en conservent la mémoire, à la façon des aveugles" (PJ 68). Raphaël voit en Flora une figure maternelle, il enfonce sa tête dans son giron comme pour retrouver la sécurité d'avant la naissance (PJ 67), rappelant ainsi le comportement de Michel envers Catherine dans *Les Chambres de bois* (CB 82-83). Que le désir de Flora pour Raphaël soit condamné à rester inassouvi ne fait que confirmer un exil sexuel lié à la condition de la femme vieillissante.

Céleste et Maud représentent les jeunes femmes de leur époque. Sont-elles "libérées" ? Sans doute ; car, dans une large mesure, elles s'auto-déterminent. Cette libération de la femme des années soixante-dix a pourtant sa limite : le désir. Céleste vit comme dysphorique la préférence de Raphaël pour Maud ; celle-ci, qui avait pourtant juré de ne plus jamais renouer avec Raphaël, finit par se donner à nouveau corps et âme à lui, devenant "cette petite fille tout occupée à écouter battre son propre cœur, volé par Raphaël" (PJ 188). Le cœur de Maud est donc aliéné, en exil d'elle.

Ici prend toute sa pertinence l'histoire de Guillemette Thibault (PJ 86-87), dont l'époque n'est indiquée que par l'évocation du métier de forgeron. Guillemette Thibault voulait devenir forgeron et rester célibataire ; elle y est parvenue quelque temps, dans le bonheur :

> *Une grande fille aux épaules larges, au visage doux, aux mains fortes soulève sans effort des poids très lourds, et elle sourit presque tout le temps. Guillemette Thibault, c'est un beau nom à porter toute sa vie, sans jamais en changer pour le nom d'un étranger que la prendrait pour femme. Elle a déjà refusé deux prétendants et désire prendre la succession de son père à la forge (PJ 87).*

Famille et curé l'obligent à y renoncer : "Mariage ou couvent, pour une fille, il n'y a pas d'autre issue" (PJ 87). Le *nom*, on l'aura constaté, est fort important dans la problématique de l'identité dans *Le premier Jardin*, et ce problème du nom s'impose surtout aux personnages féminins, reliant ainsi exil identitaire et exil féminin (les différents types d'exil ne cessent en effet de se renforcer les unes les autres). Les domestiques femmes "perdaient leur nom" (PJ 116). Guillemette sera exilée de son nom, de son identité, de ses aspirations, de sa vie :

> *Ce qu'elle craignait plus que tout au monde, qu'on lui prenne son nom, est arrivé par la suite. [...] elle est devenue sœur Agnès-de-la-Pitié, et on n'a plus jamais entendu parler de Guillemette Thibault (PJ 87).*

Plus que Maud et Céleste, Guillemette aspirait à s'autodéterminer. Une Guillemette Thibault du vingtième siècle pourrait-elle librement choisir la vie dont elle rêve ? C'est là précisément le cas de Flora Fontanges qui a su échapper dans une certaine mesure aux divers déterminismes, aux multiples formes d'exil qui pesaient sur elle, pour s'épanouir librement dans sa carrière choisie - ceci grâce en partie à la possibilité de choisir son/ses nom/s. Ce qui - conformément à la vision fondamentalement tragique qu'offre l'œuvre hébertienne de la condition humaine - ne permettra qu'une libération et un bonheur relatifs, inaptes à compenser entièrement le manque d'une identité fondamentale, du nom originel à jamais inconnu de l'héroïne.

EXIL TEMPOREL

"On connaît l'étranger qui survit tourné vers le pays perdu de ses larmes. Amoureux mélancolique d'un espace perdu, il ne se console pas, en fait, d'avoir abandonné un temps", disait J. Kristeva[9]. Affirmation que semblent contredire ici les premières apparences : Flora Fontanges s'est volontairement exilée de son *pays* et de son *passé* (PJ 9,10,13,16,37,106, entre autres). Longtemps elle reste réticente à redécouvrir sa ville natale et surtout les quartiers de son enfance et de son adolescence (tout comme Elisabeth, dans *Kamouraska*, essaie un certain temps de ne pas revivre, dans le rêve-souvenir, son passé ; dans *Les Enfants du Sabbat*, Sœur Julie de la Trinité tantôt refuse et tantôt réclame l'univers enfantin de la montagne de B...). A d'autres moments cependant, donnant raison à Kristeva (comme Elisabeth et Julie encore une fois) Flora recherche ce passé, parcourant longuement la basse ville à la recherche de l'emplacement de l'hospice, par exemple. Paul Raymond Côté l'a écrit avec justesse, "le voyage qu'entreprend cette femme [Flora] se révèle être moins un déplacement dans l'espace qu'une remontée dans le temps"[10]. Flora et sa fille Maud sont coupées, exilées, du temps du rapport fusionnel entre mère et fille. C'est peut-être ce sentiment d'un exil *temporel* qui explique le désir de Flora Fontanges de "parvenir à revivre l'instant passé dans toute sa fraîcheur" grâce à la mémoire sensorielle (PJ 104). Pour Raphaël, "la vie ancienne est à rattraper dans toute sa fraîcheur, grâce à l'Histoire" PJ 78) ; pour Flora, "le temps retrouvé, c'est du théâtre et [...] elle est prête à jouer Marie Rollet sur-le-champ" (PJ 78). Toutefois, l'exil proprement temporel, pour important qu'il soit, l'est moins que l'exil spatio-temporel : la problématique de l'exil et de l'anti-exil, dans *Le premier Jardin* comme dans quelques textes hébertiens déjà passés en revue, se structure en fonction de la rencontre historique, remémorée, perdue et revécue entre un temps et un espace: un temps-espace, un espace-temps.

SIGNIFICATIONS DU PAYS-CADRE DANS *LE PREMIER JARDIN*

La référence de Flora à Marie Rollet (épouse de Louis Hébert, "premier cultivateur de la Nouvelle-France", ancêtres d'Anne

Hébert), comme celle de Raphaël à l'Histoire à rattraper, assurent la transition depuis une problématique individuelle (le sentiment d'être coupé de son propre passé) à une problématique historique, celle du rapport de tout le peuple canadien francophone à son Histoire. Mais ce passage rend incontournable ici une prise en compte du pays-cadre dans la production du sens romanesque du *Premier Jardin*. Nul autre peuple n'a eu cette Histoire ; mais celle-ci doit sa spécificité justement au fait d'avoir eu pour cadre "un pays précis du monde" (ES 185). Le pays apparaît ainsi, d'abord sous sa forme humaine, historique, politique ; mais ici encore le pays au sens géographique, tellurique influera largement sur le sens romanesque et sur l'issue finale de la dialectique entre exil et non-exil.

Le sentiment d'un exil *historique, collectif, politique* s'exprime d'émouvante façon quand Hébert confie la voix narrative à un "nous" qui raconte la longue attente des habitants de la Nouvelle-France pendant l'"hiver 1759" "dans l'espoir de voir arriver, au printemps, des vaisseaux français". Mais ce furent des navires anglais : "La France nous avait cédés à l'Angleterre comme un colis encombrant. Ce qui est venu alors sur nous, d'un seul coup, comme un vent mauvais, ressemblait à s'y méprendre au pur désespoir" (PJ 93). Leur abandon par la France a laissé orphelins les Canadiens français, orphelins comme Pierrette/Marie/Flora et tant d'autres personnages hébertiens. Ce sentiment d'un exil collectif, politique et historique s'exprime aussi par les nombreuses autres évocations de la Nouvelle-France et en particulier par la valorisation de ses femmes dont les "filles du Roi" (PJ 99), "mère Eve" collective qui a mis au monde "tout le pays" (PJ 103).

EXIL VOULU ET ANTI-EXIL

Nombreuses sont, on l'a vu, les formes et les manifestations de l'exil dans *Le premier Jardin*. Y répondent plusieurs formes d'anti-exil dont l'une, comme ailleurs dans l'oeuvre d'Anne Hébert, c'est l'exil voulu vers lequel l'héroïne tend dès son jeune âge. Elle fut obligée de s'exiler de (se mettre hors de, quitter) son identité de "Pierrette Paul" (déjà une identité imposée par les sœurs de l'hospice), pour revêtir celle de "Marie Eventurel". Mais très vite, s'exiler de soi pour devenir quelqu'un d'autre est devenu un désir, un besoin :

> *Un jour, [...] elle venait à peine d'arriver chez les Eventurel, [...] elle a été saisie par une idée surprenante qui, en se prolongeant, risquait de la plonger dans le désespoir. N'être que soi*

> *toute la vie, sans jamais pouvoir changer,* être Pierrette Paul
> toujours, sans s'échapper jamais, enfermée dans la même
> peau, rivée au même cœur, *sans espérance de changement,*
> *comme ça, tout doucement jusqu'à la vieillesse et la mort.*
> C'était comme si elle ne pouvait plus bouger, *les deux*
> *pieds enfoncés dans la neige [...]* pétrifiée *à la pensée de* ne ja-
> mais pouvoir sortir de soi *(PJ 63-64, nous soulignons).*

Les mots "sans s'échapper jamais", "enfermée", "rivée", "ne
pouvait plus bouger", "pétrifiée", "ne jamais pouvoir sortir" sont por-
teurs du sème de l'immobilité physique ; mais évoquent aussi leur
contraire, le mouvement ("bouger", "sortir"). Toutefois, "soi",
"Pierrette Paul", "cœur", et "sortir de soi" ajoutent une dimension
d'ordre psychologique. Le passage cité, et surtout sa phrase médiane
("N'être [...] mort"), précisent que l'immobilité, voire l'emprisonnement dont il s'agit sont d'ordre psychique, et qu'ici les expressions à
signification physique et spatial expriment métaphoriquement cette
aliénation psychique. Mais les liens entre les deux ordres de phénomènes, le psychique et le spatial, vont plus loin, puisque Marie
Eventurel quittera le Québec afin de se rechercher et de s'épanouir en
France.

L'"exil" spatial n'est qu'une parmi plusieurs façons dont l'héroïne cherchera à "changer de peau", à s'échapper de son aliénation, à
assouvir son désir d'*exil hors de l'exil*, désir qui s'est manifesté dès
l'hospice où

> *elle avait l'habitude de surveiller ses gestes et ses paroles et jus-*
> *qu'à ses pensées les plus secrètes, dans l'espoir de ressembler à*
> *ces saintes radieuses et extatiques, malgré les sept glaives dont*
> *elles étaient transpercées [...]* aspiration vertigineuse pour
> sortir de soi *et éclater dans la lumière, [...] élan vers l'absolu*
> *de Dieu, [...] lassitude aussitôt après l'éclair fulgurant, tandis*
> *que la réalité toute crue s'étendait partout autour de l'enfant de*
> *la Miséricorde (PJ 141, nous soulignons).*

L'exil spatial, vers l'âge de dix-huit ans, n'est donc qu'une forme tardive de l'exil désexilant. La première forme, on le voit dans le
passage que nous venons de citer, ce fut la *comédie,* l'imitation d'autrui, d'êtres faits de mots, personnages aux biographies plus ou moins
fictives que Mère Marie-des-Neiges lisait aux enfants de l'hospice (PJ
141). Plus tard, lors de sa prise de conscience de ce qu'avait de déses-
pérant la perspective de "N'être que soi toute sa vie", "être Pierrette
Paul toujours, sans s'échapper jamais" (PJ 63),

> *Une grande curiosité la prenait au sujet de ces gens qu'elle ne connaissait pas, une étrange attirance. [...] Tout à coup, elle avait envie très fort de devenir quelqu'un d'autre [...] Son désir le plus profond était d'habiter* ailleurs *qu'en elle-même, une minute [...] voir comment ça se passe dans une autre tête que la sienne, un autre corps, s'incarner à nouveau, savoir comment c'est* ailleurs *[...] se nourrir de substances* étranges *et* dépaysantes. *Éclater en [...] dix, cent, mille personnes nouvelles et vivaces. Aller de l'une à l'autre [...] habiter profondément un autre être avec ce que cela suppose de connaissance, de compassion, d'enracinement, d'effort d'adaptation et de redoutable mystère* étranger *(PJ 63-64, nous soulignons).*

Les termes soulignés, bien qu'employés métaphoriquement, prolongent dénotativement le thème de l'*alterité spatiale* comme *instrument d'une recherche du bonheur*, d'une fuite du malheur, d'une *désaliénation*. En même temps, ce passage tend à mettre en équivalence le désir de l'altérité spatiale et celui de l'activité artistique, "exil" et création. Et l'arrivée de l'héroïne chez les Eventurel relance la vocation d'*actrice* déjà abordée à l'hospice.

L'*anti-exil* prend donc dans ce roman de multiples formes : le déplacement/exil spatial certes, mais aussi l'art, on vient de le voir, la sensation et le souvenir.

Ces différentes formes ont souvent partie liée. Par exemple, Raphaël cherche, comme remède à l'exil historico-politique des Canadiens français abandonnés par la France, le recours à l'histoire (PJ 78), et vise ainsi à retrouver le temps de la Nouvelle-France. Flora Fontanges répond "que le temps retrouvé, c'est du théâtre, et qu'elle est prête à jouer Marie Rollet sur-le-champ" (PJ 78). Les résonances proustiennes de ces thématiques de l'art et du temps retrouvé s'enrichissent de celles de la sensation et de la sensation remémorée, une recherche de la vérité et de l'harmonie enfin retrouvées par le biais de la sensation (re)devenue pure, absolue. Déjà Maud et Raphaël s'y sont souvent essayés (PJ 43) ; quant à Flora, elle croit possible de revivre le passé à l'aide de la re-création sensorielle du moment passé visé (PJ 104). Assumer son passé, tant individuel que collectif, constitue un mode important de libération, d'anti-exil. Les parents adoptifs de Pierrette Paul, dans leur désir de l'exiler de toute identité antérieure à celle de Marie Eventurel, la voudraient "fraîche comme un nouveau-né, sans passé et sans mémoire" (PJ 130). Encore un exemple de co-fonctionnement désexilant relève de l'interaction entre le choix de ses

propre nom et identité, l'activité artistique et l'exil spatial choisi :
Marie Eventurel a "les mouvements étriqués [...] des prisonniers [...].
Ce n'est que beaucoup plus tard, lorsqu'elle sera devenue Flora Fontanges,
au-delà des mers, que *son corps lui sera rendu* dans toute sa légèreté."
(PJ 152, nos italiques et caractères gras ; ici se manifeste d'ailleurs les
liens entre exil spatial, exil voulu, et anti-exil).

Hébert a souligné son admiration pour Proust : toujours prous-
tienne est la notion, importante dans l'œuvre hébertienne, des *noms du
pays*. Que l'on se rappelle la série des noms de village québécois dans
Kamouraska, et le plaisir qu'Hébert a pris à écrire ces passages[11]. L'interaction des diverses formes de l'anti-exil se manifeste admirablement par la fonction des noms de rue ou de quartier de la ville de
Québec dans la vie de Flora Fontanges, actrice française d'origine québécoise :

> *Côte du Palais, côte de la Montagne, côte de la Fabrique, côte
> de la Négresse, côte à Coton, Sainte-Ursule, Sainte-Angèle,
> Stanislas, Lachevrotière, Saint-Augustin...*
> *Longtemps, ces noms abrupts ont hanté Flora
> Fontanges, dans un tohu-bohu étrange, l'atteignant comme ça
> à l'improviste, dans des pays étrangers là où elle était actrice
> [...] Flora Fontanges levait son verre. Salut, disait-elle, côte à
> Coton, des Grisons, Stanislas ou Sainte-Ursule, et personne ne
> pouvait savoir de quoi elle parlait (PJ 75-76).*

VERS LE PREMIER JARDIN

Dans le passage cité ci-dessus sont évidents les thèmes du souvenir, des noms du pays, et de l'art ("actrice") ; mais les noms du pays
sont aussi des sensations auditives qui rattachent Flora au *pays d'origine* (comme le Québec de ses romans le fait vraisemblablement pour
Anne Hébert). Ce passage évocateur d'une période du passé de Flora
Fontanges (au cours de laquelle elle évoquait par ses toasts une période encore plus antérieure de sa vie) est suivie à peu d'intervalle de
l'évocation incantatoire de la forêt en Nouvelle-France ; suivie enfin de
l'évocation du "premier jardin" du titre : *jardin-graine, noyau générateur
du roman* auprès duquel tout le reste est venu prendre naissance, se
nourrir, s'épanouir en mots, paragraphes, pages, chapitres, temps,
lieux, histoires et personnages (et ce premier jardin semble avoir revêtu cette fonction génésiaque nonobstant le fait que le titre initialement
prévu aurait été *La Cité interdite*[12]) :

Il y eut mille jours et il y eut mille nuits, et c'était la forêt, en-
core mille jours et mille nuits, et c'était toujours la forêt [...]

> *Est-ce donc si difficile de faire un jardin, en pleine forêt,*
> *et de l'entourer d'une palissade comme un trésor ? Le premier*
> *homme s'appelait Louis Hébert et la première femme, Marie*
> *Rollet. Ils ont semé le premier jardin avec des graines qui ve-*
> *naient de France. Ils ont dessiné le jardin d'après cette idée de*
> *jardin, ce souvenir de jardin, dans leur tête, et ça ressemblait à*
> *s'y méprendre à un jardin de France, jeté dans la forêt du*
> *Nouveau Monde. [...] Quand le pommier, ramené d'Acadie par*
> *M. de Mons, et transplanté, a enfin donné ses fruits, c'est deve-*
> *nu le premier de tous les jardins du monde, avec Adam et Ève*
> *devant le pommier. Toute l'histoire du monde s'est mise à re-*
> *commencer à cause d'un homme et d'une femme plantés en ter-*
> *re nouvelle (PJ 76-77).*

Nous voici au cœur du roman : ce passage contribue puissamment à la signification centrale de la thématique de l'exil et de la recherche du temps perdu dans *Le premier Jardin*. Avant de cerner cette
signification toutefois, il faut noter que ce retour aux origines d'un
peuple canadien-français devenu ici peuple inaugural de l'humanité,
peuple choisi, est suivie de près par l'évocation d'un déclin, voire
d'une décadence, liés (en partie au moins) à la conquête anglaise :

> *Les enfants et les petits enfants, à leur tour, ont refait*
> *des jardins, à l'image du premier jardin, se servant de graines*
> *issues de la terre nouvelle. Peu à peu, à mesure que les généra-*
> *tions passaient, l'image-mère s'est effacée dans les mémoires.*
> *Ils ont arrangé les jardins à leur idée et à l'idée du pays auquel*
> *ils ressemblaient de plus en plus. Ils ont fait de même pour les*
> *églises et les maisons de ville et de campagne. Le secret des*
> *églises et des maisons s'est perdu en cours de route. Ils se sont*
> mis à cafouiller en construisant les maisons de Dieu et
> leurs propres demeures. *Les Anglais sont venus, les Écossais*
> *et les Irlandais. Ils avaient des idées et des images bien à eux*
> *pour bâtir des maisons, des magasins, des rues et des places,*
> *tandis que* l'espace des jardins reculait vers la campagne
> (PJ 77-78, nous soulignons).

La phrase "tandis que l'espace des jardins reculait vers la campagne" signifie que, suite à la Conquête, les Canadiens français furent
obligés de se replier sur les campagnes et sur l'agriculture, seuls espa-

ce et industrie dans lesquels ils pouvaient se sentir chez eux, vu la domination anglo-saxonne dans les villes[13]. Dans ce passage du *Premier
Jardin* toutefois, le déclin aurait commencé - "Ils se sont mis à ca-
fouiller" - *avant même la Conquête.*

Le "premier jardin" du titre, l'Eden de tout un peuple, est explicitement identifié comme étant *la Nouvelle-France à ses tout débuts.* Une
Nouvelle-France qui, malgré la différence géographique, était *culturellement* (*cf.* l'accent sur les graines et le jardin) une extension de la
France d'alors.

La principale signification de ces passages et l'une des principales significations du roman lui-même, c'est donc cette nostalgie des
origines, de l'enfance d'un peuple, nostalgie d'une Nouvelle-France
qui faisait partie de la France, Nouvelle-France des débuts dont les habitants étaient encore des Français et Françaises, des Louis Hébert et
des Marie Rollet. L'on constate ainsi toute la richesse de cette perspica-
ce remarque de Gilles Marcotte, selon qui "l'œuvre d'Anne Hébert [...]
est, parmi nos œuvres majeures, la plus purement française. Française,
non pas de Paris ; française de Nouvelle-France, du Canada français"[14].
La fonction signifiante de la Nouvelle-France dans l'oeuvre hébertienne semble liée à la nostalgie d'une époque d'avant la brutale séparation de la population-fille d'avec la mère patrie, une époque où les
deux "pays" de Flora Fontanges (et d'Anne Hébert), le Québec et la
France, n'en formaient qu'un. Voilà pourquoi nous avons pu souligner
l'importance, pour la thématique de l'exil et du non-exil dans ce roman, de la rencontre entre un pays et un temps. L'espace-temps, le
pays-temps né de cette rencontre, et qui informe tout un vaste pan de
la rêverie et de l'imaginaire hébertiens, a nom : Nouvelle-France.

Si une décadence a commencé avant la Conquête, celle-ci fut vécue avec "désespoir" (PJ 93). Le désespoir d'un orphelin, dirions-nous,
d'un peuple-orphelin, nation d'orphelines et d'orphelins. Selon l'historien Claude Galarneau, rappelons-le, la Conquête a contribué à faire
des Franco-Canadiens des orphelins en leur faisant perdre leur mère-
patrie[15]. Serait-ce la raison pour laquelle tant de personnages hébertiens sont demi-orphelins ou orphelins ? Ou encore, des exilés ? Voire
les deux à la fois, comme Flora Fontanges.

Le grand exil collectif dont il s'agit dans *Le premier Jardin* serait
donc à la fois temporel - les Canadiens français se trouvent coupés de
l'époque édénique des débuts de la Nouvelle-France - et spatial - ils
sont coupés de la France qui alors constituait avec la Nouvelle-France

un seul et même "pays". Dès lors se précise les contours politiques et historiques de cet exil : le temps et, à fortiori, la Conquête ont accusé ce processus de détachement.

On a vu quelques aspects d'un exil *collectif*, celui de toute une nation. Il faut cerner maintenant les modalités d'articulation, à cette problématique d'un exil collectif, de l'exil *individuel* dont nous avons vu certaines formes et manifestations plus haut dans le présent chapitre.

Le statut d'orphelin qui caractériserait (selon certains) les Canadiens français est partagé par Pierrette Paul/Marie Eventurel. Celle-ci décide de s'exiler dans l'ancienne mère-patrie, "exil" qui constitue un anti-exil. Pour Flora, son activité d'artiste représente la valeur principale de sa vie, ayant la priorité même, on l'a vu, sur la fonction maternelle. Le prestige qu'a acquis Flora comme actrice renommée a sûrement contribué à annuler une bonne part de l'exil social dont elle souffrait au Québec, et vraisemblablement une part de l'exil féminin. Le déplacement spatial (Québec ———> France) et l'accession au statut d'artiste ont eu des effets anti-exilants, effets qui se renforcent les uns les autres.

L'"exil" en France cependant, même si Pierrette/Marie/Flora en tant qu'individu ne se soucie jamais de la séparation d'avec la/les mère-patrie/s, constitue - dans la mesure où *ce personnage est la synecdoque symbolique du peuple canadien-français* - une annulation de l'exil spatio-temporel collectif, exil dont nous avons esquissé les grands traits ci-dessus (au Chapitre II, "L'Exil dans la tradition littéraire et critique canadienne-française"). Flora Fontanges sert donc de relais spatio-temporel entre le Québec d'aujourd'hui et la Nouvelle-France de jadis, aussi bien qu'entre le présent et le passé tant individuel que collectif. D'où l'emploi par Flora, en Europe, des noms du pays comme pour annuler un reste de sentiment d'exil du pays natal (pays de l'exil intérieur) subsistant au sein même du pays d'adoption (et de l'anti-exil), processus fort semblable à celui que nous avons induit chez Anne Hébert elle-même (voir ci-dessus, Chapitre III).

Du reste, ce recours aux noms du pays d'origine n'est pas la seule façon de résoudre ce paradoxe de la nostalgie d'un pays natal exilant au sein d'un pays d'adoption choisi comme anti-exil. Anne Hébert a souvent déclaré qu'elle porte en elle le pays au sens le plus matériel, le pays-paysage, sa terre, ses eaux, son climat :

Au plan individuel :
*1.— Ma plus profonde terre en ce monde, c'est sans doute
Sainte-Catherine, avec sa rivière et son paysage sombre et mor-
celé et puis Québec, ouvert sur la beauté du fleuve, puis replié
sur lui-même, dans le secret de ses maisons fermées et de ses
vieilles familles.*

*Cette terre-là m'a habitée et possédée et je l'ai habitée et possé-
dée. Même si je l'ai quittée, comme on sort d'un piège, je crois à
la ressemblance inaliénable du cœur avec sa terre originelle[16].*

Au plan collectif :
*1.— La terre que nous habitons depuis trois cents ans est terre
du Nord et terre d'Amérique ; nous lui appartenons comme la
flore et la faune. Le climat et le paysage nous ont façonnés aussi
bien que toutes les contingences historiques, culturelles, religieuses et linguistiques.*

*2.— Cette terre dont nous sommes matière vivante [...] cette
terre quotidienne et sensible qui est nôtre [...] notre être, enraciné dans un lieu particulier du monde [...][17]*

*3.— Il est sûr que le paysage nous marque beaucoup au
Québec. Il y a même un certain mimétisme entre l'homme et la
nature[18].*

Hébert a nuancé sa vision du pays original, Sainte-Catherine de
Fossambault, en déclarant que "Je préfère beaucoup maintenant [1983]
le bas du fleuve. Sainte-Catherine m'a marquée d'une façon bonne,
mais aussi mauvaise, parce que c'est un paysage très fermé, austère,
qui manque d'ouverture"[19]. Ce qui n'empêche pas l'auteure d'affirmer,
dans le même entretien, que le Québec, "C'est ma plus profonde richesse, ma plus profonde racine ; c'est ancré en moi et même le fait
d'en être éloignée, je crois, me permet de mieux voir, de mieux sentir
les choses"[20]. Juste après que *Le premier Jardin* évoque les toasts portés
par Flora aux noms du pays natal, Raphaël décrit comme "merveilleux" le paysage québécois (PJ 76). Peut-être est-ce là une façon
pour le texte de nous signaler que Flora, où qu'elle aille, portera en elle non seulement la matérialité sonore des noms du pays natal, mais
ses paysages aussi, profondément enracinés en elle.

Le terme "terre", évocateur du pays dans sa plus concrète matérialité, est le dernier mot du roman ; cette terre contiendrait l'intériori-

té du personnage, cet *"instrument de musique"* (*cf.* la profonde vocation
d'artiste, d'actrice, de Flora) *"qu'on touche à peine de la main, et qui vibre
en secret, parmi le silence de la terre"* (PJ 189, nous soulignons). Si cette
terre accueille ainsi le chant intérieur de Flora, c'est que celle-ci porte,
dans sa plus profonde intériorité, la "terre-Québec" (tout comme sa
créatrice). L'exil d'avec sa *société* natale peut être un anti-exil ; l'exil qui
en résulte d'avec le *pays tellurique, aquatique, climatique, toponymique* (le
toponymique étant vécu, dans l'imaginaire hébertien, comme émanant
à la fois du tellurique et du linguistique, le linguistique perçu comme
aspect de la société d'origine conservé dans le lieu d'exil), un tel exil
de la Terre-Québec ne peut trouver d'espace de résolution que dans
l'épanouissement et la matérialisation, au sein du pays d'adoption,
d'une vocation artistique ; et que le souvenir de la "terre originelle".
C'est dire que Marie Eventurel n'a pas fui (pas plus qu'Anne Hébert)
le pays du Québec, mais sa société aliénante, exilante d'antan. Il est sûrement significatif que le lieu d'exil (pour le personnage de Flora
Fontanges comme pour sa créatrice) n'en fut pas un sur le plan *linguistique*. En outre, aussi bien Flora Fontanges qu'Anne Hébert revivent le
Québec et plus particulièrement la Nouvelle-France dans leur art ; par
contre, Flora ne le fait que sur le mode de l'improvisation, comme à
côté ; alors qu'Anne Hébert fait de la re-création du Québec, y compris
sous forme de la Nouvelle-France, l'un des grands axes de son oeuvre.
Comme si le seul "prestige de sa mémoire" (Anne Hébert sur Proust
dans "Poésie, solitude rompue", P 67) ne pouvait lui suffire, mais devait se matérialiser en encre et papier, écrire et écriture.

"La séparation a déjà eu lieu et l'exil où elle est entrée la suit." (PJ
189, italiques d'Anne Hébert). Nous sommes maintenant à même de
mieux lire cette avant-dernière phrase du *Premier Jardin*, adaptée de
"Pensée en mer" de Paul Claudel[21]. A un premier niveau, "elle" dans
cette phrase, c'est l'individu Flora Fontanges qui a pris congé de la ville de Québec comme déjà elle l'avait fait une trentaine d'années auparavant ("La séparation a déjà eu lieu"). Ainsi, il y a trente ans, "elle est
entrée" dans un "exil" définitif, a déjà définitivement changé de pays -
et changé elle-même, profondément (*cf.* Claudel, "Pensée en mer").
Toujours au niveau individuel, le roman thématise ici le caractère définitif de la séparation entre le parent et l'enfant devenu adulte, entre
une mère et sa fille majeure, et qui plonge chacune des deux dans son
exil respectif.

Or, le cycle de l'exil est voué à se perpétuer car Maud, fille de
Flora, Maud, Française, semble bien avoir quitté son pays natal, la
France, pour faire sa vie au Québec. L'œuvre hébertienne continue

ainsi à combler un fossé plus historique que géographique, à rassembler, recoudre, ressouder deux pays, deux peuples autrefois unis.

A un niveau collectif, Flora représente, dans la phrase étudiée, les Canadiens français dans leur ensemble. Leur propre séparation d'avec la mère-patrie a déjà eu lieu. La proposition "l'exil où elle est entrée la suit" pourrait alors signifier que tout membre de ce peuple porte un certain poids d'exil historico-politique (*cf.* chapitre II ci-dessus).

A un niveau et individuel et collectif à la fois, le "elle" de la phrase citée est à la fois Flora et la femme, les femmes. La phrase évoque ainsi la marginalisation des femmes. En même temps, cette séparation originelle peut être celle qu'évoque Eric, celle qui oppose l'humanité au reste de la création (PJ 71).

Le concept final du roman, et qu'exprime sa dernière phrase - celui de l'*interpénétration profonde d'un être humain et de sa terre originelle* - prend alors toute son importance. Cette présence de la terre dans la psyché humaine tendrait à abolir plusieurs formes d'exil : le spatial et aussi le temporel et l'historique dans la mesure où le tellurique peut être rêvé identique à lui-même depuis avant même la création édénesque, avant toute rupture entre l'humanité et le reste de la création, entre hommes et femmes, entre France et Nouvelle-France.

Changement de pays, pays d'origine remémoré, souvenir, sensation, art : autant de modalités de l'anti-exil dans l'œuvre d'Anne Hébert comme dans *Le premier Jardin*. Modalités inter-dépendantes, en rapport de co-fonctionnement signifiant. La théorie hébertienne sur la structuration d'un peuple comme d'un individu par leur paysage signifie que la terre / le pays imprègne à jamais la psyché de ses ressortissants, et y joue un rôle fondamental dans la définition de leur identité. *La terre / le pays-paysage donne donc naissance à cette mémoire identificatoire : et celle-ci fait naître et informe l'œuvre littéraire.* Selon *Le premier Jardin*, c'est la terre originelle qui fait chanter cet "instrument de musique", la lyre du poète, bref, la pulsion scripturale :

> *Elle a pris congé de la ville.* La séparation a déjà eu lieu et l'exil où elle est entrée la suit. *Tandis qu'une lettre de Paris, dans son sac, lui propose le rôle de Mme Frola dans Chacun sa vérité, lui donne envie de rire et de pleurer, à la fois, comme un instrument de musique qu'on touche à peine de la main, et qui vibre en secret, parmi le silence de la terre (PJ 189).*

Paragraphe qui, à l'instar du roman qu'il clôt, est d'une richesse signifiante telle, que nos tentatives d'analyse la laisseront encore largement insondée. "Elle a pris congé de la ville." Comment ne pas admirer l'ambiguïté de ce "prendre congé", l'hésitation qu'il fait naître
entre deux lectures, celle d'un départ définitif, celle d'un congé provisoire (pour long qu'il puisse sembler). Congé qui aurait dès lors une
parenté certaine avec maintes déclarations d'Anne Hébert selon lesquelles il se peut encore qu'après plus de trois décennies de résidence
parisienne, plus de trente ans de villégiatures à Menton, elle revienne
s'enraciner un jour dans la terre natale. Ce "congé de la ville" ne si-
gnifierait-il pas qu'à la fois Flora (comme sa créatrice ?) a quitté
Québec - et le Québec - sans les quitter ? Autrement dit, ne les a quit-
tés que spatialement, physiquement, socialement, mais non pas aux
niveaux intellectuel, affectif, spirituel ? N'y aurait-il pas simultanéité
entre présence et absence, présence du Québec en Flora, absence de
Flora du Québec ? Tant sont indissolubles certaines amours... Et cependant, c'est une pièce européenne (de Pirandello) qui fait vibrer
cette lyre intérieure... Mais Flora se trouve à Québec lorsqu'elle reçoit
cette lettre... Celle-ci fait-elle autre chose que de rappeler à Flora
qu'elle devra bientôt repartir, faisant ainsi naître dès avant son retour
à Paris la nostalgie du pays natal ? Et puis, de façon structuralement
semblable, une fois que Flora sera de retour à Paris, n'est-ce pas le
souvenir du Québec qui viendra toucher l'"instrument de musique",
l'âme de l'artiste ? *L'absence du pays qui rendra présente sa terre* ?
Comme on a pu le voir grâce au passage évoquant l'énonciation, par
Flora, dans divers "pays étrangers", des noms du pays, ou plutôt: des
noms (de rue surtout) d'une ville - Québec, vieille capitale de la
Province de Québec, du "pays de Québec", et aussi : de Neuve-
France.

     Et le retour de Flora en France marque l'échec de sa tentative
de recréer cette identité canadienne-française/néo-française des origines : Flora s'aperçoit bien que cette problématique de l'identité n'est
pas une priorité chez les jeunes Québécois qu'elle fréquente, et
constate que le Québec post-moderne qui l'entoure ne se définit plus
ni ne veux se définir - quelle que puisse être la vigueur du sentiment
nationaliste qui l'habite - en fonction de ce rêve de la "race" cher à
plusieurs générations de penseurs nationalistes conservateurs. Si le
roman met peu l'accent sur les immigrants et les anglophones (tous
deux assez rares dans la vieille capitale), il souligne combien la vision
traditionnelle de la création d'un pays français dans le "désert" du
"Nouveau Monde" était compromise au départ par son illégitimité -
car "désert", ce monde ne l'était point; et "nouveau", il ne l'était que

pour les envahisseurs européens, comme le rappelle un passage-clef déjà cité qui à nouveau nous convoque :

> [...] *Céleste prit un air offensé pour déclarer que toute cette histoire inventée par Raphaël et Flora Fontanges au sujet des fondateurs de la ville était fausse et tendancieuse.*
> *- Le premier homme et la première femme de ce pays avaient le teint cuivré et des plumes dans les cheveux. Quant au premier jardin, il n'avait ni queue ni tête, il y poussait en vrac du blé d'Inde [maïs] et des patates. Le premier regard humain posé sur le monde, c'était un regard d'Amérindien [...]* (ES 79)

Dès lors, Flora (comme Anne Hébert peut-être) ne peut que battre en retraite, se retirer au royaume de la rêverie artistique, seul espace où son rêve identitaire ne serait bafoué ni par la réalité historique d'autrefois, ni par celle, multiculturelle, d'aujourd'hui. Il est plausible que cette prise de conscience chez Anne Hébert ait contribué au recentrement de ses visées thématiques au profit de la condition féminine (*cf. La Cage*).

En effet, l'exil national, ou historico-politique, n'occupe pas à lui seul la place solaire dans un système signifiant où d'autres formes d'exil n'auraient qu'un statut de satellites. Il faudrait plutôt faire l'analogie avec ces systèmes à deux soleils autour desquels gravitent plusieurs autres corps - car d'une importance peut-être égale à celle de l'exil national dans ce roman on le sait, est l'exil féminin, en témoigne le sexe du personnage principal ainsi que la réécriture *au féminin* de la phrase de Claudel, "La séparation a déjà eu lieu et l'exil où elle est entrée la suit."

Le premier Jardin est richement informé par la problématique de l'exil et du non-exil. Ce roman résonne de thèmes déjà rencontrés dans d'autres textes hébertiens - exil fondamental, exil affectif, exil interne québécois, exil psycho-spirituel, exil spatial, exil spatio-social, exil social, exil féminin, exil d'avec son corps ; exil spatial désexilant ; l'art comme anti-exil ; nécessité d'inclure dans la production artistique anti-exilante le pays remémoré sous forme de cadre de la fiction ou du texte, ou encore sous forme d'évocations de ses dimensions tellurique, climatique, toponymique; rôle de l'art dans la production du sens et d'un sentiment d'estime de soi et d'identité chez la femme. *Le premier Jardin* - apogée d'une foisonnante problématique exiliaire - nous mène tout naturellement à une tentative de conclusion/s.

CONCLUSION/S

Le point de départ de cet essai fut la question, maintes fois posée d'un côté comme de l'autre de l'océan Atlantique, "Pourquoi cet exil personnel et littéraire chez Anne Hébert ?" Question ici transformée en celle-ci : "Quelle est la place et la signification de l'exil dans l'univers textuel hébertien ?", et suivie de tentatives de réponse fondées sur une analyse du mot "exil" et de ses emplois, d'où une définition plurielle permettant de lire les multiples textes d'Anne Hébert aussi bien en fonction du sens dénotatif (spatial) du terme qu'en fonction de ses multiples sens métaphoriques ou connotatifs. Le résultat en a été de faire ressortir l'importance et la quasi-omniprésence d'une problématique de l'exil dans le corpus hébertien. Comme l'a bien dit Janet Paterson, "En s'instaurant par le croisement - et le conflit - des niveaux connotatifs et dénotatifs, la polysémie subvertit toute possibilité de sens unique et clôturé"[1]. D'où encore les précautions prises - dès l'indication "essai" à la page de titre - contre tout glissement vers un discours monologique, vers une conclusion prétendue définitive concernant le fonctionnement signifiant de l'exil dans l'œuvre hébertienne. Ce qui ne nous empêchera pas d'esquisser ici quelques conclusions, fût-ce sur le mode quasi-hypothétique que commande l'extraordinaire polyvalence signifiante de cette œuvre.

Le Chapitre I, "L'Exil : vers une définition opératoire" a passé en revue de nombreuses tentatives de cerner l'exil pour en retenir autant la valeur indéniable que leur non-exclusivité mutuelle : il s'est avéré que l'exil devait se penser, dans le présent travail, comme phénomène éminemment pluriel. A l'exil au sens dénotatif (spatio-politique), il fallait joindre de multiples sens seconds, métaphoriques, connotatifs - à l'exil spatial s'ajoutent les exils fondamental, temporel, onirique, social, spatio-social, affectif, sexuel... - tout en conservant l'exil spatial et l'exil littéraire (l'exil d'une auteure ; l'exil de et dans une œuvre) comme fil conducteur. Le Chapitre II visait à offrir un aperçu de l'importante tradition de l'exil dans la littérature et le discours critique canadiens-français et québécois, tradition ayant inévitablement conditionné la vision et le discours exiliaires chez Anne Hébert.

Ni au Chapitre II ni au Chapitre III, "Vers l'exil biographique d'Anne Hébert", notre démarche ne fut d'"'expliquer l'œuvre par la vie", même si elle a évoqué l'existence de rapports significatifs et signifiants entre ces deux instances, et même si Anne Hébert n'a cessé d'insister sur une conception de son activité d'artiste qui place à la source de l'œuvre le vécu de l'écrivain et tout particulièrement son enfance et son adolescence. Il s'est agi plutôt pour nous, de laisser résonner ensemble, l'une à côté de l'autre, l'une *dans* l'autre, l'œuvre et la vie étudiées en fonction de la problématique de l'exil. Dans le cadre de cette approche d'ensemble, nous avons d'abord interrogé le déplacement spatial biographico-éditorial qu'a effectué A. Hébert en cessant de résider et de se faire publier au Québec pour résider et se faire publier en France (hormis quelques rares publications québécoises). Déplacement interrogé en tant qu'il nous est connu - c'est-à-dire, comme objet textuel, thème, résidu, trace dans certains textes hébertiens dont des entretiens que notre auteure a accordés à divers journaux et revues. Si la question transatlantique à l'origine de cette étude ne portait peut-être sur rien de plus que sur le fait qu'Anne Hébert habite et publie en France, il a paru nécessaire d'élargir la portée de la question et aussi celle de l'expression "exil littéraire" en tenant compte du cadre que se donnent les textes poétiques, dramatiques, nouvellistiques et romanesques hébertiens, ainsi que des types et cas d'exil et des personnages d'exilés qu'ils présentent. Si vie et œuvre - toutes deux toujours et exclusivement textes, pour nous - nous ont sans cesse interpellé, notre visée analytique a surtout interrogé l'œuvre littéraire hébertienne. Œuvre sans cesse rapprochée toutefois d'autres textes aptes à l'éclairer en regard de la problématique de l'exil.

Le déplacement spatial biographico-littéraire hébertien a pris la forme d'un éloignement volontaire par rapport à une situation dysphorique au pays natal, l'une des formes possibles de l'exil identifiées au Chapitre I. Forme qui a ceci de particulier, que le séjour au pays natal constitue déjà un exil interne, et que le déplacement spatial apparemment "exilant" est aussi voire surtout un instrument d'anti-exil. Qu'Hébert n'ait pris que graduellement, et peut-être inconsciemment, la décision d'élire la France plutôt que le Québec comme lieu de résidence n'empêche pas de qualifier son exil de "choisi" : elle a "voté avec ses pieds", choisi sous forme de l'acte continu de résider en France depuis près de trente ans. Réaction à une situation dysphorique, l'exil choisi semble avoir d'abord eu pour source le contraste entre les valeurs culturelles d'Anne Hébert et celles qui prédominaient dans la société québécoise d'antan, contraste/fossé plus accusé et dysphorique à mesure qu'Hébert, créant des œuvres toujours plus personnelles et authentiques, témoignant d'une exploration intérieure toujours plus profonde et d'une révolte croissante, se heurtait toujours plus aux valeurs idéologiques actualisées dans les critères de sélection des maisons d'édition canadiennes-françaises. Rejetée par celles-ci, Hébert s'est déjà trouvée ainsi en exil interne.

Si Anne Hébert a témoigné du caractère français de son éducation et de l'attachement de ses parents à la culture et à la langue françaises, il restait à mieux répertorier certaines composantes francophiles de son vécu québécois de manière à indiquer jusqu'à quel point cette francophilie pouvait contribuer au contraste entre les valeurs culturelles d'Anne Hébert et celles des milieux conservateurs qui dominaient jadis la sociéte québécoise. Contraste ayant pu contribuer à un sentiment d'exil interne : la France a constitué pour Hébert, avant même qu'elle s'y installe, une "terre promise" comme elle l'a dit, un anti-exil. On sait comment cette francophilie, jointe à l'invite éditoriale du Seuil, a pu susciter chez Hébert le sentiment (une fois surmontées d'inévitables difficultés d'adaptation initiales) de trouver effectivement en France l'espace du non-exil - jusqu'à un certain point.

Julia Kristeva conclut son *Etrangers à nous-mêmes* par une série de réflexions qui développent, à partir de Montesquieu, du *Neveu de Rameau* et de Freud, la notion selon laquelle "L'étranger est en nous. Et lorsque nous fuyons ou combattons l'étranger, nous luttons contre notre propre inconscient"[2]. Ces propos peuvent avoir un rapport avec l'œuvre hébertienne ; ils rejoignent nos remarques sur cette œuvre

comme lieu du resurgissement d'un refoulé collectif (et donc individuel). L'insertion dans l'œuvre hébertienne de ce refoulé à caractère
fortement sexuel traduit la détermination, envers et contre un Québec
perçu comme y étant hostile, d'explorer et d'accepter l'inconscient : ce
qui, aux niveaux tant individuel que collectif, est étranger, exilé par la
censure et le refoulement.

Néanmoins, le fait qu'Anne Hébert n'a cessé de séjourner fréquemment au Québec, la force et la poésie surtout de ses déclarations
à propos de la profondeur et de l'intensité de ses liens avec ce territoire, ont suggéré que ces liens étaient trop forts, trop profonds et trop
intensément ressentis pour que l'auteure ait pu d'emblée se trouver
dans une situation de non-exil pur. Un aspect du drame de l'exilé, et
surtout de l'exilé volontaire peut-être, c'est qu'en état de rejet et de
dysphorie dans son pays natal (d'où son départ) il est aussi en exil
dans le pays d'accueil puisqu'il y subit la dysphorie du manque du
pays natal. Ces faits biographiques ont leur parallèle, on l'a vu au
Chapitre IV, "Les "Pays" hébertiens et l'exil", dans la problématique
de l'exil ou du non exil dans (et de) l'œuvre telle que manifestés au
niveau bien textuel du cadre géographique évoqué dans les textes littéraires hébertiens. Le traitement du cadre chez Anne Hébert tend à
se diviser en trois étapes. Il arrive - le plus souvent, vers le début de
sa carrière littéraire et quelquefois plus tard aussi - que le cadre soit
peu référentiel, car non-rattachable à un pays précis du hors texte ; ce
type de cadre constitue un espace souvent poétique et/ou mythique.
Cette non-définition, cette non-référentialité, étaient sans doute dues
à plusieurs facteurs : thématiques d'ordre psychique, affectif et intellectuel ayant pour cadre "le cœur" (la psyché) humain ; absence d'une
perception du pays comme entité distincte par rapport à d'autres
pays. En outre, cette indétermination spatiale permettait au texte hébertien de s'exiler du réel ambiant pour mieux en dresser le procès.
Ainsi, l'apparente a-référentialité de la fictivité pure constituait déjà,
pour le texte hébertien, un exil vers un espace de libre déploiement de
ses explorations, de sa mise en pleine lumière - une lumière crue et
cruelle parfois - d'un refoulé individuel et collectif. Exploration aussi
et surtout d'une *écriture* : l'indétermination spatiale, en contribuant
par son fort coefficient de fictivité à la fonction poétique du texte
(Jakobson), a sûrement permis à l'écriture hébertienne de prendre aile
et aire, langue et langage, de s'explorer, découvrant de texte en texte
ses propres ressources multiples.

Le premier séjour en France, qui dura trois ans, aboutit à deux
textes à cadre français, *Les Chambres de bois* et *La Mercière assassinée* :

l'œuvre s'est "exilée", en quelque sorte, au niveau textuel du cadre. Donner à ses œuvres la France comme cadre, ce fut assurément chez Hébert un geste d'accueil envers la France répondant à un sentiment de découverte, et aussi au geste d'accueil qu'avait eu la France éditoriale (Seuil) envers son œuvre et donc envers elle-même dans ce qui lui importait le plus. Donner à ces deux textes un cadre français témoignait d'une prise de conscience, chez l'auteure, de son pays comme des autres en tant qu'entités distinctes. Toutefois, le Canada français n'est pas absent de ces textes à cadre français. Le héros de *La Mercière assassinée* est fortement identifié comme Canadien, identité qui a une fonction importante dans la pièce. Le niveau implicite du "cadre" s'est avéré avoir lui aussi son importance. Déjà, les personnages et problématiques de plusieurs textes hébertiens à lien explicite nul ou faible avec le Québec semblent pourtant bien québécois. La réception participe à la production du sens des textes : que bon nombre de critiques (dont des Québécois) aient reçu la première partie des *Chambres de bois* comme ayant le Québec pour cadre confère à celui-ci une part de québécité. Quant à *La Mercière assassinée*, outre l'identité canadienne de Jean, l'accueil fraternel qu'il trouve chez les gens du peuple a paru significatif à juste titre à Laurent Mailhot. Tout se passe comme si ces deux œuvres, par un jeu complexe de rapports signifiants entre cadre explicite et d'autres facteurs textuels, réussissaient à se donner une double identité française et québécoise, ou plutôt à instaurer *un double espace et une double identité québécois et français à la fois.* Dans une certaine mesure, cela reste vrai d'*Héloïse*, tout français par le cadre, très canadien-français (selon les critiques québécois eux-mêmes) par le personnage de Bernard, hanté par l'angoisse de la culpabilité et la peur de la chair. Julien, dans *L'Enfant chargé de songes*, vit d'abord mal la France - la Seine lui paraît trop petite pour mériter le nom "fleuve" - mais en arrive à se sentir tout à fait chez lui à Paris. Dans ces textes, c'est le niveau extérieur, apparent, le cadre explicite, qui revêt l'identité française, alors que la composante québécoise (sauf dans *L'Enfant chargé de songes*) réside sous la surface de l'explicite. Voilà qui n'est pas sans rappeler ce que dit l'auteure interrogée sur la signification de sa vie en France, et qui répond invariablement que la France ne constitue que le cadre extérieur de sa vie, alors qu'au fond elle reste tout à fait Québécoise.

Les textes hébertiens postérieurs à l'installation en France comportent le plus souvent un cadre dont le caractère québécois est explicitement, voire nommément affirmé à de multiples reprises. Les sept textes dont cela est le plus vrai - *Kamouraska, Les Enfants du Sabbat, L'Ile de la Demoiselle, Les Fous de Bassan, Le premier Jardin, La Cage* et

L'Enfant chargé de songes - évoquent le *passé* québécois et témoignent ainsi que l'auteure était devenue sensible à l'intense mouvement d'interrogation collective chez les Québécois à propos de leur identité. En outre, cette présence du Québec dans l'écriture venait compenser l'absence du Québec dans la vie quotidienne de l'auteure; d'autant plus, que cette écriture constitue une part essentielle de son activité quotidienne.

Il est vraisemblable aussi que, si un cadre français pouvait à un moment donné apparaître comme souhaitable à Anne Hébert afin de prendre la distance esthétique nécessaire à une lecture-écriture miméto-critique de sa propre société, plus elle s'installait et s'enracinait en France, moins un cadre littéraire français lui était nécessaire pour susciter cette distance. La distance biographique, géographique, réelle venait progressivement se substituer à la distance au niveau du cadre/pays fictif des textes. Anne Hébert a plus d'une fois comparé sa séparation géographique, esthétiquement stimulante, avec celle de l'un de ses écrivains préférés : "«Joyce observait Dublin de Zurich, rappelle-t-elle, tandis que mon lieu de recul est à Paris et c'est de là que je recrée Québec»"[3].

Détail remarquable : pas plus que dans *Les Enfants du Sabbat*, la ville de Québec n'est nommé dans *Le premier Jardin*, même si les noms de rue de la "vieille capitale" y sont beaucoup plus nombreux et ne laisse aucun doute quant à l'identité de la ville-cadre. Pourquoi ce silence frappe-t-il, dans ces deux romans, le nom de la ville-mère de toute l'Amérique française ? Mystère ; encore que l'on pourrait peut-être le rapprocher de ce quasi silence, ce demi-tabou qui semblerait avoir longtemps frappé l'instance *maternelle* dans le discours hébertien sur la contribution de ses parents à sa carrière littéraire. Par contre, dans *L'Enfant chargé de songes*, aussi bien le rapport conflictuel avec la mère que le nom de la ville - Québec - accèdent à l'explicite; et à la fin du roman, Julien se prépare, suite à son séjour en France, à rentrer à Québec.

Quant aux conclusions découlant du Chapitre V, "Exils et exilés dans l'œuvre d'Anne Hébert", le nombre même des types et cas d'exils et des personnages d'exilés suggèrent que l'une des fonctions de l'exil spatial est de symboliser la condition humaine québécoise définie par Le Grand et d'autres, exil psycho-spirituel qu'ils n'ont guère rattaché toutefois à ce phénomène de l'exil *spatial* dont on a pu constater la présence massive dans le corpus hébertien. Nous disons bien "condition humaine québécoise" : l'aliénation qu'Anne Hébert met en texte est souvent dû à des facteurs typiques, selon les textes hébertiens, de l'éducation québécoise d'antan. Mais la critique n'a peut-être pas fait assez cas de la dénonciation, dans certains textes hébertiens, du système socio-économique québécois reflété dans l'exil spatio-social qui, dans la ville de Québec vue par Hébert, frappe les économiquement et socialement défavorisés : il s'agit d'une des plus fortes constantes de l'œuvre.

Chacune des formes d'exil qui hantent l'œuvre hébertienne est en interaction avec toutes les autres, certes. Mais le caractère particulièrement serré de cette interaction dans le cas d'une constellation exiliaire regroupant marginalité, transgression, fantastique et féminisme nous a amené à y consacrer le Chapitre VI. Etude qui a souligné la densité thématique extraordinaire de l'œuvre hébertienne ; mais aussi son refus courageux et lucide de toute réponse facile, d'où la réversibilité, la bivalence (positive/négative) voire la polyvalence signifiante de la marginalité, de la transgression, du fantastique et du personnage féminin.

Sans retracer le parcours de notre lecture de la marginalité et de la transgression hébertiennes, rappelons que Julia Kristeva souligne le sentiment d'"'inquiétante étrangeté" (*cf.* Freud : *Unheimliche*) que peut provoquer en nous l'étranger ; et pour elle, on l'a vu, la source véritable de ce sentiment plutôt angoissé est notre inconscient. Freud rattache toutefois l'*Unheimliche*, et à l'inconscient et à la littérature fantastique[4]. La littérature fantastique serait un lieu par excellence du resurgissement du refoulé (c'est-à-dire, de l'*exilé*). On sait combien l'oeuvre hébertienne relève de la littérature fantastique. Cette oeuvre ne cesse donc de contester la relative exclusion/exil qui frappe la littérature fantastique au sein de l'institution littéraire.

Quant à l'exil féminin, dans certains textes (*Kamouraska* et *Les Fous de Bassan* notamment) celui-ci semble, pour citer Anne Hébert, "sans issue"[5]. Dans d'autres, on assiste à la libération du personnage féminin, ou du moins au début d'une libération (*Les Chambres de bois, L'Ile de la Demoiselle, La Cage*). Toutefois, même dans les textes où l'exil féminin semble sans recours, l'on peut postuler que l'écriture hébertienne, en assumant cette aliénation "comme un coeur ténébreux de surcroît" (P 75) pose un geste d'espoir, voire un acte militant, comme nous l'avons affirmé ailleurs pour ce qui en est des *Fous de Bassan*. Postulat conforté par des propos d'Anne Hébert :

> *[Anne Hébert] - [...] on peut militer [...] en montrant des per-*
> *sonnages féminins à forte personnalité [...] ce n'est pas par ha-*
> *sard que mes personnages féminins sont comme ça. En les*
> *montrant autrement que comme de petits êtres fragiles j'expri-*
> *me ma conception de la femme, je fais en quelque sorte un acte*
> *de foi en elle...*[6]

Des textes hébertiens aussi passionnants que peu étudiés jusqu'ici - "La Boutique de Monsieur Grinsec", *La Canne à pêche*,
"Shannon", et "Un Dimanche à la campagne", parmi d'autres - sont
venus apporter un éclairage des plus utiles sur les problématiques
exiliaires soulevées par les nombreux autres textes hébertiens abordés
aux chapitres V et VI.

Il arrive que l'exil spatial mélioratif débouche sur une situation
qui dépasse le simple fait de sortir d'un "piège" (terme qui confirme
l'appartenance de la puissante isotopie de la claustration à la thématique de l'exil), pour aboutir à la libération, à l'épanouissement.
Triomphe de l'euphorique qui ne se trouve guère cependant que dans
Les Chambres de bois, *Mystère de la Parole*, et *La Cage* (et qui est présent
de façon inchoative dans *L'Ile de la Demoiselle*). Dans les deux premiers ouvrages, la renaissance résulte d'un déplacement spatial, d'un
"exil". Chez Catherine, l'exil spatial a même connu deux étapes. Il y
eut d'abord le départ vers Paris (déplacement que choisit Catherine
en acceptant d'épouser Michel ; on peut même penser que cette promesse de Michel de l'amener ailleurs, de la sortir de la vie dysphorique du "pays de Catherine", fut pour quelque chose dans l'acceptation par Catherine de ce mariage). Paris ? En vérité, non pas Paris,
mais les seules chambres de bois, figure du cercueil qui manque de
justesse de devenir cercueil au sens propre... Catherine s'exile donc à
nouveau, vers le soleil et la mer, pour y trouver enfin le bonheur et
l'amour. Dans *Mystère de la Parole*, la libération s'accompagne aussi
d'un déplacement spatial, tantôt imposé à l'ami dans "La Sagesse m'a
rompu les bras", aux filles de "L'Envers du monde" et de "La Ville
tuée"), tantôt choisi ("Mystère de la parole", l'héroïne de "La Sagesse
m'a rompu les bras").

Même dans les textes hébertiens dont la diégèse n'aboutit pas à
la libération des personnages, l'exil spatial libérateur est présent comme désir ou fantasme. Chez nul personnage ce fantasme n'est-il plus
émouvant que chez l'héroïne de *Kamouraska*. Et l'on a vu que, si le lieu
d'un exil désexilant dont rêve Elisabeth est le pays de l'amour-pas-

sion, ce qui signifie tantôt le pays du passé, tantôt les Etats-Unis où son amant s'est réfugié, ce pays-ci recèle des allusions à la France, voire à la Nouvelle-France, espace-temps où France et Québec ne faisaient qu'un, lieu d'avant la rupture d'avec la mère-patrie.

Cette notion de *rupture* (terme employé ici dans un sens différent que dans l'article "Reflet(s) et rupture dans l'écriture d'Anne Hébert" de J. Paterson qui soulignait ainsi à quel point l'écriture hébertienne rompait avec certaines traditions scripturales pour s'épanouir dans la modernité) éclaircit un paradoxe apparent : Anne Hébert, bien chez elle en France depuis quelques trois décennies, continue néanmoins à faire de l'exil sous toutes ses formes dont la spatiale une isotopie importante de son œuvre. Reflet peut-être d'un esprit qui balance encore entre deux pays à chacun desquels il reste fort attaché. Tension intérieure qui ne cesserait d'imprégner et de dynamiser l'œuvre. Mais il y a sans doute plus. Rappelons le personnage du Loyaliste-malgré-lui, George Nelson, dans *Kamouraska* ; rappelons surtout que presque tous les personnages des *Fous de Bassan* descendent des Loyalistes et constituent une enclave linguistique et religieuse métaphorique de la situation des Québécois francophones en Amérique du Nord. Rupture historique il y a eu, pour les Canadiens français aussi, d'où cet exil-aliénation qui caractérise fondamentalement la condition de l'"homo quebecensis" selon Hébert : "[...] notre difficulté d'être et de vivre en ce coin de pays qui est le nôtre"[7].

Or, dans *Les Chambres de bois* comme dans certains poèmes-clefs de *Mystère de la Parole*, l'accession à l'euphorique consiste, en partie du moins, en *une mise à mort de l'exil-rupture à l'aide d'un exil spatial abolissant cette même rupture*. Dans *Les Chambres*, le séjour à Paris constitue une rupture pour Catherine en la privant du contact avec son corps et avec l'univers de l'expérience sensorielle qu'enfant et adolescente elle avait connu, fût-ce au sein d'une vie dure. La renaissance de Catherine consistera pour une bonne part en une redécouverte de certains aspects positifs de sa vie d'enfant et d'adolescente, dont en particulier le contact entre son corps et le monde qui l'entoure. Ainsi, l'exil dysphorique implique le temps aussi bien que l'espace ; un deuxième exil spatial permet à Catherine de réintégrer des éléments positifs de son passé - manipulation du concret, travail de la terre - en lui permettant de mettre fin à la rupture que Michel (et dans une certaine mesure, le monde adulte du pays de Catherine) lui avait infligée. Le deuxième exil, spatial, vient *corriger* une rupture exilante spatio-temporelle qui avait frappé Catherine dans son identité même. Et dans la mesure où le "pays" de la première partie du roman inscrit le Québec en même temps que la France, l'abolition de la rupture d'avec le corps et le travail, d'avec "l'honneur de vivre" (CB 156) constituent des retrouvailles avec le pays québécois grâce au travail manuel (*cf.* cette écriture bien manuelle qui, dans la vie quotidienne d'Anne Hébert, comble l'espace la séparant du Québec).

Dans *Kamouraska*, Elisabeth rêve de retrouver "l'enfance libre et forte" en elle de l'époque où ses sorties dans la nature (par contraste avec la vie en maison fermée dans laquelle voudraient la confiner sa mère et ses tantes) prenaient l'allure de changements spatiaux positifs analogues au deuxième changement de pays-région qu'effectue Catherine dans *Les Chambres de bois*. Dans *L'Ile de la Demoiselle*, la fin de l'exil prend la forme explicite d'un retour au pays du départ et de l'enfance. Le séjour de Marguerite dans L'Ile des Démons fut une rupture dans sa vie, fossé que vient combler le nouveau déplacement spatial, le retour en France. *Mystère de la Parole* offre d'émouvants exemples de réparation de la rupture exilante. Dans "Alchimie du jour", "Le jour, pour la seconde fois convoqué, monte en parole comme un large pavot éclatant sur sa tige" (P 83) : cette seconde création du monde - qui se fait au moyen de la parole poétique humaine - a pour fonction de réparer les dégâts qui ont suivi la première genèse. "Eve" va tout à fait dans le même sens ; il est d'ailleurs caractéristique de l'insistance hébertienne sur la nécessité d'accepter et d'intégrer et le bien et le mal, que l'instance locutrice du poème en appelle à la première "pécheresse" de remplir la fonction de réparatrice. Réparation encore que cette victoire du printemps dans "Printemps sur la ville" ; les "lèpres de pierre" sont réparées à un point tel, qu'elles ont "l'éclat splendide des dieux pelés et victorieux" (P 91).

Particulièrement intéressant à ce propos est "La Ville tuée", dans lequel le non-exil s'accomplit à l'aide d'un exil libérateur de l'héroïne. A une époque où les autorités avaient éloigné toute affectivité en l'interdisant aux habitants de la ville (rupture avec l'affectivité), époque où ceux-ci étaient privés (loin) de tout contact avec la terre (comme l'indique bien spatialement la plus jeune fille qui "Hissa l'angoisse [...] sur le plus haut mur qui regarde la terre") cette héroïne souffrait d'être privée d'affectivité et d'identité - "La fille cria qu'elle n'avait ni cœur ni visage et qu'on l'avait trahie dès l'origine" (P 95). C'est seulement suite à son exil, "Hors les murs chassée", grâce à une distance/rupture entre elle et la ville maléfique laissée "Derrière elle", que l'héroïne "découvrit son propre tendre visage éclatant parmi les larmes" (P 96) - c'est-à-dire, son identité et son affectivité, son "visage" et son "cœur". Grâce à l'exil spatial par rapport à l'espace initial, a été aboli l'exil psycho-spirituel qui, selon Hébert, Pagé, Le Grand et tant d'autres caractérisait naguère la condition québécoise. Si donc l'exil spatial sert parfois dans l'oeuvre hébertienne de métaphore de l'exil psycho-spirituel, il peut aussi, et avec beaucoup de force, écrire l'abolition de celui-ci, l'accesssion à soi, le non-exil. Ici comme dans *Les Chambres de bois* et ailleurs, l'exil spatial vient réparer les exils causés par une société répressive : l'exil spatial fonctionne comme anti-exil.

On pourrait multiplier les exemples. Qu'il suffise de rappeler encore que dans "Quand il s'agit de nommer la vie..." comme dans "Le Québec, cette aventure démesurée" Anne Hébert présente l'histoire psychique collective des Québécois comme mutilée par une rupture (la Conquête). *Kamouraska* souligne que "ce pays" a des "maîtres" étrangers qui lui imposent, parmi d'autres, l'"acte d'accusation [...] écrit en anglais" (K 32) auquel doit répondre Elisabeth ; *Les Fous de Bassan* met en texte une minorité ethno-linguistique exilée par l'histoire. Alors, si écrire sur le Québec est un moyen, pour l'auteure, d'annuler tout reste d'un sentiment d'exil personnel, écrire sur le Québec semble répondre aussi au désir chez Hébert de constater et de corriger - de réparer donc, conformément à cette visée réparatrice dont on vient de constater l'importance dans la méditation hébertienne sur toute rupture exiliaire - deux formes d'exil collectif : celui des femmes ; et celui d'une nation :

> (Anne Hébert) [...] au Québec, s'exprimer comme une femme
> et faire parler un pays qui a été longtemps silencieux, ça fait
> deux bonnes raisons d'écrire[8].

Déclaration qui confirme la vive conscience chez Hébert de cette double problématique, de ce double exil d'un sexe et d'un peuple.

Revenons à cette affirmation-clé de Gilles Marcotte pour qui l'œuvre hébertienne est

> [...] parmi nos œuvres majeures, la plus purement française.
> Française, non pas de Paris ; française de Nouvelle-France, du
> Canada français. C'est l'ensemble de notre tradition française,
> de nos ferveurs claustrées par les anciennes fidélités, par l'hi-

> *ver, par le rigorisme religieux, qu'elle remet à l'ordre du jour.*
> *[...] Tout se passe, dans l'oeuvre d'Anne Hébert, comme si la*
> *Conquête n'avait pas eu lieu*[9].

Marcotte continue en soulignant la parenté entre la ville de *La Mercière assassinée* et les petites villes ("les nôtres") du *Tombeau des Rois*, la parenté encore entre Elisabeth d'Aulnières et les héroïnes mauriaciennes ; entre sœur Julie et telles sœurs de Tours ou de Montpellier, entre Agnès Joncas (*Le Temps sauvage*) et des écrivains français. Marcotte précise qu'il parle d'une parenté, d'un héritage commun aux deux peuples, le français et le québécois. Si nos analyses nous ont rapproché des opinions qu'expriment la première partie de la déclaration de Marcotte - l'élite française dénoncée et rejetée dans *La Mercière assassinée* est en même temps, Mailhot l'a démontré, l'élite traditionaliste du Québec d'antan - il semble souhaitable néanmoins de nuancer les remarques de la dernière phrase de sa déclaration. L'œuvre d'Hébert témoigne d'une conscience aiguë de la Conquête, conscience qui se manifeste aussi dans "Quand il s'agit de nommer la vie..." et dans "Le Québec, cette aventure démesurée". L'identification que fait Marcotte entre la Nouvelle-France et le Canada français ne semble pas correspondre à la vision hébertienne, qui dans ces deux textes semble appeler les Québécois à sortir de la dysphorie du Canada français en reprenant l'aventure des Français en Nouvelle-France : *s'approprier et nommer un pays*. L'intérêt de la Nouvelle-France, dans cette vision hébertienne, serait d'être d'une part, cette aventure extraordinaire avec laquelle il s'agit de renouer et d'autre part, le fait que *la Nouvelle-France appartient à l'époque d'avant la Conquête, donc d'avant la rupture entre France et Nouvelle-France, France et Québec, mère-patrie et pays-fille* ; le "Canada francais" par contre, serait plutôt le produit de cette rupture. On a l'impression que l'intérêt de la Nouvelle-France hébertienne réside en ce qu'elle se laisse vivre imaginairement comme *l'espace-temps d'avant la rupture (d'avant la Conquête).*

Transformons donc la phrase de Gilles Marcotte : l'une des tendances de l'œuvre hébertienne est d'affirmer que la rupture exiliaire de la Conquête *n'aurait pas dû* avoir lieu.

Si certains textes hébertiens appellent les Québécois à reprendre l'aventure des Français en Amérique du Nord, son avant-dernier roman - *Le premier Jardin* (objet du Chapitre VII) - semble restreindre le champ possible de cette renaissance d'une Nouvelle-France au domaine du souvenir, d'un pays-temps remémoré et surtout: *écrit*. Ce faisant, ce roman insuffle d'une vie nouvelle un très vieux mythe québécois. Dans "Un Dimanche à la campagne", la rupture entre Canada d'aujourd'hui et Nouvelle-France/France ("vieux pays") d'autrefois, comme celle qui sépare les classes sociales, sont comblées (provisoirement) grâce à l'heureuse conclusion des négociations nuptiales entre les deux familles.

L'écriture d'Anne Hebert, produite et publiée en France par une Québécoise retournée au pays de ses ancêtres, revêt la fonction de permettre la circulation du sens, l'interpénétration et l'interfécondation des composantes québécoise et française du vécu de l'auteur, mais aussi de son peuple. En même temps, l'écriture revêt vraisemblablement chez Hébert une des fonctions que de tout temps ses praticiens lui ont assignée, celle d'annuler la rupture finale, l'exil définitif, spatial encore, et personnel et collectif, de la mort : la mort individuelle certes ; mais aussi la mort collective de ce pays-temps que fut la Nouvelle-France.

Mais cette œuvre assigne aussi à l'exil spatial la fonction d'écrire la libération possible. Cette isotopie de l'**exil** (spatial ou autre) **libérateur** traduit l'ambiguïté, la polyvalence fondamentale de l'attitude d'Anne Hébert envers les deux pays qui, depuis son enfance, ont partagé son cœur. Ambiguïté découlant au fond peut-être bien de la question de savoir comment réagir envers l'exil-rupture historique qu'ont subi le Québec et les Québécois : essayer sur place de mettre fin à cet exil ? ou s'exiler jusque là où, ayant laissé derrière soi les multiples formes de l'exil québécois, l'on jouirait, grâce à son exil volontaire et libérateur, de l'espace du non-exil - cela d'autant plus aisément, que cet espace parisien, français, a déjà été après tout : familier, familial ? Mais une telle solution ne semble pertinente qu'à l'exil biographique ; au niveau de l'œuvre, seule justement l'œuvre d'art elle-même s'y prête. Il n'y a là nulle fuite dans l'art, car pour l'imaginaire hébertien, un lien profond, trans-historique et trans-rupturel, unit Québec et France, Français et Québécois, chacun un autre qui est toujours, à la source comme au bout et au fond de l'h(H)istoire, le même. En outre, Anne Hébert n'a jamais cessé d'écrire sur le Québec, et donc de s'adresser aux Québécois, de les aider à triompher de leurs exils - tout en adressant aux Français aussi ses textes sur le Québec et les Québécois, aidant ainsi les Françaises et Français à mieux savoir retrouver ce dont l'histoire les avait exilés... L'écriture peut fonctionner ainsi grâce au jeu qu'elle sait établir entre contenu et formes, signifiés et signifiants, thèmes et code : quand J.-P. Salgas lui faisait remarquer l'absence de "«canadianismes»" dans son œuvre, Hébert a répondu avec vigueur,

> Je n'ai pas besoin de décorer les plats à la sauce québécoise... Je trouverais racoleur d'essayer d'afficher une couleur locale que je ne possède pas, même si je comprends que ce langage a pu être nécessaire à l'affirmation de soi. Il faut sortir du ghetto, parler une langue universelle, et exprimer dans cette langue universelle quelque chose de très particulier au Québec[10].

Rêverie de la fusion, ou du moins d'une complémentarité esthétiquement euphorisante : le contenu de l'écriture serait québécois, son langage serait le français "universel", c'est-à-dire, hexagonal - "Pour moi, il était naturel d'écrire en français-français avec des couleurs qui étaient les miennes"[11] - les textes seraient donc : québéco-français. L'*écriture* apparaît ainsi comme l'*instrument d'expression* de l'exil mais aussi comme le *lieu de réparation/résolution de tous les exils* : le spatial, le temporel, le social, l'affectif, l'exil des femmes de tous les pays, l'exil aussi des Québécoises et Québécois comme des Françaises et Français par rapport à un héritage néo-français et québécois.

Ainsi vibre l'œuvre hébertienne d'un vaste va-et-vient entre exil et anti-exil, entre Québec et France, entre aujourd'hui et jadis, entre aliénation et libération. Cette œuvre est avant tout un acte de révolte contre les nombreux exils qu'elle évoque. Perspective qui rappelle celle d'Albert Camus, comme Anne Hébert l'a elle-même signalé dans "Poésie, solitude rompue" :

> [...] les premières voix de notre poésie s'élèvent déjà parmi nous. Elles nous parlent surtout de malheur et de solitude. Mais Camus n'a-t-il pas dit : "Le vrai désespoir est agonie, tombeau ou abîme, s'il parle, s'il raisonne, s'il écrit surtout, aussitôt le frère nous tend la main, l'arbre est justifié, l'amour né. Une littérature désespérée est une contradiction dans les termes." (P 71)

Il en va ainsi de l'exil dans la vie comme dans l'œuvre d'Anne Hébert. L'"exil" en France, pour Flora Fontanges comme pour sa créatrice, fut un anti-exil qui ne pouvait toutefois à lui seul abolir toutes les autres formes d'exil. Il y a aidé, notamment en favorisant l'épanouissement artistique du personnage comme de l'auteure.

Œuvre-lieu, seul *pays* véritablement *sien* de l'artiste, œuvre qui constate, dénonce et vise à abolir tous les exils (comme a cherché à le démontrer le Chapitre VII). Œuvre qui elle-même constitue ce "lieu" dont parle Tahar ben Jelloun, "où le temps serait aboli, où la nostalgie ne serait plus l'expression d'un présent rongé par l'ennui et l'inquiétude, un territoire où se seraient réunis le pays natal et le pays de l'exil"[12] - et aussi, ajouterions-nous, la femme et les objets de *sa* quête. L'art, pour Flora Fontanges, abolit non seulement la nostalgie comme "expression d'un présent rongé par l'ennui et l'inquiétude", mais aussi la nostalgie sous toutes ses formes puisque l'art, sous la forme du rôle de Madame Flora dans *Chacun sa vérité* de Pirandello, ne cessera de l'appeler vers l'*avenir*. Or, trouver un tel lieu de l'anti-exil est d'autant plus indispensable, que Flora a compris combien est illusoire le nostalgique mythe des origines qui la hante, mythe qui ne correspond ni à la vérité historique (puisqu'il fait abstraction des Amérindiens présents bien avant toute arrivée française au "premier jardin"), ni à la réalité toujours plus post-moderne du Québec contemporain (réalité que lui signale la marginalité d'Eric et de son groupe). Flora ne pourra plus retrouver cette identité mythique et originel que dans l'imaginaire et dans certaines de ses propres productions textuelles dont son "salut" aux divers quartiers et rues de Québec offre le modèle. De même sans doute, l'imaginaire hébertien ne songe plus à retrouver la Nouvelle-France de Louis Hébert et de Marie Rollet, aux mythiques pures origines françaises, ailleurs que dans l'imaginaire et la création artistiques. D'où peut-être le recentrement vers cette forme d'exil contre laquelle Hébert et ses textes peuvent agir dans la réalité, l'exil féminin. Mais à propos de son plus récent texte, Anne Hébert a dévoilé sa peur de l'immigration et de la menace que représenterait celle-ci (selon elle) pour le caractère francophone du Québec :

> [Lise Gauvin] *Comment voyez-vous l'avenir du français au Québec ?*
> [Anne Hébert] *Tout est en train de bouger sur la planète. Au Canada comme ailleurs, on verra apparaître des raz-de-marée d'immigration. A mes yeux, la Loi 101 est un geste de naufragé. Je suis très pessimiste sur le sort du français au Québec*[13].

La position d'Anne Hébert ici rejoint tout-à-fait celle qu'exprimait son père, Maurice Hébert, dans un article intitulé "L'immigration, problème angoissant", et paru en 1947[14].

L'Enfant chargé de songes vient, bien entendu, brouiller les cartes, mettre sens dessus dessous bien des tentatives de réduire à on ne sait quelle formulation monologique la riche polyphonie exiliaire hébertienne. Cela en mettant au premier plan cette vieille problématique de l'exil dans le songe avec lequel on aurait eu tort de penser que l'imaginaire hébertien n'avait plus maille à partir, puisque tant de jeunes hommes dans ses textes sont restés pris dans ses rets. Il reste que l'exil de la femme et celui des Québécois/Canadiens francophones par rapport à la France y sont à nouveau largement présents. En outre, se produit dans ce dernier-né hébertien un chassé-croisé d'éléments de l'un et l'autre rivage de l'océan Atlantique: la Parisienne Camille Jouve est un avatar de la Québécoise Lydie Bruneau (schéma de descendance inverse de celui qui prévalut historiquement entre Français-e-s et Québécois-e-s et qui caractérisait le rapport entre sorcières françaises et québécoises dans *Les Enfants du Sabbat*). Et c'est suite à un déplacement spatial, en assimilant l'apport de la (re)découverte de la France, mais aussi en prévoyant son avenir au Québec, que le Québécois Julien se sent enfin intégré, prêt à assumer le réel. Si *L'Enfant chargé de songes* apporte sa part d'originalité, il n'en participe pas moins de la problématique exiliaire hébertienne. La position d'Anne Hébert envers le songe/rêve reste complexe, car le rejet du repli dans l'onirique, rejet qu'expriment bon nombre de ses textes littéraires, se heurte à une forte valorisation du rôle du rêve dans la création littéraire :

> *Pour écrire, il faut avoir beaucoup rêvé. [...] Mais qu'est-ce que le réel ? Le rêve, c'est du réel aussi. [...] Le niveau des fantasmes, du rêve, c'est un monde très réel. [...] je crois que c'est du réel que j'écris. Du sur-réel, peut-être. Je ne sais pas*[15].

Et Anne Hébert a récemment affirmé ne pas faire vraiment de distinction entre les termes "songe" et "rêve" - pour ensuite rattacher celui-ci au sommeil, celui-là à l'état diurne et à la rêverie[16]. Tout porte à croire que si elle dénonce le repli dans le songe dans la vie quotidienne, elle sait nourrir de rêve son oeuvre - encore une façon d'éviter l'exil dans le songe.

Ainsi l'œuvre hébertienne, ce vaste réseau de textes qui dans tant de genres écrit l'exil, non seulement écrit aussi l'exil libérateur, mais elle-même se mue en l'espace réel, l'instrument véritable, pour l'auteure comme pour ses personnages et pour ses lectrices et lecteurs, du non-exil. Aussi l'étude des fonctions signifiantes de l'exil - ou mieux, des exils - dans l'écriture hébertienne éclaire-t-elle la fonction signifante de l'écriture face à l'exil. L'écriture d'Anne Hébert, ou l'anti-exil.

NOTES

PROLOGUE :

1. Anne Hébert, dans Gisèle Tremblay, *"Kamouraska* ou la fureur de vivre", *Le Devoir*, 12 juin 1971, p. 13.
2. D'autant plus que *L'Enfant chargé de songes* s'est mérité le Prix du Gouverneur Général, 1992.

INTRODUCTION :

1. Pierre Pagé, *"Maria Chapdelaine*: Un problème franco-québécois d'histoire littéraire", *Revue d'Histoire littéraire de la France*, 69:5, sept.-oct. 1969, p. 746-762.
2. Robert Giroux, "Lecture de `La Fille maigre' d'Anne Hébert", *Présence francophone*, 10, printemps 1975, p. 73.
3. Gilles Marcotte, "Réédition d'un grand livre : `Le Torrent', d'Anne Hébert", *La Presse*, 18 janvier 1964, p. 6.
4. Denis Bouchard, *Une lecture d'Anne Hébert. La recherche d'une mythologie*, Montréal, Hurtubise HMH, coll. "Cahiers du Québec", 1977, p. 15.
5. *Ibid.*, p. 21.
6. *Ibid.*, p. 18-19.
7. Patrick Imbert, commentaire oral, colloque de l'Association des littératures canadiennes et québécoises, Victoria, Colombie britannique, mai 1990.
8. Notre emploi de l'adjectif "référentiel" découle de l'emploi en linguistique des substantifs "référence" ("la fonction par laquelle un signe linguistique renvoie à un objet du monde extra-linguistique, réel ou imaginaire") et "référent" ("ce à quoi renvoie un signe linguistique dans la réalité extra-linguistique telle qu'elle est découpée par l'expérience d'un groupe hu-

main") (définitions empruntées à J. Dubois *et alii*, *Dictionnaire de linguistique*, Paris, Larousse, 1973, p. 414, 415).
9. Janet M. Paterson, *Anne Hébert Architexture romanesque*, Ottawa, Editions de l'Université d'Ottawa, 1985, p. 22.

CHAPITRE I L'EXIL : VERS UNE DÉFINITION OPÉRATOIRE :
1. Robert F. Bell et John M. Spalek, "Introduction", *Exile: The Writer's Experience*, Chapel Hill, University of North Carolina Press, coll. "University of North Carolina Studies in the Germanic Languages and Literatures", No. 99, 1982, p. xi.
2. Harry Levin, "Literature and Exile", Refractions: *Essays in Comparative Literature*, New York, Oxford University Press, p. 62-63.
3. *Ibid.*, p. 68.
4. Ana Vasquez, Gabriela Richard et Marie-Claire Delsueil, "Psychologie de l'exil", *Esprit*, juin 1979, p. 10.
5. Michael Beausang, "L'Exil de Samuel Beckett: la terre et le texte", *Critique*, XXXVIII, 421-422, p. 10.
6. Nous préférons utiliser en ce sens "exil interne" plutôt qu'"exil intérieur", cette dernière locution étant déjà courante en critique littéraire québécoise où elle revêt un sens presque exclusivement psychique; "exil interne" semble donc mieux apte à porter des sens d'ordre spatial ou social aussi bien que psychique. Paul Tabori, auteur d'une étude particulièrement fouillée de l'exil dans le monde contemporain, definit l'"*inner exile*" comme le fait d'être "an outcast within one's own country" (un paria dans son propre pays) (Paul Tabori, *The Anatomy of Exile. A semantic and historical study*, Londres, Harrap, 1972, p. 32.)
7. Kurt Weinberg, "The Theme of Exile", *Yale French Studies*, 25, 1960, p. 35.
8. Angela Ingram, "Introduction", dans Mary Lynn Broe et Angela Ingram (éds.), *Women Writing in Exile*, Chapel Hill et Londres, The University of North Carolina Press, 1989, p. 8.
9. Caren Kaplan, "Deterritorializations: The Rewriting of Home and Exile in Western Feminist Discourse", *Cultural Critique*, 6, "The Nature and Context of Minority Discourse", Spring 1987, p. 197.
10. Hallvard Dahlie, *Varieties of Exile. The Canadian Experience*, Vancouver, University of British Columbia Press, 1986, p. 199.
11. Michael Seidel, *Exile and the Narrative Imagination*, New Haven et Londres, Yale University Press, 1986, p. ix-xiv.
12. *Ibid.*, p. 5.
13. Henri R. Paucker, "Exile and Existentialism", dans Bell et Spalek, *op. cit.*, p. 83.
14. Valentina da Rocha Lima, "Women in Exile: Becoming Feminist", *International Journal of Oral History*, 5:2, juin 1984, p. 94.
15. Dennis Duffy, "Heart of Flesh: Exile and the Kingdom in English Canadian Literature", *Revue d'études canadiennes / Journal of Canadian Studies*, 18:2, été 1983, p. 61.

16. Nancy Huston et Leïla Sebbar, *Lettres parisiennes. Autopsie de l'exil*, Paris, Bernard Barrault, 1986, p. 46.

17. G. Mazzotta, "Dante and the Virtues of Exile", *Poetics Today*, 5:3, 1984, p. 650.

18. K. Weinberg, *op. cit.*, p. 35.

19. D. Duffy, *op. cit.*, p. 68.

20. Dorothy Jones, "'A Kingdom and a Place of Exile': Women Writers and the World of Nature", *World Literature Written in English*, 24:2, 1984, p. 257-273.

21. Edouard Limonov, "Treize études sur l'exil", *Change international*, 3, 1985, p. 101-105.

22. Ehrhard Bahr, dans Ehrhard Bahr et Carolyn See, *Literary Exiles and Refugees in Los Angeles*, Los Angeles, The William Andrews Clark Memorial Library et l'University of California, Los Angeles, 1988, p. 3.

23. H. Dahlie, *op. cit.*, p. 131: "exile-tourist spectrum".

24. C. Kaplan, *op. cit.*, p. 187.

25. G. Mazzotta, *op. cit.*, p. 660.

26. Guy Scarpetta, *Eloge du cosmopolitisme*, Paris, Grasset, 1981, p. 122 (voir aussi p. 114-122).

27. Bahr, "German Literature in Los Angeles, 1940-1958", dans Bahr et See, *op. cit.*, p. 1-28.

28. L. Sebbar, dans Huston et Sebbar, *op. cit.*, p. 106.

29. *Ibid.*, p. 107.

30. Pierre Popovic, "Partir, revenir, voyager, écrire peut-être...", *Spirale*, 85, février 1989, p. 7.

31. Isabelle Cielens, *Trois fonctions de l'exil dans les oeuvres de fiction d'Albert Camus: initiation, révolte, conflit d'identité*, Isabelle Cielens, Uppsala, coll. "Acta Universitatis Upsaliensis Studia Romanica Upsaliensia", 36, 1985, p. 192.

32. D. Jones, *op. cit.*

33. V. Da Rocha Lima, *op. cit.*

34. H. Dahlie, *op. cit.*, p. 141.

35. L. Sebbar, dans Huston et Sebbar, *op.cit.*, p. 9.

36. *Ibid.*, p. 135.

37. *Ibid.*, p. 138 (nous soulignons).

38. N. Huston, *Ibid.*, p. 193 (Huston souligne).

39. *Ibid.*, p. 194 (nous soulignons).

40. N. Huston, *Ibid.*, p. 196.

41. *Ibid.*, p. 15 (Huston souligne).

42. *Ibid.*, p. 110.

43. L. Kolakowski, "In Praise of Exile", *The Times Literary Supplement*, Oct. 11, 1985, p. 1133.

44. *Jean* 14, 2.

45. M. Beausang, *op. cit.*, p. 561.

46. Alberto Kurapel, dans Emil Sher, "One in a World of Exiles: Quebec's Alberto Kurapel", *Canadian Theatre Review* 56, 56, Fall 1988, p. 32.

47. N. Huston, dans Huston et Sebbar, *op. cit.*, p. 194 (Huston souligne).

48. Isabelle Cielens, *op. cit.*, p. 6.

49. *Ibid.*, p. 7.

50. *Ibid.*, p. 9.

51. *Ibid.*

52. Anthony Wall, "Vers une notion de la colle parodique", *Etudes littéraires*, 19:1, printemps-été 1986, p. 22.

53. Fernando Ainsa, "Terre promise émigration et exil", *La Quinzaine littéraire*, 353, 1981, p. 23 (traduction de Mónica Correa).

54. F. Ainsa, "Utopie, terre promise, émigration et Exil", *Diogènes*, 119, automne 1982, p. 55 (traduit de l'espagnol par Mónica Correa et Marcel Cohen).

55. Pierre Emmanuel, dans Anne Hébert, *Poèmes*, Paris, Seuil, 1960, p. 12.

56. Julia Kristeva, *Etrangers à nous-mêmes*, Paris, Fayard, p. 20.

57. F. Ainsa, "Terre promise émigration et exil", p. 23.

58. David O'Rourke, "Exiles in Time[:] Gallant's `My Heart is Broken'",; cf. aussi les propos de H. Dahlie (*op. cit.*, p. 127) sur des personnages d'exilés temporels et spatiaux à la fois chez Gallant.

59. Joseph Brodsky, "The Condition We Call Exile", *The New York Review of Books*, 34:21-2, 1988, p. 16

60. Claudio Guillén, "The Literature of Exile and Counter-Exile", *Books Abroad*, 50, Spring 1976, p. 271-280.

CHAPITRE **II** : L'EXIL DANS LA TRADITION CRITIQUE CANADIENNE-FRANÇAISE : UN APERÇU

1. André Gaulin, "Le thème de l'exil de 1940 à 1960", dans Denis Saint-Jacques (dir.), *Littérature et idéologies. La mutation de la société québécoise de 1940 à 1972*, Québec, Université Laval, 1976, p. 33.

2. Antoine Gérin-Lajoie, "Un Canadien errant", dans Michel Le Bel et Jean-Marcel Paquette, *Le Québec par ses textes littéraires*, Montréal, France-Québec, 1979, p. 76-77.

3. Simon Harel, *Le Voleur de parcours. Identité et cosmopolitisme dans la littérature québécoise contemporaine*, Montréal, Le Préambule, coll. "L'Univers des discours", p. 21.

4. Laurent Mailhot, "Traduction et `nontraduction': l'épreuve du voisin étranger dans la littérature québécoise", dans Carla Fratta (dir.), *L'altérité dans la littérature québécoise*, Bologne, CLUEB, coll. "La deriva delle francofonie. Atti dei seminari annuali di Letterature Francofone diretti da Franca Marcato Falzoni", 1987, p. 51.

5. Pierre Nepveu, *L'Ecologie du réel*, Montréal, Boréal, coll. "Papiers collés", 1988, p. 48 (nous soulignons).

6. A. Gaulin, *op. cit.*, p. 35.

7. *Ibid.*, p. 36-37.

8. *Ibid.*, p. 38.

9. P. Nepveu, *op. cit.*, p. 45.

10. L. Kolakowski, *op. cit.*, p. 1133

11. Naïm Kattan, *La Mémoire et la promesse*, Montréal, HMH, 1978, p. 63.

12. *Ibid.*, p. 50.

13. *Ibid.*, p. 65.

14. Claude Galarneau, "La Légende napoléonienne au Québec", dans F. Dumont et Y. Martin (dir.), *Imaginaire social et représentations collectives*, Québec, Presses de l'Université Laval, 1982, p. 167.

15. Gilles Marcotte, *Une Littérature qui se fait*, Montréal, HMH, 1962, p. 74.

16. *Ibid.*, p. 67.

17. *Ibid.*, pp. 74-75.

18. *Ibid.*, p. 68.

19. Roland Bourneuf, *Saint-Denys-Garneau et ses lectures européennes*, Québec, Presses de l'Université Laval, coll. "Vie des Lettres Canadiennes", 6, pp. 16-17.

20. Voir par exemple Réginald Hamel, John Hare et Paul Wyczynski, *Dictionnaire pratique des auteurs québécois*, Montréal, Fides, 1976; et des mêmes auteurs, le *Dictionnaire des auteurs de langue française en Amérique du Nord*, Montréal, Fidès, 1989. Pour de plus amples renseignements sur Crémazie, voir Odette Condémine (éd.), *Octave Crémazie Oeuvres I Poésies, Oeuvres II Prose*, Ottawa, Editions de l'Université d'Ottawa, coll. "Présence", 1972, 1976.

21. Gilles Marcotte, *Littérature et circonstances*, Montréal, l'Hexagone, coll. "Essais littéraires", 1989, p. 212.

22. Réjean Robidoux, cité dans R. Hamel, J. Hare et P. Wyczynski, *op. cit.*, article "Crémazie".

23. Voir par exemple Hamel, Hare et Wyczinski, *op. cit.*, et Paul Wyczinski, *Nelligan 1879-1941 biographie*, Montréal, Fides, 1987.

24. P. Nepveu, *op. cit.*; voir en particulier pp. 50-54. Nepveu cite (p. 50) un passage, particulièrement révélateur à cet égard, de l'*Histoire de la littérature française du Québec* (Montréal, Beauchemin, 1968, Tome II, p. 43) par Pierre de Grandpré *et alii*, passage qui traite l'internement de Nelligan de "long exil, mais intérieur".

25. Jacques Michon, *Emile Nelligan. Les racines du rêve*, Montréal, Presses de l'Université de Montréal, Sherbrooke, Editions de l'Université de Sherbrooke, coll. "Lignes québécoises", 1983, p. 25.

26. *Ibid.*, p. 29.

27. *Ibid.*, p. 33-34ss.

28. Jean Larose, *Le Mythe de Nelligan*, Montréal, Quinze, coll. "Prose exacte", 1981, p. 20.

29. *Ibid.*, p. 25, n.13.

30. *Ibid.*, p. 29.

31. *Ibid.*, p. 113.

32. P. Nepveu, *op. cit.*, p. 49.

33. *Ibid.*, p. 47.

34. J. Larose, *op. cit.*, p. 21.

35. *Ibid.*, p. 137, n. 5.

36. Sur cette question de la représentation littéraire des rapports entre Québécois et Français, voir nos articles "Les Français comme personnages dans

quelques romans canadiens-français (1863-1925)", *Etudes Canadiennes /
Canadian Studies*, 24, automne 1988, p. 31-56, et "Le personnage français
dans quelques romans québécois contemporains", *Voix et images*, 37, automne 1987, p. 82-103.

37. Gilles Leclerc, *Journal d'un Inquisiteur*, Montréal, Editions du Jour, 1974, p.
101; cité dans A. Gaulin, *op. cit.*, p. 38.

38. H. de Saint-Denys Garneau, *Journal*, dans Saint-Denys Garneau, *Oeuvres*,
édition critique par Jacques Brault et Benoît Lacroix, Montréal, Presses de
l'Université de Montréal, 1971, p. 360.

39. *Ibid.*, p. 371.

40. *Ibid.*, p. 399.

41. *Ibid.*, p. 561.

42. H. de Saint-Denys Garneau, "Accompagnement", *Regards et jeux dans l'espace*, dans Saint-Denys Garneau, *Oeuvres*, p. 34.

43. G. Marcotte, *Une littérature qui se fait*, p. 68.

44. Anne Hébert, "Quand il est question de nommer la vie tout court, nous ne
pouvons que balbutier", *Le Devoir*, 22 octobre 1960, p. 9.

45. *Ibid.*

46. Anne Hébert, "Le Québec, cette aventure démesurée", *La Presse*, cahier
"Un siècle 1867-1967: l'épopée canadienne", 13 février 1967, p. 16.

47. Anne Hébert, "Quand il est question de nommer la vie tout court [...]", p. 9.

CHAPITRE III : VERS L'EXIL BIOGRAPHIQUE D'ANNE HÉBERT :

1. Gabriel Sagard, cité par Ethel M. G. Bennett, dans G. W. Brown, M. Trudel,
A. Vachon *et alii*, *Dictionnaire biographique du Canada*, Vol. I, Québec,
Presses de l'Université Laval, Toronto, University of Toronto Press, 1966,
p. 591.

2. Anne Hébert, "Le Québec, cette aventure démesurée", p. 16, et *Le premier
Jardin*, p. 76.

3. Anne Hébert, entretien avec Neil B. Bishop, 5 août 1985.

4. Anne Hébert, "Les étés de Kamouraska... et les hivers de Québec", *Le
Devoir* (supplément littéraire), 28 octobre 1972, p. vii.

5. Paul Raymond Côté, "'À l'abri des vivants': l'euphémisation dans *Héloïse*
d'Anne Hébert", *Symposium*, XLIII:3, Fall 1989, p. 179.

6. Anne Hébert, "Mon coeur sauvage, je le dis en français", *Les Nouvelles littéraires*, 54:2517, 29 janvier 1976, p. 22.

7. Anne Hébert, dans Jean Royer, "Anne Hébert: jouer avec le feu", *Le Devoir*,
26 avril 1980, p. 21.

8. Jean Royer, "'Cette cinquième saison qui nous est donnée...'", *Ecrivains
contemporains. Entretiens 5: 1986-1989*, Montréal, l'Hexagone, 1989, p. 195.
Cette phrase fait partie d'un bref paragraphe qui ne figure pas dans la première version de l'article de J. Royer paru dans *Le Devoir*, 16 avril 1988, p.
D-1, D-12.

9. Anne Hébert, dans Michelle Lasnier, "Anne Hébert la magicienne",
Châtelaine, 4:4, avril 1963, p. 74. Anne Hébert a plus récemment souligné le
caractère cosmopolite de sa formation enfantine en parlant de ses "mer-

veilleuses lectures d'enfance, celles qui nous marquent probablement le plus, les contes fantastiques et tout l'imaginaire des livres d'enfants: Andersen, Green, Dickens, Edgar Poe, sans oublier la Comptesse de Ségur" (dans Jean Royer, "Anne Hébert: jouer avec le feu", *Le Devoir*, 26 avril 1980, p. 21).

10. Anne Hébert insiste sur ces encouragements dans presque toutes les entrevues où il est question de son père dont elle souligne aussi (comme pour suggérer que c'est là encore un apport paternel à sa future carrière d'écrivaine) l'attitude exigeante en matière de la qualité du français employé chez les Hébert (voir par exemple l'entretien accordé à Michelle Lasnier dans *Châtelaine* en 1963, "Anne Hébert la magicienne"; elle a fait des remarques semblables à propos des encouragements paternels à ses débuts comme écrivaine, suite à la lecture publique qu'elle a donnée au Congrès annuel du Conseil International d'Etudes Francophones, Montréal, 15 avril 1988).

11. Anne Hébert, dans Michelle Lasnier, *op. cit.*, p. 74.

12. Voir M. Lasnier, *op. cit.*

13. René Lacôte, *Anne Hébert*, Paris, Seghers, coll. "Poètes d'aujourd'hui", 1969, p. 26.

14. Anne Hébert, dans Catherine Rihoit, "L'Héritage partagé. Anne Hébert", *Autrement*, 69, "Ecrire aujourd'hui", avril 1985, p. 166.

15. Anne Hébert, dans Jean-Pierre Salgas, "Il faut sortir du ghetto", *La Quinzaine littéraire*, 436:18, 16-31 mars 1985.

16. Delbert W. Russell, *Anne Hébert*, Boston, Twayne Publishers, coll. "Twayne's World Authors Series", 684, p. 2 (nous traduisons).

17. Anne Hébert, dans Jean Royer, "Anne Hébert: jouer avec le feu".

18. R. Bourneuf, *op. cit.*, p. 12. L'influence de Saint-Denys Garneau et l'ambiance culturelle du milieu Garneau-Hébert ont été mises en relief dans les trois *Anne Hébert* de, respectivement, P. Pagé, R. Lacôte et D. W. Russell.

19. *Ibid.*, p. 21.

20. H. de Saint-Denys Garneau, *Journal*, *Oeuvres*, p. 333-334.

21. André Gaulin, *op. cit.*, p. 42.

22. R. Bourneuf, *op. cit.*, p. 23.

23. Anne Hébert, dans J.-P. Salgas, *op. cit.*

24. D. W. Russell, *op. cit.*, p. 2.

25. H. de Saint-Denys Garneau, lettre à Robert Elie datée du 4 août 1938, *Lettres à ses amis*, Montréal, HMH, coll. "H", 1970, p. 364.

26. Sur l'attitude de Duplessis et des élites traditionnelles du Québec envers le communisme, voir Paul-André Linteau, René Durocher, Jean-Claude Robert et François Ricard, *Histoire du Québec contemporain*, Tome II, *Le Québec depuis 1930*, Montréal, Boréal, 1986, p. 105 et *passim*. Plus tard, Maurice Hébert a pris position contre le communisme dont la présence au Canada serait dû à l'immigration et constituerait ainsi une raison de s'opposer à celle-ci (voir "L'immigration, problème angoissant", *Pour Survivre*, VIII:2, juin 1947, p. 18).

27. Anne Hébert, dans Pierre Hétu, "Anne Hébert entre la mer et l'eau douce", *Nuit blanche*, 34, déc. 1988, janv., fév. 1989, p. 42.

28. Anne Hébert, dans Jean-Pierre Salgas, *op. cit.*

29. *Ibid.*

30. Anne Hébert, dans André Vanasse, *"L'écriture et l'ambivalence*, entrevue avec Anne Hébert", *Voix et images*, VII:3, printemps 1982, p. 443.

31. Jules-Paul Tardivel, *Pour la patrie*, présentation de John Hare, Montréal, Hurtubise HMH, coll. "Cahiers du Québec Textes et Documents littéraires", 1975, p. 58. (Le roman fut d'abord publié en 1895.)

32. Anne Hébert, "Quand il est question de nommer la vie tout court,...", p. 9.

33. Anne Hébert, dans Cécile Dubé, Maurice Emond et Christian Vandendorpe, "Dossier Anne Hébert Entrevue", *Québec français*, décembre 1978, p. 35. Les Editions du Seuil nous ont dit, lors d'un entretien téléphonique en juin 1992, qu'elles n'ont jamais eu de "Paule" Flammand à leur service; c'est un monsieur Paul Flammand, fondateur de la maison, qui aurait invité Anne Hébert à lui soumettre le manuscrit des *Chambres de bois*. Le nom figure au masculin dans l'entretien accordé à J.-P. Salgas en 1985 ("Il faut sortir du ghetto").

34. Anne Hébert, "Mon coeur sauvage, je le dis en français".

35. *Ibid.*

36. Anne Hébert, dans Pierre Vallières, "Anne Hébert, comme Rimbaud, demeure affamée de ce Je qui est un Autre", *Le Jour*, 31 octobre 1975, p. 17.

37. Anne Hébert, dans Paule France Dufaux, "Si l'on veut que le prix David ait un sens...", *Le Soleil*, 21 octobre 1978, p. D 12.

38. André Vanasse, "L'exportation de notre littérature: un échec?", *Lettres québécoises*, 58, été 1990, p. 8.

39. Jacqueline Gerols, *Le roman québécois en France*, Montréal, Hurtubise HMH, "Cahiers du Québec Collection Littérature", 1984, p. 159-161.

40. Anne Hébert, dans J.-P. Salgas, *op. cit.*

41. *Ibid.*

42. J. Gerols, *op. cit.*, p. 91.

43. René Major, "Préface", dans Simon Harel, *op. cit.*, p. 11.

44. Anne Hébert, dans Céline Messner, "La Passion à l'oeuvre. Entrevue avec Anne Hébert", *Arcade*, 15, février 1988, p. 69.

45. *Ibid.*

46. Anne Hébert, dans Lise Gauvin, "Fragile et grande Anne Hébert", *Le Devoir*, 23 mai 1992, D-4.

47. J. Kristeva, *op. cit.*, p. 47.

48. France Nazaire Garant, *Eve et le cheval de grève*, p. 32.

49. *Ibid.*, pp. 45-46.

50. J. Kristeva, *op. cit.*, p. 47.

51. *Ibid.*, pp. 132-133.

52. Anne Hébert, "Mon coeur sauvage, je le dis en français".

53. C. Kaplan, *op. cit.*, p. 188.

54. T. Todorov, *Nous et les autres. La réflexion française sur la diversité humaine*, Paris, Seuil, 1989, p. 93.

55. Voir notamment les propos d'Anne Hébert dans Céline Messner, *op. cit.*, p. 66.

56. T. Todorov, *Nous et les autres*, p. 382.

57. Emil Cioran, "Avantages de l'Exil", *La Tentation d'exister*, Paris, Gallimard, "Tel" 99, 1956, p. 163.

58. *Ibid.*, p.

59. J. Kristeva, *op. cit.*, p. 140.

60. *Ibid.*

61. Anne Hébert a répondu ainsi à la question de C. Rihoit, "Est-ce que le fait d'écrire a motivé partiellement votre décision de vous installer en France?" [Anne Hébert] "Cela n'a jamais été très net. Ce n'est pas une décision qui s'est prise brusquement. Je me disais toujours: `Je vais rester ici un petit moment, et après je rentrerai là-bas.' Cela s'est fait insensiblement, petit à petit j'ai pris mes habitudes ici [à Paris], y compris mes habitudes de travail." (dans C. Rihoit, "L'Héritage partagé", entretien avec A. Hébert, *Autrement*, 69, avril 1985, p. 165).

62. Jean Prasteau, "Anne Hébert", *Le Figaro*, 23 novembre 1982, p. 28.

63. *Ibid.*

64. Anne Hébert, dans Gloria Escomel, "Anne Hébert: 30 ans d'écriture", *Madame au foyer*, septembre 1980, p. 8.

65. *Ibid.*

66. Louis-Bernard Robitaille, "Anne Hébert is alive and well and living in Paris", *Châtelaine*, décembre 1986, p. 32.

67. Jacques Ferron, "*Kamouraska* ou l'invention du pays", *Le magazine MacLean*, XI:1, janvier 1971, p. 44.

68. *Ibid.*

69. *Ibid.*, p. 46.

70. *Ibid.*, p. 44-46.

71. Talbot, Emile J., "The Signifying Absence. Reading *Kamouraska* Politically", *Canadian Literature*, 130, Autumn 1991, p. 198.

72. D. C. Schinkel, "Le prix J.-Béraud-Molson: un refus insultant", *Le Devoir*, 27 novembre 1982, p. 26.

73. Jean Ethier-Blais, "Des mythes canadiens comme les Français les aiment", *Le Devoir*, 19 décembre 1987, p. D-10.

CHAPITRE IV : LES "PAYS"HÉBERTIENS ET L'EXIL :

1. Nous laissons de côté des textes brefs qui ou bien n'abordent guère la problématique de l'exil, ou bien qui ont un cadre découlant en large partie de leur caractère quasi-journalistique. Notons toutefois que les contes de Noël "Trois petits garçons dans Bethléem" et "La Part de Suzanne" ont pour cadre Bethléem et la terre sainte pour d'évidentes raisons d'ordre religieux (cadres qui restent plus implicites qu'explicites d'ailleurs, car dans les deux cas le cadre est très peu décrit; et dans "La Part de Suzanne" il n'est même pas nommé). Certains autres textes ont un cadre indéterminé; alors que certaines contributions hébertiennes au *Magazine Maclean* constituent des rêveries-réflexions mi-littéraires mi-journalistiques dont le cadre découlent sans doute en partie du fait qu'Hébert habitait la France et dans une certaine me-

sure rendait compte de la "vie en France" pour les lecteurs de la revue canadienne : "Le Royaume de Madame Métrot", "Une villa au coeur de Paris", "Deux dames en noir", "Voix sèche de la Provence en appel", ce dernier texte offrant l'intérêt d'être l'une des rares évocations dans l'oeuvre d'Anne Hébert (avec, sans doute, la troisième partie des *Chambres de bois*) de ce Midi où elle séjourne souvent, notamment à Menton. "De Saint-Denys Garneau et le paysage" exprime le rapport fusionnel avec le pays québécois qui s'exprime dans plusieurs autres textes hébertiens.

2. Sur les particularités du français québécois et/ou canadien, voir par exemple: Louis Alexandre Bélisle, *Dictionnaire général de la langue française au Canada*, Québec, Bélisle, Montréal, Sondec, 1974; Robert Dubuc et Jean-Claude Boulanger, *Régionalismes québécois usuels*, Paris, Conseil international de la langue française, 1983; Hans-Josef Niederehe et Lothar Wolf (éds.), *Français du Canada - Français de France*, Tübingen, Niemeyer, 1987; la série *Travaux de linguistique québécoise* parue aux Presses de l'Université Laval; les publications de l'Office de la langue française (Québec); le *Glossaire du parler français au Canada*, Montréal, Société du parler français au Canada, 1930; et Stéphane Sarkany, *Québec Canada France. le Canada littéraire à la croisée des cultures*, Aix-en-Provence, Université de Provence, 1985 (voir surtout le deuxième chapitre, "La situation culturelle d'une langue: le français au Canada aujourd'hui", p. 83-100).

3. Dans la mesure où Jacques Cartier, le 3 mai, 1535, prit possession de certains territoires au nom du roi de France, territoires qui devinrent la Nouvelle-France/le Canada.

4. R. Lacôte, *op. cit.*, p. 65.

5. Maurice Emond, "*Les Chambres de bois*, roman d'Anne Hébert", dans Maurice Lemire *et alii*, *Dictionnaire des oeuvres littéraires du Québec*, Tome III, 1982, p. 172.

6. Anne Hébert, entretien avec N. Bishop, 5 août 1985.

7. Gilles Marcotte, "Réédition d'un grand livre: `Le Torrent' d'Anne Hébert".

8. Albert Le Grand, "Anne Hébert, de l'exil au royaume", *Etudes françaises*, 4, 1968, p. 3-29; reproduit dans *Littérature canadienne-française*, "Conférences J.-A. de Sève", Montréal, Presses de l'Université de Montréal, 1969, p. 181-213.

9. Anne Hébert, "L'Héritage partagé", entretien avec C. Rihoit, *op. cit.*, p. 167.

10. Roman Jakobson, "Linguistique et poétique", *Essais de linguistique générale*, Paris, Minuit, coll. "Points" (traduction et préface de Nicolas Ruwet), 1963, pp. 209-248 (paru d'abord en anglais sous le titre "Closing Statements: Linguistics and Poetics", dans T. A. Sebeok (éd.), *Style in Language*, New York, 1960.

11. Anne Hébert, par Jean Royer, "`Cette cinquième saison qui nous est donnée...'", *Ecrivains contemporains. Entretiens 5: 1986-1989*, p. 194. La phrase citée ne figure pas dans la version originale de l'article de J. Royer paru dans *Le Devoir* du 16 avril 1988, p. D-1, D-12.

12. Anne Hébert, dans L.-B. Robitaille, *op. cit.*, p. 30.

13. Anne Hébert, dans C. Messner, *op. cit.*, p. 66.

14. D. W. Russell, *op. cit.*, p. 48.

15. Laurent Mailhot, "Anne Hébert ou le temps dépaysé", dans Jean-Cléo Godin et Laurent Mailhot, *Le théâtre québécois. Introduction à dix dramaturges contemporains*, Montréal, Hurtubise HMH, 1973, pp. 133-134.

16. D. W. Russell, *op. cit.*, p. 49.

17. L. Mailhot, *op. cit.*, p. 135.

18. D. W. Russell, *op. cit.*, p. 50.

19. L. Mailhot, *op. cit.*, p. 133.

20. *Ibid.*, p. 135.

21. *Ibid.*

22. Anne Hébert, "Mon coeur sauvage, je le dis en français".

23. Anne Hébert, "Le Québec, cette aventure démesurée", p. 16.

24. A. R. Chadwick et V. Harger-Grinling, "Anne Hébert Métamorphoses lutétiennes", *Canadian Literature*, 109, summer 1986, p. 170.

25. *Ibid.*, p. 168.

26. *Ibid.*, p. 169.

27. *Ibid.*

28. La critique a attribué à Bruno divers métiers: éclusier; ingénieur (Murray Sachs, "Love on the Rocks: Anne Hébert's *Kamouraska*, dans Paula Gilbert Lewis, *Traditionalism, Nationalism, Feminism. Women Writers of Quebec*, Westport and London, Greenwood Press, 1985, p. 113). Le texte des *Chambres de bois* ne précise pas la profession de Bruno dont des traits d'ordre *physique* (air "lourd et buté" de "paysan", CB 154, "tête forte, aux cheveux drus, à la nuque de cerf stupéfié, CB 155, "sourire puéril", CB 161, "face sauve" d'"innocent", CB 180, ressemblance à un "taureau blessé", CB 181) *gestuel* ("mordait le pain à belles dents, avalait le vin à grandes lampées, en fermant à demi les yeux", CB 170, "Catherine s'étonnait de la sûreté et de la pitié des gestes de Bruno", CB 175 ; "L'homme aima le corps léger, dépistant la joie avec soin", CB 183; travail de céramique) et *psychique* (traits évocateurs d'un homme ayant su faire en lui la synthèse harmonieuse du corps et de la psyché), semblent importer plus, pour la signification du personnage, que toute appartenance socio-professionnelle. Toutefois, la plupart de ces traits relèvent du code descriptif littéraire des personnages d'origine sociale populaire, ce qui rend improbable la lecture de Bruno comme ingénieur. En faveur de l'hypothèse selon laquelle Bruno serait éclusier, notons qu'Anne Hébert a écrit le commentaire du film *L'Eclusier* (Office National du Film du Canada, 1953-54).

29. *Les Chambres de bois* représente une étape ou une tendance dans la réflexion hébertienne sur la libération de la femme. Ecrire comme nous l'avons fait que la troisième partie du roman est celle de la "conquête de l'indépendance et du bonheur" chez Catherine, c'est peut-être trop taire le fait que ce personnage semble fortement dépendre, pour évoluer ainsi, de son rapport avec un homme (Bruno); et même, le roman semble présenter la détermination de Catherine de ne pas épouser Bruno, de viser une sorte d'indépendance absolue par rapport à l'homme, comme une erreur; Murray Sachs (*op. cit.*, pp. 113-115) a bien noté cette ambiguïté de la fin des *Chambres de bois*. Les textes hébertiens hésitent quant au rôle possible de

l'homme dans le cheminement de la femme vers son non-exil : dans *La Cage*, un homme (artiste peintre, son statut d'artiste étant sans doute important dans sa fonction adjuvantielle, *cf.* celle de "Celui qui a reçu fonction de la parole" dans le poème "Mystère de la parole", P 75) soutient vigoureusement la cause de Ludivine Corriveau lors de son procès, bien que la libération de Ludivine - que permet la mort de John Crebessa - semble due avant tout à des actants féminins (les fées qui jettent des sorts à la naissance ou pendant l'enfance des personnages principaux, d'où le "coeur pourri" de John Crebessa, au physique comme au moral).

30. Anne Hébert, "Quand il est question de nommer la vie tout court...", p. 9.
31. Anne Hébert, "Le Québec, cette aventure démesurée", p. 16.
32. Anne Hébert, dans Gisèle Tremblay, *op. cit.*
33. Anne Hébert, dans C. Dubé, M. Emond et C. Vandendorpe, *op. cit.*, p. 35.
34. Anne Hébert, dans Paule France Dufaux, *op. cit.*, p. D 12.
35. Mario Pelletier, "Anne Hébert et l'Eve profonde", *Ecrits du Canada français*, 63, 1988, p. 173.
36. Tahar ben Jelloun, "Les `allées-venues' de Vassilis Alexakis", *Le Monde*, vendredi 8 septembre 1989, p. 19.
37. Anne Hébert, dans *Sept Jours*, 5, 15 octobre 1966, p. 42.
38. D. W. Russell, *op. cit.*, p. 74.
39. Jean-Paul Kauffmann, "De Paris, elle réinvente le Québec" (article-entrevue), *Perspectives*, 12 décembre 1970, p. 8.
40. *Ibid.*
41. Voir par exemple Anne Hébert, "Les étés de Kamouraska... et les hivers de Québec".
42. Murray Sachs, *op. cit.*, p. 110.
43. *Ibid.*, p. 111.
44. *Ibid.*, p. 120.
45. *Ibid.*, p. 120-121.
46. Pierre-H. Lemieux, "La symbolique du *Torrent* d'Anne Hébert", *Revue de l'Université d'Ottawa / University of Ottawa Quarterly*, 43, 1973, p. 116.
47. *Ibid.*, p. 124, 127 (c'est Lemieux qui souligne).
48. J. Prasteau, *op. cit.*, p. 28.
49. Anne Hébert, dans C. Rihoit,*op. cit.*, p. 167.
50. Anne Hébert dans Luc Perreault, "Anne Hébert: `On s'est fait de moi une image arrêtée'", *La Presse*, 24 septembre 1966, p. 7.
51. Anne Hébert, dans Jean-Paul Kaufmann, *op. cit.*
52. Anne Hébert, "Terre brûlée", *Ecrits du Canada français*, 65, 1989, p. 7.
53. Anne Hébert, commentaire du film *Saint-Denys Garneau* (Office National du Film, 1960) dont elle fut la scénariste, dans R. Lacôte, *op. cit.*, p. 126.
54. Anne Hébert, dans Anonyme, "Anne Hébert, poète-dramaturge", *Sept-Jours*, 5, octobre 1966. p. 41-42.
55. Anne Hébert, dans R. Martel, "Anne Hébert: le charme sans bavardage", *La Presse*, 1 novembre 1975, p. D 3.
56. Anne Hébert, commentaire du film *Saint-Denys Garneau*, dans R. Lacôte, *op. cit.*, p. 126.

57. Gloria Escomel, "Anne Hébert: 30 ans d'écriture" (entrevue), *Madame au foyer*, sept. 1980, p. 12.

58. Anne Hébert, dans Françoise Faucher, "Anne Hébert: `J'aurais aimé être avocate, peintre, comédienne... Mais écrire résume tout cela'" (entrevue), *L'Actualité*, 8:2, février 1983, p. 12.

CHAPITRE V : EXILS ET EXILÉS DANS L'OEUVRE D'ANNE HÉBERT :

1. V. Harger-Grinling, A. R. Chadwick, "History reinterpreted: Hébert's *Kamouraska* and Bourin's *Très sage Héloïse*", *Neohelicon*, XIV:2, l987, p. 151-158.

2. Voir par exemple Neil B. Bishop, *La thématique de l'enfance dans l'oeuvre pétique et romanesque d'Anne Hébert*, thèse de IIIe cycle, Université de Provence I, 1977.

3. Anne Hébert, dans Anonyme, "Anne Hébert, poète-dramaturge", *Sept Jours*, 5, 15 octobre 1966, p. 42.

4. Gilles Marcotte, "Réédition d'un grand livre: `Le Torrent' d'Anne Hébert", *La Presse*, 18 janvier 1964, p. 6.

5. Adrien Thério, "La maison de la belle et du prince ou l'enfer dans l'oeuvre romanesque d'Anne Hébert", *Livres et Auteurs québécois 1971*, Québec, Presses de l'Université Laval, [s.d.].

6. Voir par exemple André Vanasse, "L'écriture et l'ambivalence, une entrevue avec Anne Hébert", *Voix et images*, VII:3, printemps 1982, p. 446.

7. Robert Harvey, Kamouraska *d'Anne Hébert: Une écriture de la Passion suivi de Pour un nouveau* Torrent, Montréal, Hurtubise HMH, 1982, p. 131.

8. Gilles Houde, "Les symboles et la structure mythique du *Torrent*", *La Barre du jour*, 16, octobre-décembre 1968, pp. 22-46; et 21, septembre-octobre 1969, pp. 22-68.

9. D. W. Russell, *op. cit.*, pp. 9-10.

10. Sur cette ambiguïté de la fin du roman, voir N. Bishop, "*Les Enfants du Sabbat* et la problématique de la libération chez Anne Hébert", *Etudes canadiennes / Canadian Studies*, 8, juin 1980, p. 46.

11. Karen McPherson, "The Letter of the Law in Anne Hébert's *Kamouraska*", *Québec Studies*, 8, 1989, p. 23.

12. Anne Hébert, dans Louis-Bernard Robitaille, "Anne Hébert is alive and well and living in Paris", *Châtelaine*, déc. 1986, p. 34.

13. G. Marcotte, "Prix David Anne Hébert", *Le Devoir*, 7 octobre 1978, p. 19.

14. Anthony Purdy, "An Archaeology of the Self: Narrative Ventriloquism in Anne Hébert's *Kamouraska*", *A Certain Difficulty of Being. Essays on the Quebec Novel*, Montréal et Kingston, McGill-Queen's University Press, 1990, p. 113.

15. Anne Hébert, dans Gisèle Tremblay, *op. cit.*

16. N. Bishop, "Distance, point de vue, voix et idéologie dans *les Fous de Bassan* d'Anne Hébert", *Voix et images*, IX, 2, hiver 1984, p. 113-129, voir surtout les pages 128-129.

17. Karen Gould, "Absence and Meaning in Anne Hébert's *Les Fous de Bassan*, *The French Review*, LIX : 6 mai 1986, p. 930.

18. Brigitte Morissette, "Lointaine et proche Anne Hébert", *Châtelaine*, février 1983, p. 48.

19. Anne Hébert, dans Pierre Hétu, "Anne Hébert entre la mer et l'eau douce", *Nuit blanche*, 34, déc. 1988, janv. fév. 1989, p. 43.

20. Anne Hébert, en entrevue avec Michèle Viroly, *Plus*, Radio-Canada (télévision), 27 mai 1992.

CHAPITRE VI : MARGINALITÉ, TRANSGRESSION, FANTASTIQUE ET FÉMINISME :

1. V. Harger-Grinling et A. R. Chadwick, "History Reinterpreted: Hébert's *Kamouraska* and Bourin's *Très Sage Héloïse*", *Neohelicon*, XIV:2, 1987, p. 151-152.

2. D. W. Russell, *op. cit.*, p. 11.

3. Anne Hébert, "Le Québec, cette aventure démesurée", p. 16.

4. Voir ci-dessus, Chapitre III.

5. Anne Hébert, dans Paule Lebrun, "`Je ne suis en colère que lorsque j'écris'", *Châtelaine*, 17:11, novembre 1976, 43, 44, 78, 88-89.

6. N. Bishop, *La thématique de l'enfance dans l'oeuvre poétique et romanesque d'Anne Hébert*, p. 295-299; "*Les Enfants du Sabbat et la problématique de la libération chez Anne Hébert*", p. 33-46.

7. V. Harger-Grinling et A. R. Chadwick, "Sorcières, sorciers et le personnage féminin dans l'oeuvre d'Anne Hébert", manuscrit inédit daté avril 1990, p. 1.

8. *Ibid.*, p. 2; voir aussi V. Harger-Grinling, "The `Other' in certain Québécois Novels of the 1960's", manuscrit inédit daté "August 1990", p. 8.

9. Franca Marcato Falzoni, "Dal reale al fantastico nell'opera narrativa di Anne Hébert", dans Luca Codignola (éd.) *Canadiana. Aspetti della storia e della letteratura canadese*, Venise, Marsilio Editori, 1978, p. 97.

10. T. Todorov, *Introduction à la littérature fantastique*, cité dans F. Marcato Falzoni, *Ibid.*, p. 107.

11. Maurice Emond, "L'imaginaire fantastique d'Anne Hébert", dans Hans Jürgen Greif (éd.), *Le Risque de lire*, Québec, Université Laval (Département des littératures) / Nuit blanche éditeur, 1988, p. 67.

12. *Ibid.*, p. 71.

13. *Ibid.*, p. 74.

14. *Ibid.*, p. 81.

15. *Ibid.*, p. 86.

16. Jean-Pierre Richard, *Proust et le monde sensible*, Paris, Seuil, 1974, p. 48, n. 4.

17. F. Marcato Falzoni, *op. cit.*, p. 105.

18. Voir Janet M. Paterson, "Anne Hébert and the Discourse of the Unreal", *Yale French Studies*, 65, 1983, p. 172-186. Quant au rejet par Hébert du réalisme, voir Jean Royer, "Anne Hébert: jouer avec le feu", *Le Devoir*, 26 avril 1980, p. 21; dans son entrevue avec J.-P. Salgas, Hébert a déclaré, "J'écris tout, sauf des romans réalistes. Le roman réaliste est une impasse."

19. Daphni Baudoin, "L'Echappée hors du réel: une constante dans l'univers romanesque d'Anne Hébert", *Arcade*, 18, octobre 1989, p. 73.

20. V. Harger-Grinling, "The `Other' in certain Québécois Novels of the 1960's", p. 8.

21. V. Harger-Grinling et A. R. Chadwick, "Sorcières, sorciers et le personnage féminin dans l'oeuvre d'Anne Hébert", p. 2.
22. *Ibid.* Ailleurs, Harger-Grinling fait passer la signification politique de *Kamouraska* au premier plan (elle y voit Elisabeth d'Aulnières/Tassy/Rolland comme symbole du Québec bien plus que comme personnage féminin). Harger-Grinling va jusqu'à fournir une interprétation anti-féministe du roman: alors que toutes les interprétations féministes de ce roman y voient les femmes et surtout Elisabeth comme les victimes d'une société patriarcale, pour Harger-Grinling, "One has the impression in reading this novel that Elisabeth is part of a matriarcal society where men are increasingly superfluous. Underneath their pious masks of saints and nuns the women conspire to more violence than any of their male counterparts are capable of. What violence is carried out by men is done so at the instigation of the women while it is the latter who retain their 'pureté de surface'. It is not Antoine who has bewitched Elisabeth as her aunts would like to believe and it is not Nelson who is possessed of the devil but rather Elisabeth who has 'un port de reine. Une âme de vipère'". Une telle lecture anti-féministe de *Kamouraska* ou du reste du corpus hébertien paraît difficile à soutenir : par exemple, Nelson ne 'conspire' pas moins qu'Elisabeth en vue d'assassiner Tassy, et c'est de beaucoup Antoine qui, lors du séjour des deux époux au manoir de Kamouraska, est le plus violent.
23. D. W. Russell, "Quatre versions d'une légende canadienne", *Canadian Literature*, 94, Autumn 1982, p. 176.
24. Patricia Smart, *Ecrire dans la maison du père. L'émergence du féminin dans la tradition littéraire du Québec*, Montréal, Québec/Amérique, 1988, p. 186.
25. *Ibid.*, p. 182.
26. *Ibid.*
27. *Ibid.*, p. 186.
28. *Ibid.*, p. 189.
29. *Ibid.*, p. 194.
30. Kathleen Kells, "From the First `Eve' to the New `Eve': Anne Hébert's Rehabilitation of the Malevolent Female Archetype", *Studies in Canadian Literature*, 14:1, 1989, p. 99.
31. *Ibid.*, p. 100.
32. *Ibid.*, p. 101.
33. *Ibid.*, p. 102.
34. Anne Hébert, dans Paule Lebrun, "`Je ne suis en colère que lorsque j'écris'", *Châtelaine*, 17:11, nov. 1976, p. 88.
35. Paule Lebrun, *Ibid.*
36. Anne Hébert, dans Gloria Escomel, "Anne Hébert: 30 ans d'écriture", *Madame au foyer*, sept. 1980, p. 16.
37. Anne Hébert, dans Paule Lebrun, "`Je ne suis en colère que lorsque j'écris'", *Châtelaine*, 17:11, nov. 1976, p.
38. Paul Raymond Côté, "`A l'abri des vivants'": l'euphémisation dans *Héloïse* d'Anne Hébert", *Symposium*, XLIII:3, Fall 1989, p. 178 (Côté cite ici Anne Hébert, entrevue avec A. Vanasse, *op. cit.*, p.446).

39. Anne Hébert, dans G. Escomel, *op. cit.*, p. 14.

40. Par exemple, A. M. Rea, *op. cit.*, p. 170; une analyse semblable de la psychologie d'Elisabeth d'Aulnières a été offerte par Barbara Godard pour qui la mère d'Elisabeth, en refusant de la materner, a transformé sa fille en "un individu fragmenté, monstrueux" (Barbara Godard, "My (m)Other, My Self: Strategies for Subversion in Atwood and Hébert", *Essays on Canadian Writing*, 26, Summer 1983, p. 36.

41. Voir par exemple A. Rea, *Ibid.*

42. Anne Hébert, dans G. Escomel, *op. cit.*, p. 12-16.

43. Anne Hébert, dans Jean Royer, "Anne Hébert La passion est un risque mais c'est un risque indispensable", *Le Devoir*, 11 déc. 1982, p. 21.

44. Sur *Kamouraska* lu dans cette perspective, voir Henry Cohen, "Le rôle du mythe dans *Kamouraska* d'Anne Hébert", *Présence francophone*, 12, printemps 1976, p. 108.

45. Serge Dunn, *"Les Fous de Bassan*: le secret d'Anne Hébert", Société Radio Québec, Gaspésie Iles-de-la-Madeleine, 1986.

46. Anne Hébert, dans B. Morissette, *op. cit.*, p. 50-52.

47. Gabrielle Pascal-Smith, "La condition féminine dans *Kamouraska* d'Anne Hébert", *The French Review*, LIV:1, octobre 1980, p. 91.

48. K. Gould, *op. cit*, p. 927.

49. *Ibid.*

50. *Ibid.*, p. 928.

51. *Ibid.*, p. 927.

52. *Ibid.*, p. 925.

53. *Ibid.*, p. 927.

54. Anne Hébert, dans F. Faucher, *op. cit.*, p. 15.

55. Anne Hébert, dans G. Escomel, *op. cit.*, p. 14

56. Mary Jean Green, "The Witch and the Princess : The Feminine Fantastic in the Fiction of Anne Hébert", *American Review of Canadian Studies*, XV:2, 1985, p. 137.

57. Adrien Thério, *op. cit.*; Arnold E. Davidson, "Rapunzel in *The Silent Rooms*: Inverted Fairy Tales in Anne Hébert's First Novel" (*Colby Library Quarterly*, 19:1, mars 1983, p. 29-36) ; et Jennifer Waelti-Walters, *Fairy Tales and the Female Imagination*, Montréal, Eden Press, 1982 (sur Anne Hébert, voir "Chapter 2 Beauty and the Beast and *The Silent Rooms*", p. 13-30).

58. Susan L. Rosenstreich, "Counter-Traditions: The Marginal Poetics of Anne Hébert", dans Paula Gilbert Lewis (éd.), *Traditionalism, Nationalism, Feminism*, p. 64.

59. *Ibid.*, p. 65-66.

60. *Ibid.*, p. 64.

61. *Ibid.*, p. 68.

CHAPITRE VII : NON À L'EXIL OU : *LE PREMIER JARDIN* :

1. Un certain flou entoure l'âge de Flora Fontanges: âgée de onze ans en 1927 (date de l'incendie de l'hospice, PJ 124, 167), elle est émancipée à dix-huit ans. Elle part pour l'Europe en 1937. (PJ 90) Trois ans se sont-ils écoulés

entre son émancipation et son départ ? Le roman ne fait nulle mention de ces trois ans ; au contraire, il passe directement (trois dernières lignes de la page 162) de l'émancipation au départ. Il est fort possible bien sûr (contrairement à ce que nous avons écrit dans notre article "Anne Hébert entre Québec et France : L'Exil dans *Le premier Jardin*) qu'un délai significatif ait séparé incendie de l'hospice et adoption de l'héroïne. Il semble en tout cas qu'en 1976 (date du début du roman comme le confirme PJ 100), Flora a entre cinquante-sept et soixante ans.

2. Anne Hébert, lecture publique d'extraits du *Premier Jardin* suivie de réponses aux questions du public, congrès mondial du Conseil International d'Etudes Francophones, Montréal, 15 avril 1988.

3. Anne Hébert, dans Pierre Hétu, *op. cit.*, p. 42.

4. Anne Hébert, dans Jean Royer, "Anne Hébert. `Cette cinquième saison qui nous est donnée...'", p. 196-197.

5. Encore un trait commun à Flora Fontanges et à Anne Hébert: celle-ci nous a fait part de sa prédilection pour la Touraine (entretien avec N. Bishop, 5 août 1985).

6. Mario Pelletier, *op. cit.*, p. 174, 175.

7. Guy Scarpetta, *op. cit.*, p. 155, 156.

8. Anne Hébert, congrès CIEF, Montréal, avril 1988.

9. J. Kristeva, *op. cit.*, p. 20.

10. Paul Raymond Côté, "*Le premier Jardin* d'Anne Hébert ou le faux double dénoncé", *American Review of Canadian Studies*, XVIII:4, 1988, p. 419.

11. Anne Hébert, dans J.-P. Kauffmann, *op. cit.*

12. La politique influe parfois fortement sur la littérature, on le sait: il en est allé ainsi du titre du *Premier Jardin*, à en croire le *Bulletin de l'Association des littératures canadiennes et québécoises*, octobre 1989. Sous le titre "Anne Hébert *De verboden stad*" et après la mention, "De l'effet de la Place Tien Amen et des tulipes sur la littérature du Québec", le *Bulletin* note que "Le premier jardin de A. Hébert, dont le titre au départ était La ville interdite (titre abandonné car l'éditeur français a trouvé qu'il ressemblait trop à un film projeté sur les écrans (La Cité interdite) et concernant la Chine) a retrouvé, en néerlandais, son titre de départ, étant donné que l'éditeur Ibis Reeks publie aussi une collection bien connue concernant le jardinage."

13. Voir Denis Monière, *Le Développement des idéologies au Québec des origines à nos jours*, Montréal, Québec/Amérique, 1977.

14. Gilles Marcotte, "Prix David Anne Hébert", *Le Devoir*, 7 octobre 1978, p. 19.

15. C. Galarneau, *op. cit.*

16. Anne Hébert, "Les étés de Kamouraska... et les hivers de Québec", p. vii.

17. Anne Hébert, "Quand il est question de nommer la vie tout court [...]", p. 9.

18. Anne Hébert, dans J.-P. Kauffmann, *op. cit.*

19. Anne Hébert, dans Françoise Faucher, "Anne Hébert: `J'aurais aimé être avocate, peintre, comédienne... Mais écrire résume tout cela.'", *L'Actualité*, 8:2, fév. 1983, p. 12.

20. *Ibid.*, p. 14.

21. Il s'agit en fait d'une adaptation au féminin et avec l'ajout du mot "déjà" de la dernière phrase de "Pensée en mer" de *Connaissance de l'Est* de Paul Claudel : "La séparation a eu lieu, et l'exil où il est entré le suit". Nous remercions Anne Hébert de nous avoir indiqué cette source.

CONCLUSION/S :

1. J. Paterson, *op. cit.*, p. 40
2. J. Kristeva, *op. cit.*, p. 283.
3. Anne Hébert, dans Pierre Hétu, *op. cit.*, p. 41.
4. Sigmund Freud, *Gessamelte Werke*, vol. XII, p. 229-268.
5. Anne Hébert, dans G. Tremblay, *op. cit.*
6. Anne Hébert, dans G. Escomel, *op. cit.*, p. 12-14.
7. Anne Hébert, Commentaire du film *Saint-Denys Garneau* réalisé par Louis Portugais, scénario d'Anne Hébert, images de Michel Brault, Montréal, Office National du Film, 1960.
8. Anne Hébert, dans Réginald Martel, "Anne Hébert: le charme sans bavardage", *La Presse*, 1 novembre 1975, p. D 3.
9. G. Marcotte, "Prix David Anne Hébert".
10. Anne Hébert, dans J.-P. Salgas, *op. cit.*
11. Anne Hébert, dans C. Messner, *op. cit.*, p. 69.
12. T. ben Jelloun, *op. cit.*
13. Anne Hébert, dans Lise Gauvin, *op. cit.*, p. D-4.
14. Maurice Hébert, *op. cit.*
15. Anne Hébert, dans J. Royer, "Anne Hébert: jouer avec le feu", *Le Devoir*, 26 avril 1980, p. 21-22.
16. Anne Hébert, entrevue avec Minou Petrowski, *Double expresso*, Radio-Canada (radio MF), 14 juin 1992.

BIBLIOGRAPHIE

Dresser une bibliographie hébertienne est une tâche assez complexe. Moins en raison de la richesse pourtant considérable de l'œuvre de notre auteure, qu'en raison de la richesse foisonnante de la bibliographie critique. Celle-ci embrasse quatre continents - les deux Amériques (et celle du Sud promet une moisson toujours plus belle au cours des décennies à venir), l'Europe (surtout de l'ouest, mais l'intérêt pour l'oeuvre hébertienne semble croître en ex-Union soviétique), et l'Océanie (l'Australie surtout). En outre, la critique hébertienne emprunte plusieurs vecteurs pouvant se fonder sur toute la gamme des approches critiques ; par ailleurs, la critique journalistique est abondante et souvent intéressante, d'autant plus qu'elle est souvent le fruit d'universitaires aussi prestigieux que Gilles Marcotte et Jean Ethier-Blais.

Mais on ne saurait inclure toute mention journalistique de tel ou tel texte hébertien ; toute annonce de parution. Nous avons donc essayé de dresser une bibliographie de la critique savante jusqu'en 1990 et parfois au-delà ; quant aux comptes rendus (des textes hébertiens mais aussi de la critique hébertienne) et à la critique journalistique, nous inventorions ici les textes qui nous ont particulièrement intéressé ou qui ont influé peu ou prou sur notre lecture du corpus hébertien.

En matière bibliographique comme en matière critique de façon générale, notre dette est considérable envers nos devanciers. L'on trouvera ci-dessous les travaux bibliographiques principaux, mais il convient de signaler
tout particulièrement la remarquable bibliographie critique que Delbert W.
Russell a donnée à la série *The Annotated Bibliography of Canada's Major
Authors*, ainsi que plusieurs travaux bibliographiques de Janet Paterson, y
compris son examen de la critique hébertienne dans "Anne Hébert: une poétique de l'anaphore".

I.— TEXTES D'ANNE HÉBERT

A. Manuscrits :
L'Arche de midi, poème dramatique en trois actes, 1944-45, 32 p., déposé à la
   bibliothèque de l'Université de Montréal.
Les Invités au procès, théâtre radiophonique diffusé par Radio-Canada le 20
   juillet 1952, déposé à la bibliothèque de l'Université de Montréal.

B. Livres :
Les Songes en équilibre, poèmes, Montréal, Editions de l'arbre, 1942.
Le Torrent, suivi de deux nouvelles inédites, Montréal, HMH, coll. "L'Arbre", vol.
   1, 1963 (première éd. 1950).
Le Tombeau des rois, poèmes, préface de Pierre Emmanuel, Québec, Institut lit-
   téraire du Québec, 1953.
Les Chambres de bois, roman, préface de Samuel S. de Sacy, Paris, Seuil, 1958.
Poèmes, Paris, Seuil, 1960.
Le Temps sauvage. La Mercière assassinée. Les Invités au procès, théâtre, Montréal,
   HMH, coll. "L'arbre HMH, 1967.
Dialogue sur la traduction, à propos du Tombeau des Rois, (en collaboration
   avec Frank Scott), présentation de Jeanne Lapointe, préface de Northrop
   Frye, Montréal, HMH, 1970.
Kamouraska, roman, Paris, Seuil, 1970.
Les Enfants du Sabbat, roman, Paris, Seuil, 1975.
Héloïse, roman, Paris, Seuil, 1980.
Les Fous de Bassan, roman, Paris, Seuil, 1982.
Le premier Jardin, roman, Paris, Seuil, 1988.
La Cage suivi de L'Ile de la Demoiselle, théâtre, Montréal, Boréal, et Paris, Seuil,
   1990.
L'Enfant chargé de songes, roman, Paris, Seuil, 1992.
Le Jour n'a d'égal que la nuit, poèmes Montréal, Boréal, Paris, Seuil, 1992. En
   raison de sa date de parution, nous n'avons pas pu tenir compte de ce re-
   cueil.

C. Autres Textes :
1. Contes, nouvelles et pièces de théâtre
"Trois petits garçons dans Bethléem", *Le Canada français*, 25:4, décembre 1937, 395-397.
"Enfants à la fenêtre", *Ibid.*, 25:8, avril 1938, 822-825.
"La Part de Suzanne", *Ibid.*, 26:4, décembre 1938, 348-352.
"La Boutique de Monsieur Grinsec", *L'Action catholique*, 5:1, 5 janvier 1941, 4,10; 5:2, 12 janvier 1941, 4; 5:3, 19 janvier 1941, 4,10.
"Shannon", *Châtelaine*, 1:1, octobre 1960, 34-35, 77-85.
"Un Dimanche à la campagne", *Ibid.*, 7:9, septembre 1966, 38-39, 125-151.
"Le Silence", *Le Figaro littéraire*, 1285, 10 janvier 1971, 23-25.
"L'Ile de la Demoiselle", *Ecrits du Canada français*, 42, 1979, 9-92.

2. Poèmes hors recueil
"L'Esclave noire", *Amérique française*, 2:6, mars 1943, 41-42.
"Paradis perdu", *Ibid.*, 2:19, février 1944, 31-32.
"Prélude à la nuit", *La Nouvelle Relève*, 3:4, mai 1944, 209.
"L'Infante ne danse plus", "Aube", "Sous-bois d'hiver", "Chats", "Présence", "Je voudrais un havre de grâce", "Le Château noir", "Ballade d'un enfant qui va mourir", *Gants du ciel*, 4, juin 1944, 5-20.
"Plénitude", *Amérique française*, 4, octobre 1944, 33.
"Résurrection de Lazare", *Revue dominicaine*, 51, mai 1945, 257-258.
"Offrande", *Ibid.*, 52, juin 1946, 321.
"O beauté", *Ibid.*, 53, janvier 1947, 3.
"Sainte Vierge Marie", *Le Temps*, 10 décembre 1954, 5.
"Et le jour fut", dans E. Mandel et J.-G. Pilon, *Poetry 62*, Toronto, Ryerson Press, 1961, 8-9.
"Amour", "Pluie", "Noël", "Fin du monde", dans Guy Robert [compilateur], *Littérature du Québec, t. I: Témoignages de 17 poètes*, Montréal, Déom, 1964, 57-63.
"Terre originelle", *La Presse*, Cahier "Un siècle 1867-1967: l'épopée canadienne", 13 février 1967, 1.
"Les Offensés", *Poetry Australia*, 16, juin 1967, 41.
"Couronne de félicité", *Le Journal des poètes*, juillet 1967, 6.
"Des flammes très hautes et belles", "Villes en marche", dans René Lacôte, *Anne Hébert*, Paris, Seghers, coll. "Poètes d'aujourd'hui", No. 189, 1969, 93, 160. Cet ouvrage reproduit aussi "Et le jour fut", "Amour", "Pluie", Couronne de félicité", "Noël", "Terre originelle", "Les Offensés" et "Fin du monde" (p. 151 ss.).
"En cas de malheur", "Eclair", "La Cigale", *Châtelaine*, 13:12, décembre 1972, 22.
"Sommeil", "Le jour n'a d'égal que la nuit", "Mes enfants imaginaires", *Québec français*, 32, décembre 1978, 34, 35, 41.
"Sept poèmes inédits" ("Terre brûlée", "L'Ange gardien", "Les Vieux", "Jardin dévasté", "Matin ordinaire", "J'ai voulu voir", "Un chant de cloches"), *Ecrits du Canada français*, 65, 1989, 7-13.

3. Proses diverses

"De Saint-Denys Garneau et le paysage", *La Nouvelle Relève*, 3:9, décembre 1944, 523.

"L'Annonce faite à Marie", *La Revue dominicaine*, 51:1, janvier 1945, 3-7.

"La critique en procès", *Le Devoir*, 12 mai 1951, p. 8.

"Suzanne Rivest, gymnaste et danseuse", "La Revue moderne, 39:9, janvier 1958, 18.

"Quand il est question de nommer la vie tout court, nous ne pouvons que balbutier", *Le Devoir*, 22 octobre 1960, 9, 17.

"Albee, Godard, Varda", *Le Magazine Maclean*, 5:6, juin 1965, 63.

"Cinéma, livre jardin", *Ibid.*, 5:6, juin 1965, 47.

"Le Royaume de Madame Métrot", 5:8, août 1965, 46.

"Une Villa au coeur de Paris", *Ibid.*, 5:9, septembre 1965, 61.

"Deux dames en noir", *Ibid.*, 5:10, octobre 1965, 71.

"Voix sèche de la Provence en appel", *Ibid.*, 5:11, novembre 1965, 93.

"Sagan, Moreau... et Ingmar Bergan", *Ibid.*, 5:12, décembre 1965, 66.

"Albertine Sarrazin, écrivain-vedette", *Ibid.*, 6:1, janvier 1966, 46.

"Le Québec, cette aventure démesurée", *La Presse*, cahier "Un siècle 1867-1967: l'épopée canadienne", 13 février 1967, 16-17.

"Les Etés de Kamouraska... et les hivers de Québec", *Le Devoir*, supplément littéraire, 28 octobre 1972, vii.

["Autoportrait"], *Miroirs; autoportraits*. Photographies d'Edouard Boubat, présentation de Michel Tournier, Paris, Denoël, 1973, 102-103.

"Mon cœur sauvage, je le dis en français", *Les Nouvelles littéraires*, 54:2517, 29 janvier 1976, 22.

"Ecrire pour moi...", *Ecrits du Canada français*, 54, 1985, 6-8.

"Et alors vient la joie", dans *Modernité/Postmodernité du roman contemporain* (Actes du colloque international de Bruxelles, 27-29 novembre 1985), coll. "cahiers du département d'études littéraires", No. 11, Presses de l'Université du Québec à Montréal, 1987.

Filmographie :

1. *Le Cocher* (réalisateur: Raymond Garneau; commentaire: Anne Hébert; Ottawa, Office national du film du Canada, 1953).

2. *Le Photographe* (réalisateur/producteur: Pierre Arbour; commentaire: Anne Hébert; Ottawa, ONF, 1953).

3. *L'Eclusier* (réalisateur: Pierre Arbour; commentaire: Anne Hébert; Ottawa, ONF, 1953).

4. *La Femme de ménage* (réalisateur Léonard Forest; texte, L. Forest, Anne Hébert. Ottawa, ONF, 1954).5. *Drôle de micmac* (réalisateur: Grant Munro; texte: Anne Hébert; Ottawa, ONF, 1954).

6. *Midinette* (réalisateur/producteur: Roger Blais; texte: Anne Hébert; Ottawa, ONF, 1954).

7. *Les Indes parmi nous* (réalisateur: Gordon Burwash; commentaire: Anne Hébert; Ottawa, ONF, 1954).

8. *Le Médecin du nord* (réalisateur: Jean Palardy; commentaire: Anne Hébert; Ottawa, ONF, 1954).

9. *Pêcheurs de Terre-Neuve* (réalisateur/scénario: Grant McLean; commentaire: Anne Hébert; Ottawa, ONF, 1955).

10. *La Canne à pêche* (réalisateur: Fernand Dansereau; scénario: Anne Hébert; Ottawa, ONF, 1959 ; le film porte la mention "d'après un conte d'Anne Hébert").

11. *Le Déficient mental* (réalisateur/scénario: Jean Roy; commentaire: Anne Hébert; Ottawa, ONF, 1961).

12. *L'Etudiant* (réalisateur/scénario: Jean Dansereau; commentaire: Anne Hébert; Ottawa, ONF, 1961).

13. *Kamouraska* (réalisateur: Claude Jutra; scénario: Anne Hébert, Claude Jutra; Les Productions Carle-Lamy Ltée., Société Parc Film, UPF, 1973).

14. *Les Fous de Bassan* (réalisateur: Yves Simoneau; scénario basé sur le roman d'Anne Hébert et approuvé par elle; MCA, 1987).

II. — ÉTUDES SUR L'ŒUVRE D'ANNE HÉBERT :

A. Livres

Bouchard, Denis, *Une Lecture d'Anne Hébert. La recherche d'une mythologie*, Montréal, Hurtubise HMH (coll. "Littérature: Cahiers du Québec", N°. 34), 1977.

Emond, Maurice, *La Femme à la fenêtre. L'Univers symbolique d'Anne Hébert dans* Les Chambres de bois, Kamouraska, *et* Les Enfants du Sabbat, Québec, Presses de l'Université Laval (Centre de recherche en littérature québécoise, coll. "Vie des lettres québécoises", No. 22), 1984.

Garant, France Nazair, *Eve et le cheval de grève. Contribution à l'étude de l'imaginaire d'Anne Hébert*, Québec, CRELIQ, Université Laval et Nuit Blanche Editeur, 1988.

Harvey, Robert, Kamouraska *d'Anne Hébert: Une écriture de La Passion suivi de Pour un nouveau* Torrent, Montréal, Hurtubise HMH, "(Cahiers du Québec collection Littérature)", 1982.

Lacôte, René, *Anne Hébert*, Paris, Seghers (coll. "Poètes d'aujourd'hui", No. 189), 1969.

Le Grand, Albert, *Anne Hébert* (FRAN 341), Librairie de l'Université de Montréal, 1973.

Lemieux, Pierre-Hervé, *Entre songe et parole. Structure du* Tombeau des Rois *d'Anne Hébert*, Ottawa, Editions de l'Université d'Ottawa (Cahiers du Centre de recherches en civilisation canadienne-française, No. 15), 1978.

Major, Jean-Louis, *Anne Hébert et le Miracle de la parole*, Montréal, Presses de l'Université de Montréal (coll. "Lignes québécoises"), 1976.

Pagé, Pierre, *Anne Hébert*, Montréal, Fides (coll. "Ecrivains canadiens d'aujourd'hui"), 1965.

Paterson, Janet M., *Anne Hébert Architexture romanesque*, Ottawa, Presses de l'Université d'Ottawa, 1985.

Robert, Guy, *La Poétique du songe. Introduction à l'oeuvre d'Anne Hébert*, Montréal, Association générale des étudiants de l'Université de Montréal (cahier N°. 4), 1962.

Roy, Lucille, *Entre la lumière et l'ombre. L'Univers poétique d'Anne Hébert*, Sherbrooke, Naaman (coll. "Thèses ou recherches, No. 17), 1984.

Russell, Delbert W., *Anne Hébert*, Boston, Twayne Publishers (coll. "Twayne's World Authors Series", No. 684), 1983.

Thériault, Serge A., *La Quête d'équilibre dans l'oeuvre romanesque d'Anne Hébert*, Hull, Asticou (coll. "Centre d'études universitaires dans l'ouest québécois"), 1980.

B. Mémoires, thèses, bibliographies, bio-bibliographies

Amar, Wenny, *L'Amour dans l'oeuvre d'Anne Hébert*, mémoire de maîtrise, Université McGill, 1975.

Aonzo, Jeannine, *La Femme dans les romans d'Anne Hébert*, mémoire de maîtrise, Université McGill, 1981.

Baszcynski, Marilyn Jane, *Le [sic] Poétique du discours dans* Les Enfants du Sabbat *d'Anne Hébert*, mémoire de maîtrise, University of Western Ontario, 1981.

Beaton, Nancy, *La vision gothique de la survie dans les oeuvres de Marie-Claire Blais, Anne Hébert*, Carson McCullers et Flannery O'Connor, mémoire de maîtrise, Université de Montréal, 1974.

Berkhout, Denise, *Anne Hébert romancière: images d'un monde clos*, mémoire de maîtrise, University of Calgary, 1981.

Bernard-Lefèbvre, Louisette, *Le thème de la femme dans l'oeuvre romanesque d'Anne Hébert*, mémoire de maîtrise, Université du Québec à Trois-Rivières, 1976.

Bertrand, Madeleine, *Bibliographie de l'oeuvre d'Anne Hébert précédée de sa biographie* (préface de Théophile Bertrand), Université de Montréal, Ecole des bibliothécaires, 1946.

Bishop, Neil B., *La thématique de l'enfance dans l'oeuvre poétique et romanesque d'Anne Hébert*, thèse de doctorat, Aix-en-Provence, Université de Provence I, 1977.— "L'Evolution de la critique hébertienne", dans Hayward, Annette, et Agnès Whitfield (dirs.), *Critique et littérature québécoise* (actes du colloque "Critique de la littérature / Littérature de la critique" tenu à l'Université Queen's, Kinston [Ontario], 16-18 novembre, 1990), Montréal, Triptyque, 1992, 255-274.

Boutet, Odina, *Biobibliographie critique d'Anne Hébert*, Québec, 1950.

Caillet, Annie, *Espace et temps dans* Kamouraska *d'Anne Hébert*, mémoire de maîtrise, Université de Rennes II, 1974.

Cantin, Pierre, Normand Harrington et Jean-Paul Hudon, *Bibliographie de la critique de la littérature québécoise dans les revues des XIXe et XXe siècles*, tome IV, Centre de recherche en civilisation canadienne-française, coll. "Documents de travail", No. 15, Université d'Ottawa, 1979, 614-621.

Ceschi, Geneviève, *A la source du* Torrent *d'Anne Hébert*, thèse de doctorat, University of British Columbia, 1979.

Champagne, Jean-Marc, *L'Enfance dans les romans d'Anne Hébert*, thèse de doctorat, Université du Québec à Trois-Rivières, 1973.

Châtillon, Pierre, *Les thèmes de l'enfance et de la mort dans l'oeuvre poétique de Nelligan, Saint-Denys Garneau, Anne Hébert, Alain Grandbois*, thèse de doctorat, Université de Montréal, 1961.

Chiasson, Arthur P., *The Tragic Mood in the Works of Anne Hébert*, thèse de Ph.D., Tufts University, 1974.

Coleno, Gilbert, *Le Milieu physique dans l'oeuvre d'Anne Hébert*, mémoire de diplôme d'études supérieures, Université de Montréal, 1971.

Daigle-Carrier, Johanne, *Les identités multiples dans les personnages féminins de Anne Hébert et de Margaret Atwood: une étude comparée*, mémoire de maîtrise, Université d'Ottawa, 1985.

Davis, Pauline Marie, *L'Affrontement des sexes dans les romans d'Anne Hébert*, mémoire de maîtrise, University of Calgary, 1983.

Deneault-Turcot, Louise, *Une lecture de l'oeuvre d'Anne Hébert:* Les Enfants du Sabbat, mémoire de maîtrise, Université du Québec à Montréal, 1979.

Doray, Michèle, Le Torrent *d'Anne Hébert ou le mythe devenu roman*, mémoire de maîtrise, Université McGill, 1973.

Emond, M., *Le temps et l'espace dans l'oeuvre d'Anne Hébert*, mémoire de maîtrise, Université Laval, 1971.— *Le Monde imaginaire d'Anne Hébert dans* Les Chambres de bois, Kamouraska, *et* Les Enfants du Sabbat, thèse de doctorat, Université Laval, 1981.

Ferraton, Dolores, *La Couleur dans l'oeuvre d'Anne Hébert*, mémoire de maîtrise, University of Manitoba, 1976.

Fraser, Anne K., *Sexuality and Guilt in the Novels of Anne Hébert and Margaret Laurence*, mémoire de maîtrise, Université de Sherbrooke, 1977.

Garant, France Nazair, *Eve et le cheval de grève. Contribution à l'étude de l'imaginaire d'Anne Hébert*, mémoire de maîtrise, Université Laval, 1983.

Giguère, Richard, *Evolution thématique de la poésie québécoise (1935-1965). Etude de Saint-Denys Garneau, Anne Hébert, Roland Giguère et Paul Chamberland*, mémoire de maîtrise, Université de Sherbrooke, 1970.

Gosselin, Michel, *Etude du discours narratif dans* Kamouraska *d'Anne Hébert*, mémoire de maîtrise, Université de Sherbrooke, 1974.

Hamel, Réginald, John Hare et Paul Wyczynski, *Dictionnaire pratique des auteurs québécois*, Montréal, Fides, 1976, p. 344-349.— *Dictionnaire des Auteurs de langue française en Amérique du Nord*, Montréal. Fides, 1989, 674-678.

Harvey, Robert, *Remémoration et commémoration dans* Kamouraska *d'Anne Hébert*, mémoire de maîtrise, Université de Montréal, 1980.

Juéry, René Y. F., *Œuvres en prose d'Anne Hébert. Essai de sémiotique narrative et discursive de "La Robe corail" et de* Kamouraska, thèse de doctorat, Université d'Ottawa, 1977.

Larocque, Hubert, *Anne Hébert. Poèmes. Index, concordances et fréquences*, Université d'Ottawa, 1973.

Légaré, Yves, *Dictionnaire des écrivains contemporains*, Montréal, Québec/Amérique; Union des Ecrivains québécois, 1983, 197-199.

Leigh Fulton, Barbara, Kamouraska: *le vide au centre*, thèse de maîtrise, University of British Columbia, 1975.

Lemieux, Pierre-Hervé, *Entre songe et parole. Structure du Tombeau des rois d'Anne Hébert*, thèse de doctorat, Université d'Ottawa, 1974.

Levasseur-Ouimet, France, *L'Archétype de la renaissance dans la poésie d'Anne Hébert*, mémoire de maîtrise, University of Alberta, 1977.

Lord, Marie-Linda, *Le Monde symbolique dans* Les Fous de Bassan *d'Anne Hébert et* The Double Hook *de Sheila Watson*, mémoire de maîtrise, Université de Sherbrooke, 1987.

Lynch, Arlène, *La Symbolique de* L'Arche de Midi *d'Anne Hébert*, thèse de doctorat, Université d'Ottawa, 1976.

Macri, Francis M., *L'Aliénation dans l'oeuvre d'Anne Hébert et de P. K. Page,* mémoire de maîtrise, Université de Sherbrooke, 1970.

Martin, Ruth V., *Images of division: a retreat from self in Hébert's* Kamouraska *and Atwood's* Lady Oracle, mémoire de maîtrise, University of Alberta, 1986.

McPherson, Karen S., *The Police and Guilty Women in Four Twentieth-Century Novels (Beauvoir, Duras, Hébert, Woolf)*, Thèse de doctorat, Université Yale, 1987.

McQuaid, Catherine, *Women's Changing Roles in the Novels of Anne Hébert and Margaret Laurence*, mémoire de maîtrise, Université de Sherbrooke, 1978.

Mezei, Kathy, *Anne Hébert's* Les Chambres de bois: *a translation and interpretation*, mémoire de maîtrise, Carleton University, 1971.

Millard, Scott, *Un rêve commun ; une étude de la communauté dans* L'Euguélionne *de Louky Bersianik et* Les Enfants du Sabbat *d'Anne Hébert*, mémoire de maîtrise, Université Queen's, 1984.

Miller, Joanne Elizabeth, *Le passage du désir à l'acte dans l'œuvre poétique et romanesque d'Anne Hébert*, mémoire de maîtrise, Université de Western Ontario, 1975.

Moussalli, Mireille, *L'Œuvre romanesque d'Anne Hébert*, mémoire de maîtrise, Université Laval, 1966.

Moyson, F.-L., *Etude stylistique comparée de quatre poètes québécois: Alain Grandbois, Saint-Denys Garneau, Anne Hébert, Rina Lasnier*, mémoire de maîtrise, Université de Montréal, 1971.

Muirsmith, Elizabeth, *L'Eau dans l'œuvre poétique d'Anne Hébert*, mémoire de maîtrise, Université d'Ottawa, 1973.

Nadeau-Fournelle, Jeannine, *Analyse des techniques narratives dans* Kamouraska, mémoire de maîtrise, Université du Québec à Montréal, 1977.

Nahmiash, Robert, *L'Oppression et la violence dans l'oeuvre d'Anne Hébert*, mémoire de maîtrise, Université McGill, 1972.

Paterson, Janet M., *L'Architexture des* Chambres de bois: *modalités de la représentation chez Anne Hébert*, thèse de doctorat, University of Toronto, 1981.— "Bibliographie critique des études consacrées aux romans d'Anne Hébert", *Voix et images*, 5, 1979, 187-192.— "Bibliographie d'Anne Hébert", *Voix et images*, VII:3, printemps 1982, 505-510.

Philibert, G., *L'Influence de Saint-Denys Garneau dans l'oeuvre d'Anne Hébert*, mémoire de maîtrise, Université du Québec à Trois-Rivières, 1971.

Platt, Carole B., *Matriarchal voice, mythic choice in Hébert, Yourcenar, and Desvignes*, thèse de doctorat, Rice University, 1989.

Roy-Hewitson, Lucille, *La Cosmologie poétique d'Anne Hébert*, thèse de doctorat, Université de Bordeaux III, 1979.

Russell, Delbert W., "Anne Hébert: An Annotated Bibliography", dans Robert Lecker et Jack David (dir.), *The Annotated Bibliography of Canada's Major Authors*, vol. 7, 1987, Toronto, ECW Press, 115-270.

Saint-Pierre-Alaire, Solange, *Le Fonctionnement du discours dans* Kamouraska *d'Anne Hébert*, mémoire de maîtrise, Université du Québec à Montréal, 1978.

Savoie, Paul W., *Anne Hébert, Saint-Denys Garneau: maison vide, solitude rompue*, mémoire de maîtrise, University of Manitoba, 1970.

Schub, Claire Elizabeth, *The Poetry of Anne Hébert. A Study of Poetic Consciousness*, thèse de doctorat, Princeton University, 1986.

Sincennes, Gustave, Le Tombeau des Rois *d'Anne Hébert et l'introspection*, mémoire de maîtrise, Université d'Ottawa, 1968.

Steme de Jubecourt, Lila, *L'Univers poétique d'Anne Hébert dans* Le Tombeau des Rois, mémoire de maîtrise, University of Alberta, 1969 (en appendice: index des mots du *Tombeau des Rois*).

Sterns, Margaret M., *Le couvent dans l'œuvre de Laure Conan, Claire Martin et Anne Hébert. Idéologie, expérience, contestation*, mémoire de maîtrise, Université Queen's, 1986.

Telles, Mercedes, *Lectures d'Anne Hébert:* Kamouraska, mémoire de maîtrise, Université McGill, 1970.

Velloso Porto, Maria, *O espaço mitico em* Kamouraska, thèse de doctorat, Université Fédérale de Rio-de-Janeiro, 1983.

Walker, C. A., *Anne Hébert: The mystery of innocence and experience*, mémoire de maîtrise, University of Western Ontario, 1961.

C. Chapitres de livres, articles, émissions, comptes rendus

Adam, Jean-Michel, "Sur cinq vers de `mystère de la Parole': lire aujourd'hui `Neige' d'Anne Hébert, *Etudes littéraires*, V:3, décembre 1972, 463-480.

Ahmed, Maroussia, "`Transgresser, c'est progresser'", *Incidences*, 2-3, mai-déc. 1980, 119, 123-124, 127.

Allaire, Emilia B., "Poétesse, romancière, dramaturge, Anne Hébert", *La Revue populaire*, juillet 1961, 14-16. (Cet article porte le nom d'auteur "Emilia Dallaire à la page 14, mais celui d'Emilia B. Allaire à la fin, p. 16.)

Allard, Jacques, "*Les Enfants du sabbat* d'Anne Hébert, *Voix et images*, 1:2, décembre 1975, 285-286.

Amprimoz, Alexandre L., "Four Writers and Today's Québec", *Tamarack Review*, 70, 1977, 72-80.— "Sémiotique de la segmentation d'un texte narratif : `La Mort de Stella' d'Anne Hébert", *Présence francophone*, 19, automne 1979, 97-105.— "Survival Disguised as Metaphysics: Anne Hébert's *Héloïse*", *Waves*, 10:4, Spring 1982, 73-75.— "Sémiosis du tactile, exemples de *Kamouraska*", *Incidences*, VI:3, septembre-décembre 1982, 81-88.

Anaouïl, Louise, "Anne Hébert aux Ecrits du Canada français", *S. P. L.*, 4:50, 19 septembre 1979, s. p.

Amyot, Georges, "Anne Hébert et la Renaissance", *Ecrits du Canada français*, t. XX, Montréal, Fides, 1965, 233-235.

Anonyme, "Anne Hébert lance à la télévision un paradoxe: le policier poétique", *Le Journal des Vedettes*, 3 août 1958, 9.— "Anne Hébert, poète-dramaturge", *Sept Jours*, 5, 15 octobre 1966, 41-42.

Arnothy, Christine, "*Les Fous de Bassan*, d'Anne Hébert", *Le Parisien*, 19 octobre 1982, 25.

Aylwin, Ulric, "Vers une lecture de l'œuvre d'Anne Hébert", *La Barre du jour*, II: 1, été 1966, 2-11.— "Au pays de la fille maigre: *Les Chambres de bois* d'Anne Hébert", *Les Cahiers de Sainte-Marie. Voix et images du pays*, 4, avril 1967, 37-50.

Backès, Jean-Louis, "Le Système de l'identification dans l'oeuvre romanesque d'Anne Hébert", *Voix et images*, 6, 1980-81, 269-277.— "Anne Hébert: l'amour, c'est le meurtre", *Le nouvel Observateur*, 9 octobre 1982.— "Problèmes de définition du personnage dans l'oeuvre romanesque d'Anne Hébert", dans *Roman et Société*, Actes du Colloque international de Valenciennes, avant-propos de Thérèse Vichy, Université de Valenciennes, "Les Valenciennes" 8, 1983, 125-131.— "Le retour des morts dans l'oeuvre d'Anne Hébert", *L'Esprit créateur*, XXIII:3, Fall 1983, 48-57.

Basile, Jean, "'Le Torrent' d'Anne Hébert", *Le Devoir*, 25 janvier 1964, 13.— "'Le Temps sauvage' d'Anne Hébert", *Le Devoir*, 12 octobre 1966, 17.— "Le nouveau roman d'Anne Hébert. Seraient-ce des enfants qui fréquentent le sabbat?", *Le Devoir*, 6 septembre 1975, 13.— "Anne Hébert: soeur Julie qui a bien tourné", *Le Devoir*, 25 octobre 1975, 15.

Barberis, Robert, "*Le Temps sauvage*", *Le Quartier latin*, 27 octobre 1966.— "De l'exil au royaume", *Maintenant*, 64, avril 1967, 122-124.

Baudoin, "L'Echappée hors du réel: une constante dans l'univers romanesque d'Anne Hébert", *Arcade*, 18, octobre 1989, 71-75.

Beaulne, Guy, "*Le Temps sauvage* de Anne Hébert", *Livres et Auteurs canadiens 1963*, 44-45.

Belcher, Margaret, "*Les Fous de Bassan / In the Shadow of the Wind*", *Canadian Literature*, 109, summer 1986, 159-165.

Benson, Renate, "Aspects of Love in Anne Hébert's Short Stories", *Journal of Canadian Fiction*, 25-26, 1979, 160-174. — "Maurice Emond. *La Femme à la fenêtre*", *University of Toronto Quarterly*, 56:1, Fall 1986, 208-09

Bessette, Gérard, "La dislocation dans la poésie d'Anne Hébert", *Une littérature en ébullition*, Montréal, du Jour, 1968, 13-23.

Bishop, Neil B., "Denis Bouchard, *Une lecture d'Anne Hébert*", *University of Toronto Quarterly*, XLVII:4, summer 1978, 463-465.— "*Les Enfants du Sabbat* et la problématique de la libération chez Anne Hébert", *Etudes Canadiennes / Canadian Studies*, 8, juin 1980, 33-46.— "A la source de la révolution tranquille: *Le Torrent* d'Anne Hébert", *Brèves*, 11, automne-hiver 1983, 66-75.— "Distance, point de vue, voix et idéologie dans *Les Fous de Bassan* d'Anne Hébert", *Voix et images*, IX:2, hiver 1984, 113-129. — "Robert Harvey,

Kamouraska *d'Anne Hébert: Une écriture de la passion suivi de Pour un nouveau Torrent*", *Etudes Canadiennes / Canadian Studies*, 16, été 1984, 82-85.— "Anatomie d'une réussite: *Les Fous de Bassan* d'Anne Hébert", *Etudes Canadiennes / Canadian Studies*, 16, été 1984, 59-65.— "Energie textuelle et production de sens: images de l'énergie dans *Les Fous de Bassan* d'Anne Hébert", *University of Toronto Quarterly*, 54, 2, Februrary 1985, 178-199.— "Lucille Roy, *Entre la lumière et l'ombre: l'univers poétique d'Anne Hébert*", *Voix et images*, X:2, hiver 1985, 207-209.— "Janet M. Paterson, *Anne Hébert Architexture romanesque*", *Lettres québécoises*, 43, automne 1986, 48-49. (Republié dans *Francofonia*, 14, printemps 1988, 145-146).— "Anne Hébert entre Québec et France: l'exil dans *Le premier Jardin*", *Etudes Canadiennes / Canadian Studies*, 28, été 1990, 37-58.

Blain, Maurice, "Anne Hébert ou le risque de vivre", *Approximations*, Montréal, HMH (coll. "Constantes"), 1967, 180-190.

Blais, Jacques, "L'Univers magique d'Anne Hébert", *De l'ordre et de l'Aventure. La Poésie au Québec de 1934 à 1944*, Québec, Presses de l'Université Laval (coll. "Vie des lettres québécoises", No. 14),1975, 253-268.

Blodgett, E. D., "Prisms and Arcs: Structures in Hébert and Munro", dans Bessai, Diane, et David Jackel (dirs.), *Figures in a Ground: Canadian Essays on Modern Literature Collected in Honour of Sheila Watson*, Saskatoon, Western Prairie Producer, 1978, 99-121.

Boak, Denis, "`Kamouraska, Kamouraska!'", *Essays in French Literature*, 14, 1977, 69-104.

Boisdeffre, Pierre de, "La revue littéraire: dernier regard sur les prix de 1982 [...]", *Revue des deux mondes*, 2, février 1983, 413-427.

Boivin, Jean-Roch, "Le plus beau roman de ma vie! *Le premier Jardin*", *Le Devoir*, 26 mars 1988, D-3.

Bolduc, Yves, "La Comparaison dans l'œuvre poétique d'Anne Hébert", *Si que*, 4, automne 1979, 123-142.

Bonneville, Léo, "La folle aventure des *Fous de Bassan*", *Séquences*, 126, octobre 1986, 43-47.

Bouchard, Denis, "Erotisme et érotologie", *Revue du Pacifique*, 1, 1975, 152-167; repris avec quelques variantes dans D. Bouchard, *Une Lecture d'Anne Hébert*, 133-148.— "*Les Enfants du sabbat* d'Anne Hébert: l'enveloppe des mythes", *Voix et images*, 1:3, avril 1976, 374-386; repris avec quelques variantes dans *Une Lecture d'Anne Hébert*, 177-191.— "Anne Hébert et le `Mystère de la parole': un essai d'antibiographie", *Revue du Pacifique*, 3, 1977, 67-81; repris avec quelques variantes dans *Une Lecture d'Anne Hébert*, 13-29.— "Anne Hébert et la `solitude rompue'", *Etudes françaises*, 13, 1977, 163-179; repris avec quelques variantes dans *Une Lecture d'Anne Hébert*, 55-70.

Boucher, Jean-Pierre, "Le Titre du recueil: le premier récit *Le Torrent* d'Anne Hébert", *Ecrits du Canada français*, 65, 1989, 27-46.

Brault, Jacques, "Une Poésie du risque", *Culture vivante*, 1, 1966, 41-45.

Bucknall, Barbara J., "Anne Hébert et Violette Leduc, lectrices de Proust,

Bulletin de l'APFUCC (Association des professeurs de français des universités et collèges canadiens), février 1975, 83-100.— "Anne Hébert et Violette Leduc, lectrices de Proust", *Bulletin de la Société des Amis de Marcel Proust et des Amis de Combray*, 27, 1977, 410-418; 28, 1978, 662-668.

Brochu, André, "Jean-Louis Major, *Anne Hébert et le miracle de la parole, Livres et Auteurs québécois 1976*, 243-245.— "Anne Hébert *Les Fous de Bassan*", *Livres et Auteurs québécois 1982*, 54-56.

Carbonneau, Alain, "*Kamouraska*, roman et film", *Revue d'histoire littéraire du Québec et du Canada français*, 11, hiver-printemps 1986, 93-100.

Cellard, Jacques, "Le Canada inattendu d'Anne Hébert", *Le Monde*, 24 septembre 1982, 17.

Chadwick, A. R., et V. Harger-Grinling, "Anne Hébert: métamorphoses lutétiennes", *Canadian Literature*, 109, summer 1986, 165-170.— "The Victim in Robbe-Grillet and Anne Hébert: A Question of Reading", communication, *Eleventh American Imagery Conference*, New York, 1987.

Chamberland, Paul, "Fondation du territoire", *Parti-pris*, 4:9,10,11,12, mai-août, 1987, 11-42.

Champagne, Martin, "*Le Torrent* d'Anne Hébert", *Littérature canadienne*, avril 1947, 17-23.

Charette, Christiane, "L'imaginaire dans *Les Fous de Bassan* d'Anne Hébert", *Critère*, 36, 1983, 167-181.

Châtillon, Pierre, "La Naissance du feu dans la jeune poésie du Québec", *La Poésie canadienne-française (Archives des lettres canadiennes, t. IV)*, Montréal, Fides, 1969, 255-284.

Chevillot, Frédérique, "Tradition et modernité: histoire, narration et récit dans *Les Fous de Bassan* d'Anne Hébert", *Québec Studies*, 9, 1989-1990, 121-130.

Christensen, Bente, "Anne Hébert: la quête d'une identité", *Actes du VIIIe Congrès des Romanistes Scandinaves*, Odense University Press, 1983, 79-86.

Cohen, Henry, "Le Rôle du mythe dans *Kamouraska* d'Anne Hébert", *Présence francophone*, 12, Printemps 1976, 103-111. Version anglaise: "The Role of Myth in Anne Hébert's *Kamouraska*", *Essays on Canadian Writing*, 10, 1978, 134-143.

Collie, Joanne, "Anne Hébert's *écriture féminine*", *British Journal of Canadian Studies*, 3:2, 1988, 285-92.

Côté, Paul Raymond, "*Kamouraska* ou l'influence d'une tradition", *The French Review*, 65:1, octobre 1989, 99-110.— "*Le premier Jardin* d'Anne Hébert ou le faux double dénoncé", *American Review of Canadian Studies*, XVIII:4, 1988, 419-429.— "'A l'abri des vivants': l'euphémisation dans *Héloïse* d'Anne Hébert, *Symposium*, XLVIII:3, Fall 1989, 172-183— et Constantina T. Mitchell, "Ordre et rite: la fonction du cortège dans *Le Premier Jardin* d'Anne Hébert, *The French Review*, 64:3, February 1991, 451-462.

Couillard, Marie, "La femme : d'objet mythique à sujet parlant", *Atlantis*, V:1, automne 1979, 40-50.— "*Les Enfants du Sabbat* d'Anne Hébert. Un récit de subversion fantastique", *Incidences*, 4:2/3, mai-déc. 1980, 77-83.— "Ecrire et Vivre au Québec des femmes: impression et expression d'une culture",

North Dakota Quarterly, 52:3, Summer 1984, 87-99.

Da Silva, Edson Rosa, "La régénération du cosmos dans un poème d'Anne Hébert", *Présence francophone*, automne 1981, 23, 163-174.

Dasslyva, Martial, "Les écueils du théâtre poétique", *La Presse*, 11 octobre 1966, 17.

D'Auteuil, Georges-Henri, "Le théâtre de 1945 à nos jours", dans Pierre de Grandpré *et alii*, *Histoire de littérature française du Québec*, Montréal, Beauchemin, 1969, 233.

Davidson, Arnold E., "Canadian Gothic and Anne Hébert's *Kamouraska*", *Modern Fiction Studies*, 27:2, Summer 1981, 243-254.— "Rapunzel in *The Silent Rooms*: Inverted Fairy Tales in Anne Hébert's first novel", *Colby Library Quarterly*, 19:1, March 1983, 29-36.

Davies, Gillian, "Of Princes and Scarecrows: A Look at Contemporary Quebec Fiction", *Queen's Quarterly*, 85:3, Autumn 1978, 447-452.

De Bellefeuille, Normand, "Tel qu'en lui-même", *La Barre du jour*, 39-41, printemps-été 1973, 104-123.

Decoin, Didier, "Les bienfaits du mal", *Les Nouvelles littéraires*, 22 septembre 1975.

De Grandpré, Pierre, "*Les Chambres de bois*", *Le Devoir*, 27 septembre 1958, 11.

De Plunkett, Patrice, "*Les Fous de Bassan*, d'Anne Hébert: l'histoire emporte ses noyés", *Le Figaro Magazine*, 18 septembre 1982.

Donnelly, Pat, "Our Lady of Kamouraska", *The Gazette*, 23 April 1988, L-11.

Dorais, Fernand, "*Kamouraska* d'Anne Hébert: essai de critique herméneutique", *Revue de l'Université Laurentienne*, IV:1, novembre 1971, 76-82.

Downes, Gwladys, "Women Poets in Québec Society", *Malahat Review*, 63, October 1982, 100-110.

Dubé, Cécile, Maurice Emond et Christian Vandendorpe, "Anne Hébert", *Québec français*, 32, décembre 1978, 33-35.

Dubé-Pelletier, Irène, "Lettre ouverte à Anne Hébert", *Le Devoir*, 14 février 1976, 18.

Ducrocq-Poirier, Madeleine, *Le Roman canadien de langue française de 1860 à 1958*, Paris, Nizet, 1978, 684-690.— *Les Femmes québécoises depuis 1960. II-En Littérature*, Paris, CNRS, Ottawa, CRSHC, 1979, *passim*.

Dufresne, Françoise M., "Le Drame de Kamouraska: la réalité et la fiction dans le roman *Kamouraska* d'Anne Hébert", *Québec histoire*, I:5-6, mai-juillet 1972, 72-77.

Duhamel, Roger, "Poésie des cimes arides", *Action Universitaire*, janvier 1954, 88.

Duquette, Jean-Pierre, "Le Poète et la parole", *Ecrits du Canada français*, 54, 1985, 11-14.

Elie, Robert, "Anne Hébert et les Possédés innocents", *Notre Temps*, 25 mars 1950, 3.

Emond, Maurice, "Introduction à l'œuvre d'Anne Hébert", Québec français, décembre 1978, 37-40.— "*Les Chambres de bois*, roman d'Anne Hébert", dans M. Lemire *et alii* (dir.), *Dictionnaire des œuvres littéraires du Québec*, Tome III, Montréal, Fides, 1982, 172-176.— "Un nouveau roman d'Anne Hébert",

Québec français, déc. 1982, 13 (sur *Les Fous de Bassan*).— "Le fantastique dans l'oeuvre d'Anne Hébert", dans Andrès, B., V. Gadbois et C. Le Goff (dirs.), *Héritage francophone en Amérique du Nord*, Québec, Québec français, 1984, 145-153.— "L'image de la femme chez Anne Hébert", conférence, colloque de l'Association des littératures canadiennes et québécoises, congrès des Sociétés savantes, Winnipeg, mai 1986.— "Janet M. Paterson. *Anne Hébert: Architexture romanesque*", *University of Toronto Quarterly*, 56:1, Fall 1986, 205-206.— "*Kamouraska*, roman d'Anne Hébert", dans M. Lemire *et alii*, *D.O.L.Q.*, T. V, 476-481.— "L'imaginaire fantastique d'Anne Hébert", dans Hans-Jürgen Greif (dir.), *Le Risque de lire*, Québec, Université Laval (Département des Littératures) et Nuit blanche Editeur, 1988, 65-88.— "Un retour désabusé ou *le Premier Jardin* d'Anne Hébert", *Québec français*, 71, octobre 1988, 80.

English, Judith, et Jacqueline Viswanathan, "Deux dames du Précieux Sang: à propos des *Enfants du sabbat* d'Anne Hébert", *Présence francophone*, 22, 1981, 111-119.

Escomel, Gloria, "La Littérature fantastique au Québec: *Les Enfants du sabbat*", *Requiem*, IV:2, mars 1978, 30-32.— "Anne Hébert: 30 ans d'écriture", *Madame au foyer*, septembre 1980, 7-22.

Ethier-Blais, Jean, "Cette sensibilité maladive...", *Le Devoir*, 20 juillet 1963, 11.— *Signets II*, Montréal, Cercle du livre de France, 1967, 195-202.— "*Kamouraska* d'Anne Hébert: à lire avec les yeux de l'âme", *Le Devoir*, 19 septembre 1970, 12.— "Des mythes canadiens comme les Français les aiment", *Le Devoir*, 19 décembre 1987, D-10.

Ewing, Ronald, "Griffin Creek. The English World of Anne Hébert", *Canadian Literature*, 105, summer 1985, 100-110.

Ettayebi, Nabiha, "Le mythe d'Eve dans l'oeuvre d'Anne Hébert", *Recherches et travaux. Littérature canadienne-française*, Université de Grenoble, bulletin No. 20, 1981, 90.

Fabi, Thérèse, "Le Thème de la violence dans *Le Torrent* d'Anne Hébert", *L'Action nationale*, LXV:2, octobre 1975, 160-168.

Faucher, Françoise, "Anne Hébert: `J'aurais aimé être avocate, peintre, comédienne... Mais écrire résume tout cela.'", *L'Actualité*, 8:2, février 1983, 11-12, 14-15.

Féral, Josette, "Clôture du moi, clôture du texte dans l'oeuvre d'Anne Hébert", *Voix et images*, I:2, décembre 1975, 265-283.

Ferron, Jacques, "*Kamouraska* ou l'invention du pays", *Le magazine MacLean*, XI:1, janvier 1971, 44, 46.— "Héloïse ou la Pietà", *Le Livre d'ici*, 26 mars 1980.

Ferry, Jacqueline, "Héloïse dans le métro", *Lettres québécoises*, 21, 1981, 24-25.

Fortin, Marcel, "Cette ville qui fut l'Eden", *Voix et images*, 39, printemps 1988, 503-506.

France-Dufaux, Paule, "`Les enfants du sabbat'": un livre fascinant et beau comme une fleur vénéneuse", *Le Soleil*, 6 septembre 1975, C-4.— "Par un bel après-midi d'été indien", *Le Soleil*, 1 novembre 1975, C-2.— "Si l'on veut que le prix David ait un sens...", *Le Soleil*, 21 octobre 1978, D-12.

French, William, "Quebec Gothic", *The Globe and Mail*, May 17 1973, 15.— "A bizarre story of a young nun now on two levels", *The Globe and Mail*, 28 avril 1977, 17.— "Search for identity takes root in Hébert's First Garden", *The Globe and Mail*, 11 avril 1990, A 12.

Francoli, Yvette, "Griffin Creek: refuge des fous de Bassan et des Bessons fous", *Etudes littéraires*, 17:1, avril 1984, 131-142.

Garneau, René, "Un Lyrisme de la dissection: Anne Hébert", *Ecrits du Canada français*, 50, 1984, 146-150 (parution initiale: *Mercure de France*, mai 1960, 143-146).

Garrett, Elaine Hopkins, "Intentionality and Representation in Anne Hébert's *Kamouraska*", *Québec Studies*, 6, 1988, 92-103.

Gathercole, Patricia M., "Two Contemporary French-Canadian Poets: Anne Hébert, Saint-Denys Garneau", *The French Review*, 28, 1954-55, 309-317.

Gauvin, Lise, "Fragile et grande Anne Hébert", *Le Devoir*, 23 mai 1992, D-1, D-4.

Gay, Paul, "*Les Chambres de bois*", *Le Droit*, 28 février 1959, 8.— "*Le Temps sauvage*", *Le Droit*, 10 juin 1967, 13.

Gay, Richard, *Kamouraska*: une histoire d'amour et de mort", *Maintenant*, 104, mars 1971, 94-95.

Gennist, Monique, "Idéologie féministe dans *Le Temps sauvage* et *c'était avant la guerre à l'anse à Gilles*", *Theatre History in Canada:Histoire du théâtre au Canada*, VIII:1, printemps 1987, 49-58.

Gerols, Jacqueline, *Le roman québécois en France*, Montréal, Hurtubise HMH, coll. "Cahiers du Québec collection Littérature" No. 76, 1984, *passim*; voir surtout pages 158-174.— "La critique française et le mythe canadien: Anne Hébert", *Présence francophone*, 30, 1987.

Giguère, Richard, "D'Un `équilibre impondérable' à une violence élémentaire; évolution thématique de la poésie québécoise 1935-1965: Saint-Denys Garneau, Anne Hébert, Roland Giguère et Paul Chamberland", *Voix et images du pays*, VII, 1973, 51-90.— *Exil, révolte et dissidence. Etude comparée des poésies québécoise et canadienne (1925-1955)*, Québec, Presses de l'Université Laval, Centre de Recherche en littérature québécoise, coll. "Vie des Lettres québécoises, No. 23, 1984, *passim*.— "*Dialogue sur la traduction*, entre Anne Hébert et Frank Scott", dans M. Lemire *et alii*, *D.O.L.Q.*, T. V, 242-244.

Gillard, Roger, "Anne Hébert ou la poésie de l'exigence", *La Dryade*, 51, automne 1967, 89-93.

Gilroy, James P., "Harvey, Robert. `*Kamouraska' d'Anne Hébert* [...]", *Québec Studies*, 3, 1985, 213-215.

Gingrass, Katharine, "Writing the Unconscious: Dreams and Rêverie in Anne Hébert's *Kamouraska*, *Québec Studies*, 12, Spring/Summer 1991, 139-145.

Giroux, Robert, "Lecture de `La Fille maigre', d'Anne Hébert", *Présence francophone*, 10, printemps 1975, 73-90.— "Denis Bouchard. *Une lecture d'Anne Hébert. La recherche d'une mythologie*", *Livres et Auteurs québécois 1977*, 242-245.

Godard, Barbara, "My (m)Other, My Self: Strategies for Subversion in Atwood and Hébert", *Essays in Canadian Writing*, 26, Summer 1983, 13-44.

Godbout, Claude, *Anne Hébert. Dompter les démons*, émission télévisée, collection "Le pouvoir des mots. Profession Ecrivain", Montréal, Productions Prisma, 1982. Disponible en cassettre vidéo ONF, numéro 113C 0282 164.

Godbout, Jacques, "Une histoire drôle et effayante", *Le Maclean*, novembre 1975, 70.

Godin, Jean-Cléo, "Anne Hébert : rebirth in the word" (tr. R. Brown), *Yale French Studies*, 45, 137-153.

Gould, Karen, "Absence and Meaning in Anne Hébert's *Les Fous de Bassan*", *The French Review*, LIX:6, May 1986, 921-30.

Grandpré, Pierre de, "La Crypte du poème et ses tombeaux princiers. Anne Hébert, *Les Chambres de bois*", *Dix ans de vie littéraire au Canada français*, Montréal, Librairie Beauchemin, 1966, 147-151.

Green, Mary Jean, "The Witch and the Princess: The Feminine Fantastic in the Fiction of Anne Hébert", *American Review of Canadian Studies*, XV:2, 1985, 137-146.

Hajdukowski-Ahmed, Maroussia, "La Sorcière dans le texte (québécois) au féminin", *The French Review*, LVIII:2, décembre 1984, 260-268.

Haeck, Philippe, "Naissance de la poésie moderne au Québec", *Etudes françaises*, IX:2, mai 1973, 95-113.

Haeck, Philippe, "Corps d'oiseaux: notes sur la poésie d'Anne Hébert", *Le Devoir*, 17 mai 1975, 25.

Harger-Grinling, Virginia, "Towards an Understanding: the New Novel of French Canada", *The Chelsea Journal*, 1:2, 1975, 76-80. —"*Kamouraska*: An Interpretation", *Terre-Neuve*, 2:2, octobre 1978, 4-6.— "Le personnage en marge chez Hébert et Langevin", *Etudes Canadiennes*, 21, 1986, 293-297.— "History Reinterpreted: Hébert's *Kamouraska* and Bourin's *Très Sage Héloïse*, *Neohelicon*, XIV:2, 1987, 151-158.— "Les Marginales dans l'oeuvre d'Anne Hébert", dans Juliette Frölich (dir.), *Actes du Colloque international et interdisciplinaire sur les dimensions du merveilleux*, vol. II, Oslo, Romansk Institute Aud A. Fransk, 1987, 198-204.— "Sorcières, sorciers et le personnage féminin dans l'oeuvre d'Anne Hébert", communication, avril 1990.— "The `Other' in certain Québécois novels of the 1960's", communication, XVIIth International Conference of FILLM, Novi Sad, Yugoslavia, août 1990.— "The Historical Fantastic or the Fantastic Historical: Three Authors in Search of a genre" (manuscrit; à paraître)

Hébert, François, "Mère nature et ses enfants ou un samedi pas comme les autres", *Le Jour*, 13 septembre 1975, 14.

Hesbois, Laure, "Schéma actantiel d'un pseudo-récit: `Le Torrent'd'Anne Hébert", *Voix et images*, 13:1, automne 1987, 104-114.

Hétu, Pierre, "Anne Hébert entre la mer et l'eau douce", *Nuit blanche*, 34, décembre 1988 - janvier-février 1989, 40-43.

Hilaire, "De François d'Assise à Anne Hébert", *Gants du ciel*, 4, juin 1944, 21-34.

Houde, Gilles, "Les Symboles et la structure mythique du *Torrent*", *La Barre du jour*, 20, octobre-décembre 1968, 22-46; 21, septembre-octobre 1969, 26-88.

Howells, Coral Ann, "Anne Hébert *Héloïse*", dans *Private and Fictional Words. Canadian women novelists of the 1970s and 1980s*, Londres et New York, Methuen, 172-82 (notes: 203-205).

Hughes, Kenneth J., "Le vrai visage du *Antoinette de Mirecourt* et *Kamouraska*, *The Sphinx*, 2:3, 1977, 33-39.

Jacques, Henri-Paul, "A propos d'*Une lecture d'Anne Hébert*", *Voix et images*, III:3, 1978, 448-458.— "Un probable souvenir-écran chez Anne Hébert", *Voix et images*, VII:3, printemps 1982, 449-458.

Jasmin, Judith, "Canadiens à Paris", *La Revue populaire*, juillet 1987, 5.

Jones, Grahame C., "*Alexandre Chenevert* et *Kamouraska*. Une lecture australienne", *Voix et images*, 7, 1981-2, 329-341.

Juéry, René, "Récit et discours de `La Robe corail'", dans René Juéry et Serge A. Thériault, *Approches structurales des textes*, Hull, Asticou, coll. "Université du Québec. Centre d'études universitaires dans l'Ouest québécois", 1989, 127-232.

Juneau, Normande, "Anne Hébert", *Châtelaine*, juin 1980, 26.

Kanters, Robert, "*Kamouraska* par Anne Hébert", *Le Figaro littéraire*, 14-20 septembre, 1970, 20.

Kapetanovich, M., "Les Fous de Bassan' d'Anne Hébert", *Nouvelle Europe*, 14:49, automne 1985, 32-35.

Kauffmann, Jean-Paul, "De Paris, elle réinvente le Québec", *Perspectives*, 12 décembre 1970, 8.

Kells, Kathleen, "From the First `Eve' to the New `Eve': Anne Hébert's Rehabilitation of the Malevolent Female Archetype", *Studies in Canadian Literature*, 14:1, 1989, 99-107.

Kroller, Eva-Marie, "La Lampe dans la fenêtre. The Visualization of Quebec Fiction", *Canadian Literature*, 88, Spring 1981, 74-82.— "Repetition and Fragmentation: A Note on Anne Hébert's *Kamouraska*", *The Literary Half-Yearly*, 24:2, 1983, 125-133.

Kuntsmann, Pierre, "`Le Tombeau des rois' ou la progression régressive", *Voix et images*, II:2, décembre 1976, 255-264.

Kushner, Eva, "Poésie et idéologie: un tournant de la poésie québécoise contemporaine", *Cahiers roumains d'Etudes littéraires*, 1, 1978, 67-83.

Lacôte, René, "Le Sentiment de frustration dans la poésie d'Anne Hébert", *Europe*, XLVII:478-479, février-mars 1969, 139-148.

Lacroix, Jean, "Un écrivain et son pays", Radio-Canada MF, 14 juillet 1976.

Lafond, Andréanne, "Anne Hébert à Paris. Entrevue-express avec l'auteur de *Kamouraska*", *Forces*, 17, 1971, 47.

Lamontagne, Gilles, "*Poèmes*, d'Anne Hébert", dans M. Lemire *et alii*, *D.O.L.Q.*, T. IV, 688-691.

Lamy, Suzanne, "Le roman de l'irresponsabilité. *Les Fous de Bassan* d'Anne Hébert", *Spirale*, 29, novembre 1982, 3-2.

Lapointe, Jeanne, "`Mystère de la parole' par Anne Hébert", *Présence de la critique et de la littérature contemporaine au Canada français* (Gilles Marcotte, dir.), Montréal, HMH, 1966, 120-123 (première parution: *Cité libre*, 12:36, avril 1961, 21-22).— "Notes sur *Le premier jardin*, d'Anne Hébert", *Ecrits du Canada français*, 65, 1989, 47-50.

L'Archevêque-Duguay, Jeanne, "`Les Songes en équilibre'", *Le Devoir*, 14 mars 1942, 10.

Lasnier, Michelle, "Anne Hébert la magicienne", *Châtelaine*, avril 1963, 28, 74, 76.

Le Blond, Sylvio, "Le Drame de Kamouraska d'après les documents de l'époque", *Les Cahiers des dix*, 37, 1972, 239-273.

Le Blanc, Alonzo, "*Le Temps sauvage*, drame d'Anne Hébert", dans M. Lemire *et alii, D.O.L.Q.*, T. IV, 862-864.

Lebrun, Paule, "Les Sorcières", *Châtelaine*, XVII:11, novembre 1976, 39-43, 88-89 (sur *Les Enfants du sabbat*, voir pages 42, 43, 88, 89).

Le Grand, Albert, "Anne Hébert de l'exil au royaume", *Etudes françaises*, 4, 1968, 3-29; reproduit dans *Littérature canadienne-française,*"Conférences J. A. de Sève", Presses de l'Université de Montréal, 1969, 181-213 (conférence prononcée le 23 février, 1967).— "Kamouraska ou l'Ange et la Bête", *Etudes françaises*, VII:.PP, mai 1971, 119-143.

Lemelin, Jean-Marc, "La voix à contre-voie ou l'Instance de la lecture dans *Les Fous de Bassan* d'Anne Hébert", communication présentée au colloque de l'Association des Professeurs de français des universités et collèges canadiens, atelier "Voix/voies narratives dans le récit français et québécois", Congrès des Sociétés savantes, Kingston, Ontario, 29 mai 1991.

Lemelin, Roger, "Mes femmes et moi avons édité *le Tombeau des Rois, Le Devoir*, 10 octobre 1970, 13.

Lemieux, Pierre-Hervé, "La symbolique du `Torrent' d'Anne Hébert", *Revue de l'Université d'Ottawa*, 43:1, Janvier-Mars 1973, 114-127.— "La Mort des rois. Commentaire du poème-titre `Le Tombeau des rois' d'Anne Hébert", *Revue de l'Université d'Ottawa*, XLV:2, avril-juin 1975, 133-161.— "Un théâtre de la parole: Anne Hébert", dans *Le théâtre canadien-français (Archives des lettres canadiennes, t. V)*, Montréal, Fides, 551-579.— "*Arche de midi*, poème dramatique d'Anne Hébert", dans M. Lemire *et alii, D.O.L.Q.*, T. III, 1940-1959, Montréal, Fides, 1982, 59-60.— "*Les Invités au procès*, poème dramatique d'Anne Hébert", dans M. Lemire *et alii, D.O.L.Q.*, T. III, 525-526.— "*La Mercière assassinée*, drame d'Anne Hébert", dans M. Lemire *et alii, D.O.L.Q.*, T. III, 632-634.— "*Les Songes en équilibre*, recueil de poésies d'Anne Hébert", dans M. Lemire *et alii, D.O.L.Q.*, T. III, 930-933.— "*Le Tombeau des Rois*, recueil de poèmes d'Anne Hébert", dans M. Lemire *et alii, D.O.L.Q.*, T. III, 1001-1006.— "Hébert, Anne", *The Canadian Encyclopedia*, vol. II, Edmonton, Hurtig Publishers, 1985, p. 803.

Lemire, Jeanne, "Anne Hébert", *Vidéo-Presse*, octobre 1972, II, 2,

Le Moyne, Jean, "Hors les chambres d'enfance: *Les Chambres de bois*, roman d'Anne Hébert", *Présence de la critique. Critique et littérature contemporaines au Canada français* (Gilles Marcotte, dir.), Montréal, HMH, 1966, 35-42.

Lennox, John, "Dark Journeys: *Kamouraska* and *Deliverance*", *Essays on Canadian Writing*, 12, automne 1978, 84-104.

Lintvelt, Jaap, "Analyse narrative et thématique des *Fous de Bassan* d'Anne Hébert", *Romaniac VR*, "Spécial Québec", 35, avril-juin 1989, 12-23.— "Le Discours transgressif dans *Les Fous de Bassan* d'Anne Hébert", communication présentée au colloque de l'Association des Littératures canadiennes et québécoises, "Traverser les frontières / Crossing Boundaries", Congrès des Sociétés savantes, Victoria, Colombie britannique, 20 mai 1990.— "Un cas typologique: le discours transgressif dans les *Fous de Bassan* d'Anne Hébert", *Protée*, 19:1, hiver 1991, 39-44.— "Un champ narratologique : *Le premier Jardin* d'Anne Hébert" (manuscrit; à paraître).

Lord, Michel, "Réflexions sur le thème du double dans le fantastique québécois", *Imagine...* VI:25, décembre 1984, 83-95.

Maccabée Iqbal, Françoise, "*Kamouraska*, la fausse représentation démasquée", *Voix et images*, IV:3, avril 1979, 460-478.

Macri, Francis M., "Anne Hébert, Story and Poem", *Canadian Literature*, 58, automne 1973, 9-18 (sur *Le Torrent*).— "Not simply a problem of `Cahin-caha'", *Revue de l'Université Laurentienne*, VII:1, novembre 1974, 86-93.

Marcato Falzoni, Franca, "Dal reale al fantastico nell'opera narrativa di Anne Hébert", dans Luca Codignola (dir.), *Canadiana. Aspetti della storia e della letteratura canadese*, Venise, Marsilio Editori, 1978, 97-109.

Marcotte, Gilles, "*Le Torrent* d'Anne Hébert", *Le Devoir*, 25 mars 1950, 60.— "*Le Tombeau des Rois*", *Le Devoir*, 9 mai 1953, 8.— "*Le Tombeau des Rois* d'Anne Hébert", *Une littérature qui se fait. Essais critiques sur la littérature canadienne-française*, Montréal, HMH, coll. "Constantes", No. 2, 1962.— "Anne Hébert et `Le Temps sauvage'", *La Presse*, 6 juillet 1963, 7.— "Réédition d'un grand livre: *Le Torrent*, d'Anne Hébert", *La Presse*, 18 janvier 1964, 6.— "La Religion dans la littérature canadienne-française contemporaine", dans F. Dumont et J. Falardeau (dirs.), *Littérature et société canadienne-française*, Québec, Presses de l'Université Laval, 1964, 169-174, 176.— "Anne Hébert", *Le Temps des poètes. Description critique de la poésie actuelle au Canada français*, Montréal, HMH, 1969, 46-49.— "Prix David. Anne Hébert", *Le Devoir*, 7 octobre 1978, 19-20.— "Anne Hébert et la sirène du métro", *L'Actualité*, 5:6, juin 1980, 82-83.— "Deux romancières règlent leurs comptes", *L'Actualité*, mai 1988, 169.

Mailhot, Laurent, "Anne Hébert ou le temps dépaysé", dans Jean-Cléo Godin et Laurent Mailhot, *Le Théâtre québécois : introduction à dix dramaturges contemporains*, Montréal, HMH, 1970, 123-150.

Major, Ruth, "*Kamouraska* et *les Enfants du sabbat*: faire jouer la transparence", *Voix et images*, VII:3, printemps 1982, 459-470.

Marissel, André, "Anne Hébert: *Les enfants du sabbat*, *Esprit*, XLIII:10 (450), octobre 1975, 545-546.

Marmier, Jean, "Du *Tombeau des Rois* à *Kamouraska*: vouloir-vivre et instinct de mort chez Anne Hébert", dans *Missions et démarches de la critique*, Paris, Klincksieck, coll. "Publications de l'Université de Haute-Bretagne II", 1973, 807-814.— "*Les Enfants du Sabbat*, roman d'Anne Hébert", dans M. Lemire *et alii*, *D.O.L. Q.*, T. V, 297-299.

Marta, Janet, "Déchiffrage du code biblique dans les *Poèmes* d'Anne Hébert", *Présence francophone*, 16, printemps 1978, 123-150.

Martel, Réginald, "Deux lectures de `Kamouraska'", *La Presse*, 10 octobre 1970, D-3.— "La quadrature du cercle de famille", *La Presse*, 6 septembre 1975, D 3.— "Anne Hébert: le charme sans bavardage", *La Presse*, 1 novembre 1975, D 3.— "Eloge de l'innocence", *La Presse*, 1 décembre 1979, B-

1.— "A la très douce mémoire de l'innocence brisée", *La Presse*, 11 septembre 1982, C 3.— "Anne Hébert en peu de mots, quelques gestes, et presque tout par le sourire", *La Presse*, 7 mai 1988, K-1-K-2.— "*Le Premier Jardin*. Dans le décor de son enfance, Anne Hébert crée l'histoire des fondatrices du pays", *La Presse*, 19 mars 1988, J-1-J-2.

Martineau, Lucile, "Symbolisme de l'eau dans deux oeuvres dramatiques: *Le Temps sauvage* d'Anne Hébert et *Double jeu* de Françoise Loranger", *Ecrits du Canada français*, 65, 51-58.

McPherson, Karen S., "The Letter of the Law in Anne Hébert's *Kamouraska*, *Québec Studies*, 8, 1989, 17-25.

Melançon, Joseph, "Robert Harvey. *Une écriture de la Passion*, *Livres et Auteurs québécois 1982*, 206-209.

Mélançon, Robert, "Ce qui est sans nom ni date. Anne Hébert, *Les Fous de bassan*", *Liberté*, 145, 25:1, février 1983, 89-93.— "Anne Hébert, l'écrivain exemplaire", *Forces*, 65, hiver 1983-84, 26-33; traduction anglaise par Lee Heppner parue dans le même numéro, 68-70.

Merivale, P., "Framed Voices. The Polyphonic Elegies of Hébert and Kogawa", *Canadian Literature*, 116, Spring 1988, 68-82.

Merler, Grazia, "Rapports associatifs dans le discours littéraire (Anne Hébert et Giovanni Testori)", *Francia*, 24, oct.-dic. 1977, 111-127.— "*Les Fous de Bassan* d'Anne Hébert devant la critique", *Œuvres et critiques*, XIV:1, 1989, 39-44.

Mésavage, Ruth M., "L'herméneutique de l'écriture: *Les Fous de Bassan* d'Anne Hébert", *Québec Studies*, 5, 1987, 111-24.— "L'Archéologie d'un mythe: *Le premier Jardin* d'Anne Hébert", *Québec Studies*, 10, 1990, 69-78.

Messner, Céline, "La Passion à l'oeuvre. Entrevue avec Anne Hébert", *Arcade*, 15, février 1988, 61-70.

Mezei, Kathy, "Commands and Desires. Anne Hébert, *Les Enfants du sabbat*, *Canadian Literature*, 70, Autumn 1976, 79-81.— "Anne Hébert. A Pattern Repeated", *Canadian Literature*, 72, Spring 1977, 29-40.

Milot, Louise, "Un demi-retour au passé", *Lettres québécoises*, 50, été 1988, 27-28.

Mitcham, Alison, "Women in Revolt", *Alive*, 3:29, 1973, 13-14.

Mitchell, Constantina, "La symbolique de la surdité dans *Le Torrent* d'Anne Hébert", *Québec Studies*, 8, 1989, 65-72.

Monette, Pierre, "A propos du prix David 1978. Anne Hébert: Poésie rompue", *Lettres québécoises*, 12, novembre 1978, 49-51.

Montessuit, Carmen, "Anne Hébert: J'ai eu l'impression d'aller au bout de quelque chose", *Le Journal de Montréal*, 11 décembre 1982, 50.— "*Le premier Jardin*, d'Anne Hébert. Un roman où Québec est `presque un personnage'", *Le Journal de Montréal*, 17 avril 1988, 47.

Morissette, Brigitte, "Lointaine et proche Anne Hébert, *Châtelaine*, 24:2, février 1983, 47-54.

Moritz, Albert, "Hébert with Anglo-Saxon flair", *Books in Canada*, November 1980, 20.

Naudin, Marie, "Connnaissance et (mé)connaissance de soi chez Thérèse Desqueroux et Elisabeth d'Aulnières", *Revue Francophone de Louisiane*, 1,1, Spring 1986, 28-35.

Northey, Margot, "Psychological Gothic: *Kamouraska*, dans *The Gothic and Grotesque in Canadian Fiction*, University of Toronto Press, 1977, 53-62.

O'Reilly, Magessa, "Le jeu des rythmes dans *Les Fous de Bassan* d'Anne Hébert", *Canadian Literature*, 133 (à paraître).

Ouellette, Gabriel-Pierre, "Espace et Délire dans *Kamouraska* d'Anne Hébert", *Voix et images*, I:2, décembre 1975, 241-264.

Ouellette-Michalska, Madeleine, "Anne Hébert. L'attrait du double", *Le Devoir*, 11 septembre 1982, 17.

Pagé, Pierre, "La Poésie d'Anne Hébert", *La Poésie canadienne-française* (*Archives des lettres canadiennes, t. IV*), Montréal, Fides, 1969, 357-378.

Pageau, René, "La fatalité chez Anne Hébert", *L'Information médicale et para-médicale*, XXIV, 19 septembre 1972, 74-78.

Pallister, Janis L., "Eros and Thanatos in Anne Hébert and Marguerite Duras: *Kamouraska* and *Hiroshima mon amour*, *Dalhousie French Studies*, 10, Spring-Summer 1986, 56-71.— "Orphic Elements in Anne Hébert's *Héloïse*", *Québec Studies*, 5, 1987, 125-134.

Paradis, Suzanne, *Femme fictive, femme réelle: le personnage féminin dans le roman canadien-français*, Québec, Editions Garneau, 1966.

Pard, Yvette, "Portrait d'Anne Hébert", émission de télévision, série *Les beaux dimanches*, Radio-Canada, 31 mars 1974.

Pascal, Gabrielle, "Soumission et révolte dans les romans d'Anne Hébert", *Incidences*, 4:2-3, mai-déc. 1980, 59-75.

Pascal-Smith, Gabrielle, "La Condition féminine dans *Kamouraska* d'Anne Hébert", *The French Review*, LIV:1, October 1980, 85-92.

Paterson, Janet M., "L'écriture de la jouissance dans l'oeuvre d'Anne Hébert", *Revue de l'Université d'Ottawa*, 50, janvier-mars 1980, 69-73.— "Anne Hébert", *Revue canadienne des langues vivantes*, 37:2, janvier 1981, 207-211.— "Anne Hébert", dans J. M. Heath (dir.), *Profiles in Canadian Literature*, vol. 3, Toronto, Dundurn Press, 1982, 113-120.— "Anne Hébert and the Discourse of the Unreal", *Yale French Studies*, 65, 1983, 172-186.— Reflet(s) et rupture dans l'écriture d'Anne Hébert", *Québec Studies*, 2, 1984, 118-124.— "L'Envolée de l'écriture: *Les Fous de Bassan* d'Anne Hébert", *Voix et images*, IX:3, printemps 1984, 143-151.— "Parodie et sorcellerie", *Etudes littéraires*, 19:1, printemps-été 1986, 59-66.— "Ah! Perceval, qui étiez-vous donc?'", dans Cécile Cloutier-Wojciechowska et Réjean Robidoux (dir.), *Solitude rompue*, Editions de l'Université d'Ottawa, coll. "Cahiers du CRCCF", hommage à David. M. Hayne, 1986, 287-293.— "Lucille Roy. *Entre la lumière et l'ombre*", *University of Toronto Quaterly*, 56:1, Fall 1986, 206-08.— "Anne Hébert: une poétique de l'anaphore", à paraître dans *Archives des lettres canadiennes*.

Péan, Stanley, "Anne Hébert, la transgression", *Solaris*, 94:4, novembre-décembre 1990, 27-30.

Pelletier, Francine, "Past pervades actress's present", *The Gazette*, 23 April 1988, L-11.

Pelletier, Jacques, "*Le Temps sauvage*", *Le Carabin*, 13 octobre 1966, 5.

Pelletier, Mario, "Anne Hébert et l'Eve profonde", *Ecrits du Canada français*, 63, 1988, 173-177.

Pepin, Fernande, "La Femme dans l'espace imaginaire de la dramatique d'Anne Hébert: *Le Temps sauvage*", *L'Art dramatique canadien*, V:2, automne 1979, 164-178.

Perreault, Luc, "Anne Hébert: `On s'est fait de moi une image arrêtée'", *La Presse*, 24 septembre 1966, 7.

Pestre de Almeida, Lilian, "*Héloïse*: la mort dans cette chambre", *Voix et images*, VII:3, printemps 1982, 471-481.

Petrowski, Minou, "Entretien avec Anne Hébert", *Double Expresso*, Radio-Canada (radio MF), 14 juin 1992.

Poulin, Gabrielle, "Qui sont les "enfants du sabbat", *Lettres québécoises*, 1:1, mars 1975, 4-6.— "*La Nouvelle Héloïse* québécoise. Une lecture des *Enfants du Sabbat*", *Relations*, XXXVI:413, mars 1976, 92-94.— "L'Ecriture enchantée", *Lettres québécoises*, 28, hiver 1982-1983, 15-18 (sur *Les Fous de Bassan*).— "Maurice Emond, *La Femme à la fenêtre. L'Univers symbolique d'Anne Hébert [...]*", *Revue d'Histoire littéraire du Québec et du Canada français*, 9, hiver printemps 1985, 140-142.

Prasteau, Jean, "Anne Hébert", *Le Figaro*, 23 novembre 1982, 28.

Préfontaine, Yves, "Anne Hébert: de la `Conscience mauvaise' à la joie assumée", *Culture française 1*, 1968, 3-5.

Purdy, Anthony, "An Archaeology of the Self: Narrative Ventriloquism in Anne Hébert's *Kamouraska*", dans *A Certain Difficulty of Being. Essays on the Quebec Novel*, Montréal et Kingston, McGill-Queen's University Press, 1990, 109-133.

Racette, Jacques-Thomas, "Anne Hébert publie", *Revue dominicaine*, LIX:2, juillet-août 1953, 25-30; septembre 1953, 79-86.

Randall, Marilyn, "Les énigmes des *Fous de Bassan*: féminisme, narration et clôture", *Voix et images*, 43, automne 1989, 66-82.

Rathé, Edward C., "La maison ensorcelée dans les romans de quatre auteures canadiennes", dans C. Cloutier-Wojciechowska et R. Robidoux (dirs.), *Solitude rompue*, Editions de l'Université d'Ottawa, 1986, 315-321.

Rea, Annabelle M., "The Climate of Viol/Violence and Madness in Anne Hébert's *Les Fous de Bassan*", *Québec Studies*, 4, 1986, 170-183.

Reid, Gregory, "Wind in August : *Les Fous de Bassan*'s reply to Faulkner", *Studies in Canadian Literature*, 16:2, 1991-92, 112-127.

Renaud, André, et Réjean Robidoux, "*Les Chambres de bois*", *Le Roman canadien-français du vingtième siècle*, Editions de l'Université d'Ottawa, 1966, 171-185.

Renaud, Benoit, "*Kamouraska*, roman et poème", *Co-incidences*, 5:2-3, mars-nov. 1975, 26-45.

Resch, Yannick, "*Les Enfants du Sabbat*", *Europe*, 561-562, janvier-février 1976, 254-255.

Richer, Julia, "*Le tombeau des rois* d'Anne Hébert", *Notre Temps*, 18 avril 1953, 3.

Riesz-Musumeci, Paola, "Invitation à la lecture d'Anne Hébert", *Französisch Heute*, März 1986, 17:1, 78-81.

Rihoit, Catherine, "L'Héritage partagé", *Autrement*, 69, avril 1985, 165-167.

Rinaldi, Angelo, "L'arrière-pays d'Anne Hébert", *L'Express*, 6-12 octobre 1975, 44.

Rivard, Yvon, "Anne Hébert. *Les enfants du sabbat*", *Livres et Auteurs québécois 1975*, 24-26.

Robidoux, Réjean, et André Raynaud, "*Les Chambres de bois*", *Le Roman canadien-français du vingtième siècle*, Editions de l'Université d'Ottawa, 1966, 171-185.

Robidoux, Réjean, "Anne Hébert", dans Pierre de Grandpré *et alii*, *Histoire de la littérature française du Québec*, T. IV, Montréal, Beauchemin, 1969, 53-58.— "*Kamouraska* de Anne Hébert", *Livres et Auteurs québécois 1970*, 24-26.

Robitaille, Louis-Bernard, "Petite histoire d'un gros prix", *Le Devoir*, 27 novembre 1982, 23.— "Anne Hébert is alive and well and living in Paris", *Châtelaine*, décembre 1986, 28-34.

Robitaille, Pierrette, "Etre écrivain c'est essayer d'être plusieurs personnes", *La Tribune*, 1 mars 1971, 17.

Rose, Marilyn Gaddis, "When an Author Chooses/Uses French: Hébert and Chedid", *Québec Studies*, 3, 1985, 148-159.

Rosensteich, Susan L., "Counter-Traditions: The Marginal Poetics of Anne Hébert", dans Paula Gilbert Lewis (dir.), *Traditionalism, Nationalism, Feminism. Women Writers of Quebec*, Westport and London, Greenwood Press, 1985, 63-70.

Roy, Johanne, "Anne Hébert, vedette du Salon de Québec", *La Presse*, 1 mai 1987, — "Son trac le plus fou, Anne Hébert le ressent devant la page blanche", *Le Devoir*, 1 mai 1987, 12.

Roy, Lucille, "Anne Hébert ou le désert du monde", *Voix et images*, VII:3, printemps 1982, 483-503.

Roy-Hewitson, Lucille, "Anne Hébert: `Le Torrent' ou l'intégration au cosmos", *The French Review*, 53, 1980, 826-833.

Roy, Max, "*Le Torrent*, recueil de nouvelles d'Anne Hébert", dans M. Lemire *et alii*, *D.O.L.Q.*, T. III, 1007-1011.

Royer, Jean, "Première mondiale à Québec: `Le temps sauvage' de Anne Hébert", *L'Action*, 10 octobre 1966, 2.— "Anne Hébert. Comment séparer le songe du réel?" *Le Devoir*, 29 mars 1980, 19.— "Anne Hébert: jouer avec le feu", *Le Devoir*, 26 avril 1980, 21.— "Anne Hébert. La passion est un risque mais c'est un risque indispensable", *Le Devoir*, 11 décembre 1982, 21, 40.— "Anne Hébert ou la passion de vivre", *Le Devoir*, 27 novembre 1982, 23.— "Bonne année, Anne Hébert", *Le Devoir*, 5 janvier 1987, 10— "Anne Hébert un hymne à l'enfance et à Québec", *Le Devoir*, 17 mars 1988, 14.— "Cette cinquième saison qui nous est donnée", *Le Devoir*, 16 avril 1988, D-1-D-2. Republié et augmenté de deux paragraphes dans Jean Royer, *Ecrivains contemporains. Entretiens 5: 1986-1989*, Montréal, L'Hexagone, 1989, 192-197.

Rubinger, Catherine, "Actualité de deux contes-témoins: *Le torrent* d'Anne Hébert et *Un jardin au bout du monde* de Gabrielle Roy", *Présence francophone*, 20, printemps 1980, 121-126.

Russell, Delbert W., "Quatre versions d'une légende canadienne", *Canadian*

Literature, 94, Autumn 1982, 172-78.— "Anne Hébert: *Les Invités au procès*", *Canadian Literature*, 74, 1977, 30-39.

Ryan, Marie-Laure, "`Neige' d'Anne Hébert: un dialogue avec Saint-John Perse", *Présence francophone*, 20, printemps 1980, 127-135.

Sachs, Murray, "Love on the Rocks: Anne Hébert's *Kamouraska*, dans Paula Gilbert Lewis (dir.), *Traditionalism, Nationalism and Feminism. Women Writers of Quebec*, Westport and London, Greenwood Press, 1985, 109-123.

Saint-Germain, Pierre, "Anne Hébert: `Mes personnage me mènent par le bout du nez'", *La Presse*, 21 décembre 1963, "Arts et Lettres", 3.

Sainte-Marie Eleuthère, soeur, *La Mère dans le roman canadien-français*, Québec, Presses de l'Université Laval, (coll. Vie des lettres canadiennes, No. 1), 1964, 121-126.

Saint-Martin, Lori, "Catherine au pays de la modernité", *Spirale*, avril 1986, 14.— *Malaise et révolte des femmes dans la littérature québécoise depuis 1945*, Québec, GREMF, 1989, 183-265.— "Anne Hébert et Nicole Brossard, de la poésie à la prose", *Etudes de Lettres. Revue de la Faculté des Lettres Université de Lausanne*, 4:3, juillet-septembre 1989, 67-77.— "Une esthétique de l'écho", *Spirale*, 98, été 1990, 21.— "Ecriture et combat féministe: figures de la sorcière dans l'écriture des femmes au Québec", *Québec Studies*, 12, Spring/Summer 1991, 67-82.

Salgas, Jean-Pierre, "Il faut sortir du ghetto", *La Quinzaine littéraire*, 436, 16-31 mars 1985, 18.

Saynac, Brigitte, "Le pacte de l'enfance dans *Les Chambres de bois* et *Les Enfants du Sabbat* d'Anne Hébert", dans *Recherches et Travaux. Littérature canadienne-française*, Université de Grenoble, bulletin No. 20, 1981, 79-89.

Schinkel, D. C., "Le prix J-Béraud Molson: un refus insultant", *Le Devoir*, 27 novembre 1982, 26.

Schmidt, Zélia Mara Scarpari, "Lecture alchimique d'un poème d'Anne Hébert", *Revista Letras*, 30, dez. 1981, 115-137.

Scully, Robert Guy, "L'Oeuvre de notre grande bourgeoisie", *Le Devoir*, 31 mars 1973, 15.

Séjor, Laurence, "De l'envoûtement à la folie ou l'univers dualiste de Griffin Creek", *Critique*, 39, 1983, 242-247.

Senécal, André J., "*Les Fous de Bassan*: an eschatology", *Québec Studies*, 7, 1988, 150-160.

Servin, Henri, "Une lecture du corps dans *Kamouraska* d'Anne Hébert", *Québec Studies*, 4, 1986, 184-193.

Simon, Sherry, "`Fous' a compelling tale in lyrical language", *The Gazette*, November 27, 1982, C-6.

Sipriot, Pierre, "Une nouvelle sorcière de Salem", *Le Figaro* (*Le Figaro littéraire*, No. 1532), 27 septembre 1975, 14.

Sirois, Antoine, "Bible, Mythes, et Fous de Bassan", *Canadian Literature*, 104, Spring 1985, 178-182.— "La descente aux enfers : Orphée et Eurydice. *Héloïse* d'Anne Hébert" et "Saint Michel contre le dragon. Romans d'Anne Hébert", dans *Mythes et symboles dans la littérature québécoise*, Montréal, Triptyque, 1992, 83-96, 119-136 (notes 141-142, 143-145).

Slott, Kathryn, "Submersion and Resurgence of the Female Other in Anne Hébert's *Les Fous de Bassan*", *Québec Studies*, 4, 1986, 158-169.— "Repression, Obsession, and Re-Emergence in Hébert's *Les Fous de Bassan*", *The American Review of Canadian Studies*, XVII:3, 1987, 297-307.— "Hébert, Anne. *Le Premier Jardin*", *Québec Studies*, 9, 1989-1990, 161-163.— "From Agent of Destruction to Object of Desire: the Cinematic Transformation of Stevens Brown in *Les Fous de Bassan*, *Québec Studies*, 9, 1989-1990, 17-28.

Smart, Patricia, "La Poésie d'Anne Hébert: une perspective féminine", *Revue de l'Université d'Ottawa*, 50:1, janvier-mars 1980, 62-68.— "Le fils détruit, la fille rebelle: la poésie de Saint-Denys Garneau et d'Anne Hébert", *Ecrire dans la maison du père. L'émergence du féminin dans la tradition littéraire du Québec*, Montréal, Québec/Amérique, coll. "Littérature d'Amérique", 1988, 167-195.

Smith, Donald, "Anne Hébert et les eaux troubles de l'imaginaire", *Lettres québécoises*, hiver 1980-81, 64-73.

Statford, Phillip, "*Kamouraska* and *The Diviners*", *Review of National Literatures*, 7, 1976, 110-126.

Stephan, Andrée, "Le règne de l'eau dans *Les Fous de Bassan* d'Anne Hébert", *Etudes Canadiennes/Canadian Studies*, 27, 1989, 115-122.

Such, Peter, "Anne Hebert [sic] turns mayhem, epic themes into vivid collage", *The Toronto Star*, 23 April 1977, H 7.

Sylvestre, Guy, "*Le Torrent*, *Revue de l'Université d'Ottawa*, 21:4, octobre-décembre 1951, 444-445.

Sylvestre, Roger, "Du sang sur des mains blanches", *Critère*, 4, juin 1971, 46.

Talbot, Emile J., "The Signifying Absence. Reading Kamouraska Politically", *Canadian Literature*, 130, Autumn 1991, 194-200.

Thério, Adrien, "La Maison de la belle et du prince ou l'Enfer dans l'œuvre romanesque d'Anne Hébert", *Livres et Auteurs québécois 1971*, 274-284.

Tomlinson, Muriel D., "A Comparison of *Les Enfants terribles* et *Les Chambres de bois*", *Revue de l'Université d'Ottawa*, XLIII:4, octobre-décembre 1973, 532-539.

Tadros, Jean-Pierre, "Anne Hébert en entrevue. L'oeuvre écrite", *Le Devoir*, 7 avril 1973, 23.

Tremblay, Gisèle, "*Kamouraska* ou la fureur de vivre", *Le Devoir*, 12 juin 1971, 13.

Tremblay, Régis, "Le charme redoutable de la timide Anne Hébert", *Le Soleil*, 12 avril 1980, D-2.— "Anne Hébert: la discrète reine de la fête, hier à Montréal", *Le Soleil*, 9 décembre 1982, D-11.

Vaillancourt, Pierre-Louis, "Sémiologie d'un ange, étude de 'L'Ange de Dominique' d'Anne Hébert", *Voix et images*, V:2, 1980, 353-363.

Vallières, Pierre, "Anne Hébert célèbre la beauté du diable", *Le Jour*, 13 septembre 1975, 14.— "Anne Hébert, comme Rimbaud, demeure affamée de ce Je qui est un Autre", *Le Jour*, 31 octobre 1975, 17.

Vanasse, André, "L'écriture et l'ambivalence, entrevue avec Anne Hébert", *Voix et images*, VII:3, printemps 1982, 441-448.— "L'exportation de notre littérature: un échec?", *Lettres québécoises*, 58, été 1990, 7-10.

Van Herk, Aritha, "The sound and the fury", *Books in Canada*, 13:2, février 1984, 8, 10.

Velloso Porto, Maria Bernadette, "Harvey, Robert, *Kamouraska* d'Anne Hébert: Une écriture de la Passion [...], *Etudes littéraires*, 16:2, août 1983, 292-296.

Verthuy, Maïr, "Hébert, Anne", dans Vinson, James et Daniel Kirkpatrick (dirs.), *Contemporary Foreign Language Writers*, New York, St. Martin's Press, 1984, 166-168.— "Ni Verbe ni Chair/e? La Religieuse et Le [sic] Cloîture chez Anne Hébert", *Atlantis*, 14:1, automne 1988, 27-31.

Viroly, Michèle, "Entretien avec Anne Hébert", *Plus*, Radio-Canada (télévision), 27 mai 1992.

Voisard, Anne-Marie, "Anne Hébert à Québec. Un retour aux sources", *Le Soleil*, 2 mai 1987, C-1-C-2— "*Le premier jardin* d'Anne Hébert. Une émouvante visite guidée de Québec", *Le Soleil*, 26 mars 1988, D-11.— "Anne Hébert. Une Québécoise à Paris pour raconter son pays", *Le Soleil*, 7 avril 1988, B-7.

Waelti-Walters, Jennifer, "Beauty and the Beast and *The Silent Rooms* (Hébert)", *Fairy Tales and the Female Imagination*, Montréal, Eden Press, 1982, 13-30.

Weir, Lorraine, "`Fauna of Mirrors': The Poetry of Hébert and Atwood", *Ariel*, 10:3, 1979, 99-113.— "Anne Hébert", dans W. H. New (dir.), *Dictionary of Literary Biography*, vol. 68, Détroit, Gale Research, coll. "Canadian Writers, 1920-1959, First Series", 1988, 166-174.

Whitfield, Agnès, "*Kamouraska*, ou la Confession occultée", *Le Je(u) illocutoire. Forme et contestation dans le nouveau roman québécois*, Québec, Presses de l'Université Laval, Centre de recherche en littérature québécoise, coll. "Vie des lettres québécoises", No. 25, 1987.

Winspur, Steven, "Undoing the Novel of Authority with Anne Hébert", dans *Teaching Language Through Literature*, Modern Language Association Conference, XXVI:2, April 1987, 24-32.

Wyczynski, Paul, "L'Univers poétique d'Anne Hébert", *Poésie et symbole*, Montréal, Déom (coll. Horizons), 1965, 149-185.

III.— L'Exil

La bibliographie de l'exil est déjà immense et ne cesse de croître. Nous n'indiquons ici qu'une partie des textes que nous avons consultés, ceux-ci ne constituant qu'une fraction de ce qu'il serait possible d'étudier. Rappelons aussi que la bibliographie de l'exil consistera tantôt en textes littéraires qui manifestent d'une façon ou d'une autre une problématique de l'exil (l'oeuvre d'Anne Hébert constitue un exemple de cette catégorie de textes), tantôt en témoignages (textes écrits par des victimes de l'exil qui narrent cette expérience), tantôt encore il s'agira de méditations sur l'exil ; tantôt enfin les textes de l'exil seront des réflexions théoriques ou des études savantes sur l'exil. Certains des textes ci-dessous traitent de l'exil au Canada français ou dans la littérature québécoise.

Ainsa, Fernando, "Terre promise émigration et exil" (traduit de l'espagnol par Mónica Correa), *La Quinzaine littéraire*, 353, 1981, 23-24.— "Utopie, terre promise, émigration et exil" (traduit de l'espagnol par Mónica Correa et Marcel Cohen), *Diogène*, 119, automne 1982, 52-68; pour une version anglaise, voir "Utopia, Promised Lands, Immigration and Exile" (translated from Spanish by Jeanne Furguson), *Diogenes*, 119, Fall 1982, 49-64.

Bahr, Ehrhard, et Carolyn See, *Literary Exiles and Refugees in Los Angeles*, Los Angeles, The William Andrews Clark Memorial Library, University of California, 1988; voir surtout Kenneth Turan, "Introduction", vii-x; et Ehrhard Bahr, "Literary Weimar in Exile: German Literature in Los Angeles, 1940-1958", 1-28.

Bayard, Caroline, Pierre Bertrand, Bogdan Gugu, Alberto Kurapel, Axel Maugy, Gina Stoiciu, *Exil et Fiction*, Montréal, Humanitas, coll. "Circonstances", 1992.

Beausang, Michael, "L'Exil de Samuel Beckett: la terre et le texte", *Critique*, XXXVIII:421-422, 561-575.

Bell, Robert F., et John M. Spalek (dirs.), *Exile: The Writer's Experience*, Chapel Hill, University of North Carolina Press, coll. "University of North Carolina Studies in the Germanic Languages and Literatures", No. 99, 1982.

Ben Jelloun, Tahar, "Les `allées-venues' de Vassilis Alexakis", *Le Monde*, 8 septembre 1989, 19.

Bourneuf, Roland, *Saint-Denys Garneau et ses lectures européennes*, Québec, Presses de l'Université Laval, coll. "Vie des Lettres candiennes", 1969.

Brodsky, Joseph, "The Condition We Call Exile", *The New York Review of Books*, 34:21-22, 21 January 1988, 16, 18, 20.

Broe, Mary Lynn, et Angela Ingram (dir.), *Women's Writing in Exile*, Chapel Hill et Londres, University of North Carolina Press, 1989.

Carile, Paolo, "L'altérité comme défi anthropologique"(traduit de l'italien par Francesca Malvani), dans Carla Fratta (dir.), *L'altérité dans la littérature québécoise*, Bologne, CLUEB, coll. "La deriva delle francofonie. Atti dei seminari annuali di Letterature Francofone diretti da Franca Marcato Falzoni", 1987, 61-84.

Charbonneau, Robert, *La France et nous. Journal d'une querelle [...]*, Montréal, L'Arbre, 1947.

Cielens, Isabelle, *Trois fonctions de l'exil dans les oeuvres de fiction d'Albert Camus: initiation, révolte, conflit d'identité*, Uppsala, Acta Universitatis Upsaliensis, coll. "Studia Romanica Upsaliensia", No. 36, 1985.

Cioran, E. M., "Avantages de l'exil", *La Tentation d'exister*, Paris, Gallimard, coll. "Tel", No. 99, 63-68.

Ciplijauskaite, Birute, "Nationalization of Arcadia in Exile Poetry", *Books Abroad*, 50:2, Spring 1976, 295-302.

Dahlie, Hallvard, *Varieties of Exile. The Canadian Experience*, Vancouver, University of British Columbia Press, 1986.

Du Bellay, Joachim, *Les Regrets et autres oeuvres poëtiques suivis des Antiquitez de Rome, plus un songe ou vision sur le mesme suject*, texte établi par J. Jolliffe, introduit et commenté par M. A. Screech, Genève, Droz, coll. "Textes littéraires français", No. 120, 1966.

Duffy, Dennis, "Heart of Flesh: Exile and the Kingdom in English Canadian Literature", *Revue d'études canadiennes*, 18:2, été 1983, 58-69.

Estève, Michel, "De l'exil intérieur: note sur *L'Année du soleil tranquille*, *Etudes cinématographiques*, 156, 1987, 87-92.

Ethier-Blais, Jean, *Exils*, Département d'études françaises, Faculté des Lettres, Université de Montréal, "Conférences J. A. de Sève" 5, 1964-1965.— *Autour de Borduas. Essai d'histoire intellectuelle*. Presses de l'Université de Montréal, 1979.

Exner, Richard, "*Exul Poeta*: Theme and Variations", *Books Abroad*, 50:2, Spring 1976, 285-295.

Folch-Ribas, Jacques, "Le Royaume et l'exil", *Liberté*, 153, 26:3, juin 1984, 86-91.

Gaulin, André, "Le thème de l'exil de 1940 à 1960", dans Denis Saint-Jacques (dir.), *Littérature et idéologies. La mutation de la société québécoise de 1940 à 1972*, Québec, Université Laval, 1976, 31-46.

Gomori, George, "Tradition and Innovation in the Literature of the Hungarian Diaspora", *Books Abroad*, 50:2, Spring 1976, 303-307.

Guillén, Claudio, "On the Literature of Exile and Counter-Exile", *Books Abroad*, 50:2, Spring 1976, 271-280.

Harel, Simon, *Le Voleur de parcours. Identité et cosmopolitisme dans la littérature québécoise contemporaine*, Longueuil, Le Préambule, coll. "l"Univers des discours", 1989.

Henry, Albert, "Exil, nomadisme et solitude dans l'oeuvre poétique de Saint-John Perse", *Versants*, 10, 1986, 57-85.

Herrera, Juan Felipe, *Exile of Desire*, Fresno, Californie, Lalo Press Publications, 1983.

Huston, Nancy, et Leïla Sebbar, *Lettres parisiennes. Autopsie de l'exil*, Paris, Barrault, 1986.

Jaccard, Roland, *L'Exil intérieur. Schizoïdie et civilisation*, Presses Universitaires de France, coll. "Points", 1975.

Jones, Dorothy, "'A Kingdom and a Place of Exile': Women Writers and the World of Nature", *World Literature Written in English*, 24:2, 1984, 257-273.

Kaplan, Caren, "Deterritorializations: The Rewriting of Home and Exile in Western Feminist Discourse", *Cultural Critique*, 6, Spring 1987, 187-198.

Knapp, Bettina L. et *alii*, *Exile and Transcendance*, Dalhousie French Studies, 19, Fall-Winter, 1990.

Kolakowski, Leszek, "In Praise of Exile", *The Times Literary Supplement*, October 11 1985, 1133-1134.

Kolonosky, Walter F., "Thirteen Years after Ivan Denisovich: A New Kontinent", *Books Abroad*, 50:2, Spring 1976, 313-318.

Kristeva, Julia, *Etrangers à nous-mêmes*, Paris, Fayard, 1988.

Kurapel, Alberto, "Mes racines, c'est dans l'exil que je les trouve", *Humanitas*, 20-21, 1987, 24-30.

Lamming, George, *The Pleasures of Exile*, Londres, Michael Joseph, 1960.

Levin, Harry, "Literature and Exile", *Essays in Comparative Literature*, New York, Oxford University Press, 1966, 62-81.

Limonov, Edouard, "Treize études sur l'exil" (traduit du russe par Léon Robel), *Change international*, 3, 1985, 101-105.

Mailhot, Laurent, "Traduction et `nontraduction': l'épreuve du voisin étranger dans la littérature québécoise", dans Carla Fratta (dir.), *La Deriva delle francofonie. L'altérité dans la littérature québécoise*, Bologne, CLUEB, 1987, 13-59.

Marcotte, Gilles, *Une littérature qui se fait*, Montréal, HMH, coll. "Constantes", 1962.— *Littérature et circonstances*, Montréal, L'Hexagone, coll. "Essais littéraires", 1989; voir en particulier "Robert Charbonneau, la France, René Garneau et nous..." (p. 65-83), et "Octave Crémazie, lecteur" (p. 211-227).

McCance, Dawne, "Julia Kristeva and the Ethics of Exile", *Tessera*, 8, Printemps 1990, 23-39.

Mazzotta, Giuseppe, "Dante and the Virtues of Exile", *Poetics Today*, 5:3, 1984, 645-667.

Middleton, Victoria, *Electra in Exile*, Garland Publishing, coll. "Garland Publications in American and English Literature", 1988.

Milosz, Czeslaw, "Notes on Exile", *Books Abroad*, 50:2, Spring 1976, 281-284.

Moukouri Edeme, Michel, "Négritude et exil", *Versants*, 10, 1986, 109-121.

Mphahlele, Ke'kia, "L'Exil et le retour" (traduit de l'anglais par Oristelle Bonis), *Les Temps modernes*, 41:479,480,481, juin-juillet-août 1986, 292-296.

Nivat, Georges, "Exil russe dans la nuit européenne", *Versants*, 10, 1986, 89-108.

O'Rourke, David, "Exiles in Time. Gallant's `My Heart is Broken'", *Canadian Literature*, 93, Summer 1982, 98-107.

Paucker, Henri R., "Exile and Existentialism", dans Bell, Robert F., et John M. Spalek (dirs.), *Exile: The Writer's Experience*, Chapel Hill, University of North Carolina Press, coll. "University of North Carolina Studies in the Germanic Languages and Literatures", No. 99, 82-94. Traduction de Adrienne Ash.

Popovic, Pierre, "Partir, revenir, voyager, écrire peut-être...", *Spirale*, 85, février 1989, 5, 7.

Racevskis, Karlis, "Finding Our Roots in Exile: Folklore versus the Humanities", *World Literature Today*, 61:1, winter 1987, 9-12

Rocha Lima, Valentina da, "Women in Exile: Becoming Feminist", *International Journal of Oral History*, 5:2, June 1984, 81-99.

Saint-John Perse, *Exil, Oeuvres complètes*, Paris, Gallimard, coll. "nrf", 1972 (première éd. 1942), 119-173.

Scarpetta, Guy, *Eloge du cosmopolitisme*, Paris, Grasset, 1981.

Seidel, Michael, *Exile and the Narrative Imagination*, New Haven et Londres, Yale University Press, 1986.

Sher, Emil, "One in a World of Exiles: Quebec's Alberto Kurapel", *Canadian Theatre Review*, 56, Fall 1988, 31-34.

Skvorecky, Josef, "At Home in Exile: Czech Writers in the West", *Books Abroad*, 50:2, Spring 1976, 308-313.

Smith, Arlette M., "Sémiologie de l'exil dans les oeuvres romanesques de Maryse Condé", *The French Review*, 62:1, octobre 1988, 50-58.

Stachniak, Ewa Maria, *The Positive Philosophy of Exile in Contemporary Literature: Stefan Themerson and his Fiction*, thèse de doctorat, Université McGill, 1988.

Tabori, Paul, *The Anatomy of Exile. A semantic and historical study*, Londres, Harrap, 1972.

Thompson, Ewa M., "The Writer in Exile: Playing the Devil's Advocate", *Books Abroad*, 50:2, Spring 1976, 325-328.

Todorov, Tzvetan, *Nous et les autres. La réflexion française sur la diversité humaine*, Paris, Seuil, 1989.

Vasquez, Ana, Gabriela Richard et Marie-Claire Delsueil, "Psychologie de l'exil", *Esprit*, 6, juin 1979, 9-21.

Warwick, Jack, *L'Appel du nord dans la littérature canadienne-française* (traduit de l'anglais par Jean Simard), Montréal, HMH, coll. "Constantes", 1972 (1ère édition: *The Long Journey*, University of Toronto Press, 1968).

Weinberg, Kurt, "The Theme of Exile", *Yale French Studies*, 25, 1960, 33-40.

Zyla, Wolodymyr F., "Manifestations of Ukrainian Poetry and Prose in Exile", *Books Abroad*, 50:2, Spring 1976, 318-325.

Autres Textes consultés :

Bernard, Jean-Paul, *Les Rouges: libéralisme, nationalisme et anticléricalisme au milieu du XIXe siècle*, Montréal, Presses de l'Université du Québec, 1971.— *Les Idéologies québécoises au XIXe siècle*, Montréal, Boréal Express, 1973.

Dumont, Fernand, *et alii*, *Idéologies au Canada français, 1850-1900*, Québec, Presses de l'Université Laval, 1971.

Durocher, René, Paul-André Linteau et Jean-Claude Robert, *Histoire du Québec contemporain, Tome I: De la Confédération à la crise (1867-1929)*, Montréal, Boréal Express, 1979. — et François Ricard, *Histoire du Québec contemporain, Tome II: Le Québec depuis 1930*, Montréal, Boréal, 1986.

Fohlen, Claude, *L'Amérique anglo-saxonne de 1815 à nos jours*, Paris, Presses Universitaires de France, coll. "'Nouvelle Clio' L'Histoire et ses problèmes", 1965.

Frégault, Guy, *La Civilisation de la Nouvelle-France*, Montréal, Fides, 1969.

Gaboury, Jean-Pierre, *Le Nationalisme de Lionel Groulx, aspects idéologiques*, Editions de l'Univesité d'Ottawa, 1970.

Gerols, Jacqueline, *Le roman québécois en France*, Montréal, Hurtubise HMH, coll. "Cahiers du Québec Littérature", 1984.

Hamelin, Jean, *Economie et société en Nouvelle-France*, Québec, Presses de l'Université Laval, 1960.

Larose, Jean, *Le Mythe de Nelligan*, Montréal, Quinze, coll. "Prose exacte", 1981.

Le Bel, Michel, et Jean-Marcel Paquette, *Le Qébec par ses textes littéraires (1534-1976)*, Montréal, France/Québec, 1979.

Michon, Jacques, *Emile Nelligan, Les racines du rêve*, Montréal, Presses de l'Université de Montréal, Sherbrooke, Editions de l'Université de Sherbrooke, coll. "Lignes québécoises", 1983.

Monière, Denis, *Le Développement des idéologies au Québec des origines à nos jours*, Montréal, Québec/Amérique, 1977.

Nepveu, Pierre, *L'Ecologie du réel : mort et naissance de la littérature québécoise contemporaine*, Montréal, Boréal, coll. "Papiers collés", 1988.

Robert, Jean-Claude, *Du Canada français au Québec libre*, Paris, Flammarion, 1975.

Sarkany, Stéphane, *Québec Canada France. Le Canada littéraire à la croisée des cultures*, Publications Université de Provence, 1985.

Saint-Denys Garneau, Hector de, *Oeuvres*, texte établi, annoté et présenté par Jacques Brault et Benoît Lacroix, Presses de l'Université de Montréal, coll. "Bibliothèque des lettres québécoises", 1971.

Sarrazin, Jean, Claude Glayman et Micheline Jérome (dirs.), *Dossier Québec*, Paris, Stock, coll. "Livre-dossier Stock", No. 3, 1979.

Sylvain, Philippe, "Libéralisme et ultramontanisme au Canada français; affrontement idéologique et doctrinal, 1840-1865", dans W. L. Morton (dir.), *Le Bouclier d'Achille*, Toronto, McLelland and Stewart, 1968, 111-138, 220-255.

Tardivel, Jules-Paul, *Pour la patrie. Roman du XXe siècle*, présentation par John Hare, Montréal, Hurtubise HMH, coll. "Textes et Documents littéraires, Les Cahiers du Québec", 1975 (1ère éd.: Montréal, Cadieux et Derome, 1895; 2e éd.: Montréal, La Croix, 1936).

Todorov, Tzvetan, *Introduction à la littérature fantastique*, Paris, Seuil, coll. "Poétique", 1970.

Vincenthier, Georges, *Histoire des idées au Québec. Des troubles de 1837 au référendum de 1980*, Montréal, vlb, 1983.

Wall, Anthony, "Vers une notion de la colle parodique", *Etudes littéraires*, 19:1, printemps-été 1986, 21-36.

Wade, Mason, *Les Canadiens français de 1760 à nos jours*, Montréal, Cercle du Livre de France, 1963, 2 vol.

Wyczynski, Paul, *Nelligan 1879-1941 Biographie*, 2e édition revue et corrigée, Montréal, Fides, 1987.

Index

En raison de contraintes d'espace, cet index ne porte pas sur les notes ni sur la bibliographie. Lorsque le nom de l'auteur-e d'un passage cité ne figure pas dans le texte, on le trouvera en note.

Table des matières

Achevé d'imprimer dans les Ateliers
du Service Technique des Impressions Graphiques
de l'Université Michel de Montaigne-Bordeaux 3
au quatrième trimestre 1993.